WYDAWNICTWO
DREAMS

DOTYK

KSIĘGA PIERWSZA

Tytuł oryginału: Touch (A Denazen Novel #1)
Autor: Jus Accardo
Tłumaczenie z języka angielskiego: Dariusz Bakalarz
Redakcja: Grażyna Jenczelewska - Stolarczyk
Korekta: Martyna Żurawska
Skład i łamanie: Grzegorz Działo
Projekt okładki: Grzegorz Działo
przy użyciu materiału zdjęciowego © iStockphoto

ISBN 978-83-63579-08-1

Dreams Wydawnictwo Lidia Miś-Nowak
35-310 Rzeszów, ul. Unii Lubelskiej 6A
www.dreamswydawnictwo.pl

Druk: Rzeszowskie Zakłady Graficzne

JUS ACCARDO

DOTYK

KSIĘGA PIERWSZA

Tłumaczenie Dariusz Bakalarz

Kevinowi...
Każdy cud w swoim życiu zawdzięczam Tobie.

1

Nie widziałam ich, ale mimo to wiedziałam, że czekają na dole. Gnojki żądne krwi. Na pewno modlili się, aby coś się nie powiodło.

– Jak myślisz? Ze cztery i pół metra?

– Na luzie – powiedział Brandt. Chwycił mnie za rękę, bo silniej powiał wiatr. Gdy już stałam na desce, wypił resztkę piwa.

Wyjrzeliśmy razem za dach szopy. Pod nami w najlepsze trwała impreza. Piętnastka naszych najbliższych – i najbardziej odjechanych – przyjaciół.

Brandt westchnął.

– Na pewno chcesz to zrobić?

Oddałam mu swoją pustą butelkę.

– Nie na darmo nazywają mnie Królową Odlotów.

Z lewej strony sztywno na desce stał Gilman. W ciemności widziałam odblask księżycowego światła na jego spoconym czole. Laluś.

– Gotowy?

Przełknął ślinę i skinął głową.

Brandt przymknął oczy i rzucił butelki między drzewa. Na kilka sekund zapanowała cisza, później rozległ się głuchy brzęk, a potem krzyk i histeryczny śmiech naszych przyjaciół z dołu. Tylko pijani zanoszą się śmiechem z powodu brzęku tłuczonych butelek.

– Nie wiem, Dez – powiedział. – Tam na dole niczego nie widać. Skąd wiesz, gdzie wylądujesz?

– Będzie dobrze. Uda mi się. Jak milion razy poprzednio.

– Do basenu – rzekł Brandt. – Z dachu trzymetrowego garażu. A tu jest co najmniej cztery i pół metra. Nie mam zamiaru taszczyć cię za tyłek do domu.

Olałam go – jak zwykle, gdy zrzędził. Ugięłam kolana i odwróciłam się do Gilmana.

– Cwaniaczek gotowy? – zapytałam z uśmiechem.

Ktoś pogłośnił radio w samochodzie. Poleciały pierwsze takty *Poker Face* Lady Gagi. Trzymałam ręce na szczycie dachu. Z dołu słyszałam zagrzewające pijackie okrzyki. Pojechałam.

Włosy jak tysiąc drobnych rzemyków smagały mi twarz. Pod deską czułam nierówną nawierzchnię dachu. A później nic.

Lot. Zupełnie jakbym szybowała.

Przez upojną chwilę byłam w nieważkości. Jak piórko dryfujące w powietrzu, zanim łagodnie osiądzie na ziemi. Poczułam przypływ adrenaliny, byłam potężnie podekscytowana.

Co jest najgorsze w kopie adrenaliny? Że nigdy nie trwa długo.

U mnie było to zaledwie pięć sekund. Tyle czasu zabrało zjechanie z dachu szopy i wylądowanie na (wcale nie tak miękkim) stogu siana.

Upadłam ze wstrząsem. Nic wielkiego. Groziło mi najwyżej otarcie kości ogonowej i kilka siniaków. Bywało gorzej.

Pochyliłam się i strzepnęłam siano z dżinsów. Szybka inspekcja wykazała niewielkie rozdarcie nad lewym kolanem i kilka plamek z błota. Nic, z czym nie poradziłaby sobie pralka.

Gdzieś z tyłu usłyszałam jęk. To Gilman.

Nie należy mieszać brzoskwiniowej tequili z ciepłym piwem. Człowiek wyprawia po tym głupoty. Na przykład zbyt długo siedzi na imprezie, na którą nie miał zamiaru pójść, albo idzie w krzaki z kimś takim jak Mark Geller.

Albo zjeżdża na deskorolce z dachu rozklekotanej szopy. Hm... to nie całkiem prawda. Do takich rzeczy mam skłonności i bez alkoholu. Nie licząc całowania się z Markiem Gellerem – bo to musiało być na kompletnej bani.

– Wszystko okej? – zapytał z dachu Brandt.

Pokazałam mu kciuk skierowany do góry i poszłam sprawdzić, co u Gilmana. Leżał otoczony wianuszkiem dziewczyn, więc zaczęłam się zastanawiać, czy aby czasem nie udaje. Przynajmniej trochę. Taki chudzielec zwykle nie budzi szczególnego zainteresowania wśród kobiet, więc założę się o wszystko, że robi co może, aby zwrócić na siebie uwagę.

– Ty to masz nierówno pod czachą – mruknął, wstając na nogi.

Wskazałam stóg siana, na którym wylądowałam. Znajdował się kilka metrów od miejsca, w którym Gilman miał twarde lądowanie.

– Ja mam nierówno? Ja przynajmniej celowałam w siano.

– Łuuu!!! – zawył swoim charakterystycznym głosem Brandt. Po chwili, zaciskając pięści, biegł wzdłuż ściany szopy. Stanął obok mnie i pokazał język Gilmanowi, który uśmiechnął się i go zlekceważył. Brandt stuknął mnie w ramię. – To moja dziewczyna.

– Dziewczyna musi się zmywać. Dziesięć minut całowania w krzakach i Mark Geller myśli, że jesteśmy dla siebie stworzeni. Chyba nie chcesz robić sobie z niego wroga.

– Ale... – Brandt zmarszczył brwi. – ...impreza dopiero się rozkręca. Chyba nie zamierzasz rezygnować z galaretowych shotów.

Uwielbiam galaretowe shoty. Może warto zostać... Nie.

– Raczej zrezygnuję.

– Dobra, to idę z tobą.

– Nie ma mowy – odparłam. – Czekasz na przyjście Bomby, zapomniałeś?

Od jakiś dwóch tygodni próbował poderwać Carę Finley. W końcu zgodziła się pójść z nim na dzisiejszą imprezę. Nie zamierzałam pozbawiać go szans i angażować do roli ochroniarza.

Spojrzał za siebie. Na polu ludzie zaczynali tańczyć w świetle księżyca.

– Na pewno dasz sobie radę sama?

– Jasne. – Wskazałam na swoje nogi. – Do jazdy na nich nie trzeba żadnego prawka.

Chwilę się wahał, ale w końcu Cara wygrała. Pożegnaliśmy się i odeszłam w ciemność.

Do domu miałam zaledwie kilka minut. Przez pole, wzdłuż strumyka i przez niewielkie wzgórze. Znałam ten las tak dobrze, że znalazłabym drogę z zamkniętymi oczami. Zresztą robiłam to nie raz.

Wyjęłam z kieszeni komórkę i jęknęłam. Pierwsza w nocy. Jak mi szczęście dopisze, miałam szansę dotrzeć do domu i położyć się do łóżka przed powrotem taty. Tym razem nie chciałam się spóźnić. Ani za dużo wypić. Poszłam na imprezę tylko po to, żeby moralnie wesprzeć Brandta, ale gdy Gilman zaczął się puszyć... Cóż, nie miałam wyboru. Musiałam zostać i dać mu do wiwatu, żeby się zamknął. W końcu trzeba dbać o swoją reputację.

W połowie drogi do domu, nad płytkim, błotnistym strumieniem, w którym bawiłam się w dzieciństwie, musiałam zatrzymać się na chwilę. W oddali słyszałam muzykę i głosy z imprezy. Przez moment pożałowałam, że nie zgodziłam się, aby Brandt mnie odprowadził. Wyraźnie wypiłam o jedno piwo za dużo.

Pochyliłam się nad wodą i wciągnęłam do płuc wilgotne powietrze. Potem wypuściłam je, zacisnęłam zęby i wstrzymałam oddech. W myślach powtarzałam: *Nie poddam się.*

Po kilku minutach mdłości ustały. Dzięki Bogu. Nie chciałam wracać do domu cuchnąca wymiocinami. Wstałam znad wody i już miałam iść, gdy usłyszałam jakieś odgłosy. Zamarłam.

Cholera. Muzyka była za głośna i ktoś wezwał gliny. Super. Tata wkurzy się, jak znów zadzwonią w nocy z lokalnego posterunku. Chciałbym zobaczyć jego minę w takiej chwili.

Wstrzymałam oddech i nasłuchiwałam. Żadnych hałasów z imprezy. Tylko krzyk mężczyzny.

W krzakach rozległ się odgłos ciężkich kroków.

Po chwili dźwięk się powtórzył. Tym razem bliżej.

Wsunęłam komórkę z powrotem do kieszeni spodni i ruszyłam w drogę, która zapowiadała się na bardzo ciężką. Nagle moją uwagę zwrócił ruch w krzakach. Obejrzałam się i zobaczyłam, że ktoś stacza się po wzgórzu i zatrzymuje kilkadziesiąt centymetrów od strumienia.

– Jezu! – Podskoczyłam, potknęłam się o wystający korzeń i wylądowałam pupą w błocie. Wstałam i zrobiłam kilka ostrożnych kroków w stronę tamtego człowieka. Nie ruszał się. Upadł pod dziwnym kątem. Był boso, na stopach miał brzydko wyglądające blizny. Wytężyłam wzrok i zobaczyłam w ciemności krew w kilku miejscach na cienkim podkoszulku i ciętą ranę z boku głowy. Wyglądał na nieprzytomnego.

Miał około osiemnastu-dziewiętnastu lat. Nie znałam go. Na pewno nie chodził do mojej szkoły. Tam znałam wszystkich. Na pewno nie widziałam go też na imprezie. Był przystojny i zapamiętałabym go. Przypuszczam, że nawet nie pochodził stąd. Miał zbyt długie włosy i nie nosił podkoszulka z napisem *Parkview*. Poza tym nawet w ciemności widziałam, że ma silne ręce i szerokie bary. Ewidentnie chadzał na siłownię, czego nie dało się powiedzieć o miejscowych chłopakach.

Pochyliłam się, żeby obejrzeć ranę na głowie. On jednak wzdrygnął się i zerwał na równe nogi. W tym momencie znów rozległ się krzyk.

– Buty – burknął, wskazując palcem moje stopy. Mówił głębokim głosem, który przyprawił mnie o ciarki na plecach. Uciekający dealer narkotyków? A może ktoś przyłapał go, jak na bosaka flirtował z jego dziewczyną?

– Jak to...?

– Dawaj! – warknął.

Nawet gdyby nie wyglądał tak bardzo dziwacznie, zastanawiałabym się, czy nie oddać mu pary moich ulubionych czerwonych vansów. Ktoś go ścigał. Moje buty mogłyby mu pomóc w ucieczce? Dobrze. A może mają mu posłużyć jako broń? Moim zdaniem bardziej nadałyby się kamienie, ale każdy ma swoje preferencje.

Zrobiłam kilka kroków do tyłu, nie odwracając się od niego, i zdjęłam buty. Wstałam, podałam mu tenisówki i... zachwiałam się. Zamiast mnie podtrzymać, zrobił krok wstecz i pozwolił mi upaść w błoto.

Bohater od siedmiu boleści!

Podniosłam się, otrzepałam błoto z dżinsów, a on, kładąc moje buty na ziemi, nie spuszczał ze mnie oczu. Były piękne, jasnoniebieskie i przenikliwe. Trudno było od nich oderwać wzrok. Wsunął prawą stopę do mojego buta. O mało nie zachichotałam. Nie dawałam mu szans, żeby wepchnął swoją girę do mojej tenisówki.

Pokazał, że się mylę. Wcisnął palce do środka, przydepnął zapiętki i z niezwykłym wdziękiem ruszył pod górę między pochylonym drzewem a wydrążonym pniem. Lekko zachwiał się i odszedł. Zauważyłam nieprzyjemną ranę na jego nodze. Super. Poplami krwią *pożyczone* ode mnie buty.

Utkwiłam wzrok w miejscu, w którym przedtem stał. Było ciemno, księżyc schował się za chmurami i niewiele widziałam, ale było na ziemi coś, co mi się nie podobało. Chyba kolor... ciemniejszy niż powinien.

Przykucnęłam, chcąc dotknąć palcami ciemniejszego miejsca, ale nagły szelest między drzewami zmusił mnie do odwrócenia głowy w prawo. Serce waliło mi w przyśpieszonym tempie. W następnej chwili ujrzałam wypadającą z krzaków grupę czterech mężczyzn, którzy poruszali się jak na prochach. Od stóp do głów ubrani w granatowe, przylegające do skóry kombinezony. Budzili jednoznaczne skojarzenia. Przypominali mimów.

Mimów uzbrojonych w paralizatory.

– Ej, ty! – Pierwszy z nich zawołał i zatrzymał się. Ze wzrokiem utkwionym w ziemię przyglądał się śladom prowadzącym do płytkiej wody. – Szedł ktoś tędy?

Kątem oka zauważyłam, że chłopak o bladej twarzy obserwuje nas z pobliskich krzaków. Wystarczyłoby, żeby odwrócili się w prawo, a dostrzegliby go.

– Parę minut temu przemknął jakiś gostek. – Przeniosłam ciężar na stopę w przemoczonej skarpecie. Błoto przesiąkło przez nią i łaskotało mnie pomiędzy palcami. – Zwinął mi buty!

– Którędy poszedł?

Pyta poważnie? Już miałam zażartować, że nie wolno mi rozmawiać z obcymi, ale powstrzymałam się na widok jego miny. Pan Mim nie wyglądał na specjalnie obdarzonego poczuciem humoru. Uniosłam ręce i wskazałam kierunek przeciwny do tego, w którym zamierzałam się udać.

Mężczyźni bez słowa podzielili się na dwie grupy. Połowa poszła tam, gdzie pokazałam, a połowa – w przeciwną stronę. Hm... Chyba nie obdarzyli nadmiernym zaufaniem podpitej dziewusi na bosaka i z kolczykiem w nosie.

Odczekałam, aż znikną, i ruszyłam w stronę krzaków, w których nadal siedział tamten chłopak.

– Już poszli. Można bezpiecznie wyjść i się pobawić.

Nie spuszczając ze mnie wzroku, wygramolił się z kryjówki. Nie zrobił żadnego gestu, żeby zdjąć moje buty. Skinęłam na jego stopy.

– Masz zamiar mi je jakoś niedługo oddać?

Pokręcił głową i złożył ręce na piersi.

– Nie mogę.

– Jak to: nie możesz? Koleś, w czerwonym nie jest ci do twarzy. Poważnie.

Spojrzał w dół, a później jego wzrok powędrował w stronę ścieżki, którą miałam pójść.

– Głodny jestem. – Znów na mnie patrzył. – Masz coś?

Zwinął mi buty, a teraz prosi o jedzenie? Ma gość tupet. Rana na głowie znów zaczęła krwawić i po lewym policzku spłynęła mu czerwona strużka krwi. Jednak na pierwszy plan wysuwało się nawiedzone spojrzenie jego oczu. Miarowo pstrykał palcami – wskazującym, dużym, serdecznym, małym.

Zahuczała sowa i przypomniałam sobie o upływie czasu. Wkrótce tata wróci do domu. To mogło działać na moją korzyść. Wiedziałam, że jak przyprowadzę chłopaka do domu, ojciec wkurzy się nieziemsko. Jeśli zastanie w domu obcego, zrobi minę szczeniaka. Kurde, może nawet lamy.

Wprawdzie wkurzenie ojca miało sprawić mi dużą przyjemność, ale nie było ono jedyną moją motywacją. Jakoś tak chciałam spędzić z tym chłopakiem więcej czasu. Te jego ramiona... I oczy. Byliśmy sami w środku lasu. Gdyby był seryjnym mordercą, który upatrzył sobie we mnie kolejną ofiarę, już dałby to po sobie poznać. Nie wydawał się niebezpieczny.

– Mieszkam niedaleko stąd. Tata niedawno był w sklepie na zakupach. Mamy mnóstwo niezdrowego jedzenia, jeśli lubisz.

Po oczach poznałam, że mi nie dowierza. Nie rozumiałam, dlaczego. Przecież, do diabła, dałam mu swoje buty.

– Nie wiem, kim są ci twoi znajomi, ale mogą wrócić. U mnie przynajmniej przez chwile będziesz bezpieczny. Może dadzą za wygraną.

Popatrzył na wodę w strumieniu i pokręcił głową.

– Tacy jak oni nie dają za wygraną.

2

Leśna ścieżka wychodziła prosto na ulicę Kinder, która ciągnęła się wzdłuż granicy Rezerwatu Przyrody Parkview. Stało przy niej pięć domów. Wszystkie podobne do siebie, różniły się tylko kolorami. Parę razy próbowałam rozpocząć rozmowę, ale otrzymywałam tylko jednowyrazowe odpowiedzi, z których nic nie wynikało. Odpuściłam więc i zajęłam się liczeniem odgłosu chlupania, jaki wydawały moje buty – wciąż na jego nogach – przy zetknięciu z ziemią.

Gdy już dochodziliśmy do domu, umierałam z ciekawości.

– Może w końcu mnie oświecisz. Kim byli ci goście w trykocikach? – Zmagałam się z zamkiem przy frontowych drzwiach. Cholerstwo stale się zacinało. – Wkurzyłeś jakiś męski zespół baletowy czy co?

Milczenie.

Wreszcie drzwi ustąpiły. Machnęłam ręką, puszczając go przodem. Ani drgnął.

– O co chodzi?

– Najpierw ty.

No dobra. Ktoś tu ma prawdziwą paranoję. Weszłam do środka i czekałam. Minęło kilka sekund nim zdecydował się przekroczyć próg.

– Może przynajmniej powiesz, jak się nazywasz.

Przechadzał się po pokoju, przesuwając palce po sofie i niektórych starych maminych bibelotach.

– Kale – mruknął pod nosem z minutowym opóźnieniem.

Podniósł kryształowego konika i przyłożył go do ucha, a potem potrząsnął nim kilka razy i z powrotem odstawił na miejsce.

– Kale... A dalej?

Po tym pytaniu przerwał inspekcję pokoju i popatrzył na mnie rozbawionym wzrokiem. W dłoni trzymał ceramiczną popielniczkę, którą mama tydzień przed moim urodzeniem kupiła na targach rękodzieła artystycznego. To była tandeta, ale i tak się bałam, że ją upuści.

– Na przykład na nazwisko.

– Nie potrzebuję nazwiska – powiedział i wrócił do oględzin. Zupełnie jakby czegoś szukał. Podnosił każdą rzecz po kolei, jakby szukał śladów masowego morderstwa. Albo miętowych cukierków.

– Hollywoodzkie podejście. – Podniosłam z podłogi kosz z brudną bielizną, postawiłam na sofie i zaczęłam w środku grzebać, aż znalazłam parę przepoconych spodni taty i stary podkoszulek. – Masz. Łazienka jest na górze, pierwsze drzwi na prawo. Jak chcesz wziąć prysznic, to w szafie na pierwszej półce powinny być czyste ręczniki. Nie musisz się spieszyć. – *Błagam,* wcale się nie śpiesz.

To będzie idealny odwet za zawracanie tyłka, jakie w zeszłym tygodniu urządził mi tata z powodu włóczenia się do późna. A poza tym z tego Kale'a niezłe ciacho.

Nie wykonał żadnego ruchu, by wziąć ode mnie ubrania.

– Spoko, nie musisz się przejmować. Tata wróci dopiero za jakiś czas, a ty jesteś cały uwalany w błocie. – Położyłam spodnie i podkoszulek obok niego na pufie i wróciłam do kosza, by poszukać swoich dżinsów.

Nie odrywając ode mnie wzroku, zgarnął ubrania. Wpatrywał się we mnie tak uporczywie, że zapominałam o oddychaniu. W jego wzroku było coś, co powodowało skurcze żołądka. To na pewno te oczy. Nie mogło być inaczej. Krystaliczne, błękitne i nieruchome. Od takiego spojrzenia dziewczynie może zakręcić się w głowie. *Jakiejś* dziewczynie, co trzeba wyraźnie podkreślić. Na mnie piękna buźka nie robi wrażenia.

Najwyraźniej wreszcie do niego dotarło, bo skinął głową, powoli wyszedł z pokoju i ruszył ku schodom. Gdyby tata po powrocie nie zastał w domu obcego faceta, to i tak wkurzyłby się z powodu kawy. Nie wiem, ile razy powtarzał mi, że mam trzymać *łapy precz* od El Injerto. Próbował nawet ją chować, jakby to mogło coś dać. Jeśli chce, żebym nie podpijała mu kawy, musi wrócić do Kopi Luwak. Bo chociaż uwielbiam kawę, za żadne skarby nie wypiję czegoś, co wysrał jakiś szczuropodobny zwierzak*.

Prawie skończyłam składać brudy, gdy po schodach zszedł Kale.

– Wyglądasz znacznie lepiej. Prawie jak człowiek. – Spodnie były na niego nieco za duże – okazał się kilka centymetrów niższy od taty, który ma ponad metr dziewięćdziesiąt – koszula też na nim wisiała, ale przynajmniej wszystko było czyste. Na stopach nadal miał wciśnięte moje ulubione

---

* *Kopi Luwak* – gatunek kawy pochodzący z południowo-wschodniej Azji, wytwarzany z ziaren, które otrzymuje się z odchodów zwierzęcia łaskuna muzanga (lokalnie nazywanego *luwakiem)*. Jest to najdroższa na świecie kawa, niezwykle ceniona przez smakoszy. (przyp. red.)

czerwone vany. Całe mokrusieńkie. Czyżby brał w nich prysznic?

– Jak masz na imię? – zapytał, gdy znalazł się na dole. Każdemu krokowi towarzyszyło chlupnięcie mokrych tenisówek. Naprawdę brał w nich prysznic!

– Deznee, ale wszyscy do mnie mówią Dez. – Wyciągnęłam rękę i podsunęłam mu dwa owoce, które udało mi się zabrać z kuchni. Jabłko i lekko sfatygowaną brzoskwinię. Z brzoskwinią w dłoni – nie jadam owoców z meszkiem – zapytałam: – Głodny jesteś?

Skrzywił się na widok brzoskwini.

– Jabłko – powiedział i wskazał palcem.

Oczywiście. Odwróciłam się i ruszyłam do kuchni. Wróciłam z dwoma jabłkami w ręku, podrażnieniem w nosie i załzawionymi oczami.

Wpatrzony we mnie, wziął jabłko.

– Tamto wyglądało jak owłosiona pomarańcza.

– Brzoskwinia? Tak. Przyniosłam drugie jabłko.

– Nie widziałem, jak je brałaś.

– To co? Przeoczyłeś.

Uniósł jabłko i odgryzł spory kawałek. A gdy pogryzł i przełknął, pokręcił głową i powiedział:

– Niczego nigdy nie przeoczę.

Wzruszyłam ramionami i ugryzłam swoje jabłko. Wskazałam na mokre vany:

– Zamierzasz mi je w końcu oddać?

– Nie – odparł. – Skaleczyłem się.

Może on miał nierówno pod kopułą? W pobliskim miasteczku był szpital psychiatryczny. Słyszało się nieraz, że pacjenci lubią urwać się na chwilę. Tylko mnie się może

22

zdarzyć, że spotykam najfajniejszego gościa w życiu, a on okazuje się totalnym świrem. – A... To wszystko wyjaśnia, prawda?

Skinął głową i znów zaczął przechadzać się po pokoju. Stanął przy jednym ze starych wazonów mamy. Brzydactwo, które trzymałam tylko dlatego, że to jedna z nielicznych rzeczy w domu należących do niej. Podniósł go.

– A gdzie rośliny?

– Jakie rośliny?

Zajrzał do środka, pod spód, a potem odwrócił i potrząsnął, jakby chciał coś z niego wydobyć.

– Tu powinny być rośliny, no nie?

Podeszłam do niego i odebrałam mu wazon. Zrobił nerwowy unik.

– Spokojnie. – Ostrożnie postawiłam niebieskie brzydactwo z powrotem na stół i zrobiłam krok do tyłu. – Chyba nie myślisz, że chciałam cię uderzyć albo coś.

W ósmej klasie miałam kolegę, który – jak się później okazało – był w domu maltretowany. Pamiętam, że był nerwowy. Stale wzdrygał się i unikał kontaktu fizycznego. Miał wzrok podobny jak Kale: ciągle rozbiegany, zerkał na prawo i lewo, jakby obawiał się ataku.

Spodziewałam się, że zaprzeczy albo jakoś się wymiga od odpowiedzi. Tak właśnie postępują dzieci będące ofiarami przemocy, prawda? On jednak roześmiał się. Na ten ostry, przerażający dźwięk poczułam ścisk w żołądku. Nastroszyły mi się włoski na karku.

Krew popłynęła szybciej.

On wyprostował się i założył ręce na piersi.

– Nie zdołałabyś mnie uderzyć.

– Żebyś się nie zdziwił – odparłam nieco urażona. Przez trzy lata z rzędu chodziłam latem na kurs samoobrony w lokalnym ośrodku kultury. *Tego* kolesia nikt nie uderzy.

Powoli na jego ustach pojawił się uśmiech. Taki uśmiech musiał zawrócić w głowie niejednej dziewczynie. Czarne, kręcone włosy założone na uszy, mokre jeszcze po kąpieli. I błękitne jak lód oczy, które śledziły każdy mój ruch.

– Nie zdołałabyś mnie uderzyć – powtórzył, a po chwili dodał: – uwierz mi.

Odwrócił się i ruszył na drugą stronę pokoju. Po drodze podnosił i oglądał różne rzeczy. Wszystkiemu przypatrywał się bacznie, niemal krytycznie. Czasopisma popularnonaukowe na stoliku, odkurzacz, który zostawiłam przy ścianie, nawet pilot telewizora wciśnięty miedzy dwie poduszki na sofie. Zatrzymał się przy ścianie pełnej płyt DVD. Wyjął jedną i przyjrzał się: – To twoja rodzina? – Przybliżył pudełko i zmrużył oczy. Kilkakrotnie przewracał przedmiot w ręku.

– Pytasz... – Stanęłam na palcach i popatrzyłam mu przez ramię. Na okładce widniała Uma Thurman w kultowym żółtym kombinezonie motocyklowym. – ...czy aktorzy z *Kill Bill* to moja rodzina? – Może to wcale nie wariat. Może jednak był na imprezie. Mnie przepadły galaretowe shoty, ale jemu najwyraźniej nie.

– Bo jak to nie twoja rodzina, to po co ci ich zdjęcia?

– A ty z choinki się urwałeś? – Wskazałam mu niewielką kolekcję oprawionych zdjęć na kominku. – To są fotografie mojej rodziny. – Tylko bez mamy. Tata nie trzymał w domu ani jednego jej zdjęcia. Skinęłam głową na DVD. – To aktorzy. Z filmu.

– Dziwne miejsce – powiedział, podnosząc pierwsze zdjęcie. Ja na swoim dziecięcym rowerku, różowym, lśniącym i przystrojonym chorągiewkami. – A to ty?

Przytaknęłam zażenowana. Różowe tenisówki, koszulka z Hello Kitty, różowa kokarda na każdym warkoczu. Tata niemal codziennie na przykładzie tej fotografii wytykał mi, jak bardzo się zmieniłam. Od roześmianej blondyneczki z warkoczami – jego ukochanej dziewczynki – w jaskrawą blondynę z kilkoma ufarbowanymi na czarno pasemkami i kolczykami w nosie i brwiach. Zawsze myślałam, że gdyby mama żyła, byłaby dumna z tego, na jaką wyrosłam kobietę. Silną i niezależną – nikomu nie dam sobie w kaszę dmuchać, nawet tacie. Wyobrażam sobie, że właśnie taka była moja mama – starsza i piękniejsza wersja mojej osoby.

Jeszcze raz spojrzałam na fotografię w ręku Kale'a. Nie znoszę tego zdjęcia – rower to ostatni prezent, jaki tata mi kupił. Dzień, w którym go dostałam i w którym zrobiono zdjęcie, stanowił w naszym życiu punkt zwrotny. Nazajutrz moje relacje z tatą zaczęły się psuć. Coraz więcej czasu poświęcał pracy w firmie prawniczej i wszystko się zmieniło.

Kale odstawił zdjęcie i przeszedł do następnego. W połowie ruchu zatrzymał rękę i pobladł na twarzy. Zacisnął mięśnie szczęki.

– To był podstęp – powiedział cicho. Ciężko opuścił rękę wzdłuż tułowia.

– Słucham? – Przeniosłam wzrok na zdjęcie, którym się zainteresował. Tata i ja podczas święta lokalnej społeczności. Żadne z nas się nie uśmiecha. O ile pamiętam, nie byliśmy zadowoleni, że ktoś nam robi zdjęcie. A jeszcze mniej – że zostaliśmy zmuszeni stanąć obok siebie.

– Dlaczego tam przy strumieniu nie pozwoliłaś im mnie złapać? Dlaczego przyprowadziłaś mnie tu?

– Komu nie pozwoliłam cię złapać?

– Tym ludziom z korporacji. Z Denazen.

Zmrużyłam oczy, myśląc, że się przesłyszałam.

– Denazen? Jak ta firma prawnicza?

Znów odwrócił się do zdjęcia na kominku.

– To *jego* dom, prawda?

– Znasz mojego ojca? – Bezcenna informacja. Kolejny punkt dla mojego taty-megalomana. Z pewnością to jego klient. Może jakiś biedaczyna, którego wysłali do czubków, bo tam jest jego miejsce.

– Ten człowiek to diabeł – odparł Kale. Znów miał zaciśnięte usta. W ciągu jednego uderzenia mojego serca głos Kale'a zmienił się z zaskoczonego na śmiertelnie poważy. Może to głupie, ale wydał mi się seksowny.

– Mój ojciec to gnojek. Ale żeby: Diabeł ? Chyba lekka przesada, nie sądzisz?

Obserwował mnie bacznie przez chwilę, zrobił kilka kroków wstecz i znalazł się bliżej drzwi.

– Już więcej nie pozwolę im się wykorzystywać.

– Do czego? – Coś mi mówiło, że nie chodzi o przynoszenie kawy ani przekąsek. W żołądku przelewały mi się kwasy.

Zmrużył oczy. Biło z nich tyle nienawiści, że aż zadrżałam.

– Jeśli spróbujesz mnie zatrzymać, zabiję cię.

– Dobra, dobra. – Podniosłam ręce w geście, miałam nadzieję, kapitulacji. Coś w jego oczach dawało do zrozumienia, że nie żartuje. Zamiast jednak przerażenia – głosik w głowie podpowiadał, że powinnam się bać – czułam zaintrygowanie. Cały tata. Zaprzyjaźnić się z człowiekiem, który straszy morderstwem. Dobrze, że mi nic nie grozi.

– Może na początek powiesz mi, kim twoim zdaniem jest mój ojciec?

– To Diabeł z Denazen.

– Tak, tak, diabeł. Załapałam za pierwszym razem. Ale on jest tylko prawnikiem. Już samo to świadczy, że niezły z niego dupek, ale...

– Nie, ten człowiek jest mordercą.

Kopara mi opadła. Ten koleś ma czelność.

– Mordercą?

Kale zaczął pstrykać palcami tak samo jak nad strumieniem. Wskazujący, środkowy, serdeczny, mały. I jeszcze raz.

– Trzy dni temu widziałem, jak rozkazywał... – mówił niskim głosem – ...*wyeliminować* małe dziecko. Prawnik takimi rzeczami się nie zajmuje, no nie?

Wyeliminować? A co to niby ma znaczyć? Już miałam zarzucić go kolejną serią pytań, gdy na dworze rozległ się hałas. Samochód. Na podjeździe.

To tata.

Kale też musiał usłyszeć, bo rozszerzyły mu się oczy. Rzucił się przez sofę i wylądował tuż za mną. W zamku rozległ się szczęk klucza, a później poruszenie klamki. Normalka. Jemu nigdy się nie zacina.

Tata wszedł do domu i zamknął za sobą drzwi. Miał wzrok skupiony na mnie.

– Deznee, odejdź od tego chłopaka – powiedział głosem pozbawionym zaskoczenia i jakichkolwiek emocji. Swoim zwyczajnym, chłodnym, beznamiętnym tonem, którym zawsze się do mnie odzywał – obojętnie, czy wznosił toast, czy zagadywał na temat mojego lekceważenia obowiązków uczniowskich.

Kiedyś mnie to smuciło – że praca zawodowa pozbawiła go duszy – ale mi przeszło. W dzisiejszych czasach łatwo zwariować. Za jedyny życiowy cel stawiałam sobie wywołanie jego reakcji – jakiejkolwiek.

Kale podszedł bliżej. W pierwszej chwili niemądrze pomyślałam, że chce mnie bronić przed tatą. To miałoby sens. Jego zdaniem ojciec był wrogiem, a ja – przyjacielem, bo pomogłam mu przy strumieniu, pożyczyłam buty i okłamałam tych, co go gonili.

Wtedy jednak Kale odezwał się spokojnym, a jednocześnie chłodnym i groźnym tonem, który podważał teorię o jego niepoczytalności.

– Jeśli się nie odsuniesz i mnie nie przepuścisz, zabiję ją. Fajny przyjaciel.

Mimo groźby Kale'a, tata pozostał przy drzwiach i blokował przejście.

– Daznee, powtarzam ostatni raz. Odsuń się od tego chłopaka.

Przez głowę przebiegły mi wszystkie słowa, które Kale mówił o moim ojcu. W żołądku czułam ścisk jak po kwaśnym mleku.

– Co tu się, do cholery, dzieje? – zapytałam, patrząc na tatę. – Znasz go?

W końcu ojciec się poruszył. Ale nie tak jak człowiek, który boi się o życie nastoletniej córki, tylko wykonał zwyczajny, śmiały krok naprzód. Taki, który oznacza: *dobrze ci radzę.*

Próbował nastraszyć Kale'a.

Bezskutecznie.

Chłopak pokręcił głową i odezwał się nieco smutnym głosem.

– Cross, dobrze wiesz, że nie blefuję. Sam mnie uczyłeś.

Błyskawicznym ruchem wyciągnął rękę i chwycił mnie za szyję. Poczułam ciepło zaciskających się na moim gardle palców. Były silne i na tyle długie, że zdołały objąć co najmniej połowę mojej szyi. Zamierzał mnie udusić. W panice spróbowałam podważyć mu palec, ale moje wysiłki się na nic nie zdały. Uścisk miał jak z żelaza. To tyle. Już po mnie. Narobiłam w życiu tyle głupot i przetrwałam, a teraz dam się załatwić niemal przypadkiem. Gdzie tu sprawiedliwość?

Ale, jak się okazało, Kale nie zatkał mi tchawicy i wcale nie chciał mnie udusić, tylko wpatrywał się we mnie. Miał pobladłą twarz i wybałuszone oczy. Obserwował mnie jak jakiś fascynujący eksponat naukowy. Z ustami rozdziawionymi, jakby właśnie mu pokazano lekarstwo na raka.

Poruszył palcami na mojej szyi i uchwyt zelżał.

– Jak...?

Przy drzwiach coś się zmieniło. Tata sięgnął do kieszeni i... wyjął pistolet. Sprawy przestawały być dziwaczne, stawały się surrealistyczne. Przecież mój ojciec nie umie strzelać z pistoletu! Pewną ręką uniósł broń i wycelował lufę w naszą stronę.

A może jednak umie?

– Tato! Co ty, do diabła, wyprawiasz?!

Nie poruszył się.

– Nic się nie przejmuj. Stój spokojnie.

Spokojnie? Odbiło mu? Celował we mnie z pistoletu. Ciekawe, jak w takiej sytuacji zachować spokój?

Na szczęście tyłki uratował nam mój koci instynkt. Taaa... Albo raczej szczęśliwy traf. Ojciec pociągnął za spust, a ja rzuciłam się na podłogę, ciągnąc za sobą zaskoczonego Kale'a. Prawie wyrwałam mu rękę, ale najwyraźniej nie przejął się za bardzo. Nie interesował się też bronią. Całą swoją uwagę skupiał na mnie. Właśnie uderzyliśmy o podłogę, gdy niewielka lotka minęła miejsce, w którym wcześniej staliśmy, i z głuchym stuknięciem utknęła w ścianie. To fałszywy pistolet? Chyba usypiający. Jakoś wcale mnie to nie pocieszyło. Nastrój poprawiła mi tylko myśl, że pocisk padł bliżej Kale'a niż mnie, co oznaczało, że nie we mnie był wycelowany. Kula czy usypiająca lotka, nieważne. Pistolet to pistolet. A broni bałam się jak diabli.

– Jazda! – Poderwałam Kale'a na nogi i popchnęłam w kierunku drzwi do kuchni. Zachwiał się, ale udało mu się nie upaść. Imponujący wyczyn, bo na nogach nadal miał moje małe, przemoczone tenisówki.

– Deznee! – krzyczał z pokoju tata. Ruszył za nami w pościg i usłyszałam ciężkie kroki po twardym parkiecie. Nie miałam zamiaru się zatrzymywać.

Gdy tata był na mnie zły – czyli w dziewięćdziesięciu procentach przypadków – mówił specyficznym tonem, ale mnie to nigdy nie przerażało. Właściwie nawet trochę śmieszyło. Teraz jednak było inaczej. Usłyszałam w jego głosie coś nowego, coś, co wywołało we mnie strach.

Nagle coś trzasnęło. Prawdopodobnie szklanka z niedopitą colą, którą zostawiłam na stoliku wczoraj wieczorem, w trakcie oglądania powtórek SNL[*].

---

[*] Saturday Night Live (*Sobotnia noc na żywo*) – cotygodniowy program rozrywkowy amerykańskiej sieci telewizyjnej NBC. (przyp. red.)

– Wracaj! Nie masz pojęcia, w co się pakujesz!

Co w tej sytuacji było nowego? Prawdę mówiąc, nawet gdybym nie przestraszyła się pistoletu, to widziałam przecież, że Kale, który ma żelazny uścisk dłoni, boi się mojego taty. Najwyraźniej chłopak przeszedł przez coś okrutnego. I mój ojciec miał w tym swój udział. Nie wiedziałam, o co chodzi, ale z całą pewnością zamierzałam się dowiedzieć.

Tylnymi drzwiami wybiegliśmy na chłodne, nocne powietrze. Nie zatrzymując się, minęliśmy granicę działki. Chociaż od ojca dzielił nas dystans i pędziliśmy na złamanie karku, słyszałam odbijające się echem pełne złości słowa taty:

– To nie kolejna z twoich cholernych gierek!

3

– Już blisko – powiedziałam. Kilka minut wcześniej prze-
staliśmy biec, więc zdążyliśmy odetchnąć. Odkąd Kale groził, że mnie zabije, nie otworzył ust. Cały czas wpatrywał
się we mnie, jakby rosła mi druga głowa... Albo i trzecia.
Miałam do niego mnóstwo pytań, ale musiały poczekać.

W końcu dotarliśmy do żółtego budynku po drugiej stronie
torów kolejowych. Wąską, kamienną ścieżką poszliśmy na
tyły, do wysprejowanych na czarno drzwi sutereny. Widniał
na nich biały napis *Twierdza Curda*. Dwa razy kopnęłam
w drzwi i czekałam. Po chwili otworzyły się ze świdrującym
piskiem i ujrzałam głowę z jasną czupryną i fioletowymi
kosmykami. To Curd. Z nieco zbyt przymilnym uśmiechem
machnął ręką na zaproszenie, jakby się nas spodziewał.

Po ciemnych betonowych schodach zeszliśmy na dół i znaleźliśmy się w słabo oświetlonym pomieszczeniu. Było za-
skakująco czysto. Żadnych typowych dla siedemnastolatka
rekwizytów. Żadnych talerzy z niedojedzonymi potrawami,
żadnych puszek z niedopitymi napojami. Żadnych czasopism ani gier wideo. Nawet na ścianach nie było plakatów
z kobietami w wyuzdanych pozach. Nie żeby Curd był świę-
toszkiem. Panował tu porządek, ale powietrze było przepo-
jone seksem i zapachem marihuany.

Kurt Curday – dla miłośniczek Curd – był w stanie załatwić wszystko, czego potrzeba na imprezę. Alkohol, trawę, ecstasy, co kto chce. Był ważną postacią na scenie rave, bo współorganizował Sumrun, jedną z największych imprez w naszych okolicach. Miała odbyć się za tydzień, więc był zabiegany.

– Dez, kochanie, bardziej byś mnie uszczęśliwiła, gdybyś przyszła bez kolegi. – Przesunął palcem po mojej ręce, a potem okręcił sobie na nim moje włosy. – Ale cieszę się z tego, co mam.

– Curd, to nie wizyta towarzyska. – Spojrzałam na Kale'a. Stał sztywno przy drzwiach z oczami utkwionymi w palec Curda wędrujący po mojej skórze. Potem przeniósł wzrok na mnie i poczułam dreszcz na kręgosłupie. Wymknęłam się Curdowi i przeszłam na środek pomieszczenia. – Znów mam problemy ze starszym. Muszę gdzieś się zbunkrować. Do ciebie miałam najbliżej.

Popatrzył na mnie rozczarowany, rzucił się na wersalkę i oparł nogi na rozklekotanym stoliku.

– Spoko, malutka. Co tym razem przeskrobałaś?

Zmusiłam się do niewinnego uśmiechu i wzruszyłam ramionami.

– Eee... Jak zwykle. – Wskazałam kciukiem na Kale'a. – Który ojciec byłby zadowolony na widok półnagiego kolesia w sypialni córki? – Miałam nadzieję, że strój Kale'a, wyraźnie nienależący do niego, potwierdzi moje słowa.

– Moja mała czarownica. – Posłał mi całusa. Po szerokim uśmiechu domyśliłam się, że właśnie wyobraził sobie siebie na miejscu Kale'a. – Dlaczego my jeszcze nigdy ze sobą nie... ten tego?

33

Usiadłam w fotelu naprzeciwko.

– Może nie lubię dealerów?

– No tak, racja. Jak mogłem zapomnieć? – Skinął głową w kierunku Kale'a. – Co to za milczek?

– Curd, Kale – wskazałam ręką w kierunku Kale'a. – Kale, Curd.

– Dotykałem cię – odezwał się Kale po dłuższej chwili milczenia.

Curd zarechotał.

– No, skoro byłeś w jej łóżku, to mam nadzieję, że nie dotykałeś siebie. – Spojrzał na mnie z uniesionymi brwiami. – On jest jakiś *nietypowy*?

Zmierzyłam go ostrym wzrokiem.

Wzruszył ramionami.

– Napijecie się czegoś? Pójdę po jakieś napoje. A może chcecie czegoś mocniejszego?

Pokręciłam głową.

– Nie, przynieś coś do picia.

Kale obserwował, jak Curd znika na wąskich schodach prowadzących na parter, a potem zrobił krok do przodu.

– Dotykałem cię – powtórzył.

– Tak. – Na nic więcej nie potrafiłam się zdobyć. W głowie mieszały mi się różne emocje. Z jednej strony mężczyźni w lesie, z drugiej strony Kale. A potem przypomniałam sobie jeszcze o tacie i broni...

– I nadal żyjesz.

– A nie powinnam? – I znów to samo spojrzenie. Zupełnie jakby stał w obecności jakiejś baśniowej postaci, która właśnie spełniła jego marzenie. Czułam się nieswojo. Nie, żebym nie lubiła, gdy ktoś na mnie patrzy. Szczerze mówiąc, już tej nocy wpatrywało się we mnie wiele par oczu, ale to co innego. Jeszcze nigdy nie widziałam tak intensywnego spojrzenia.

Nagle zrobił kolejny krok do przodu i pochylił głowę na bok.

– To się jeszcze nigdy nie zdarzyło. Nigdy. – Wyciągnął do mnie rękę, zawahał się i cofnął ją z powrotem. – Mogę... Mogę dotknąć cię raz jeszcze?

Pewnie powinnam zdziwić się takim pytaniem. W normalnych warunkach tak właśnie by było. Ale w oczach Kale'a czaiły się niesłychane zdumienie i zaciekawienie. Zniknęła chłodna mina, którą przybrał u mnie w domu. Mówił łagodnym głosem z taką dozą tęsknoty, że zaschło mi w gardle. Zapomniałam o swoim zakłopotaniu, skinęłam głową i czekałam.

Jak na takiego olbrzyma poruszał się zdumiewająco szybko. Ominął stolik i stanął przede mną. Blisko. Oddychaliśmy tym samym powietrzem. Spodziewałam się, że chwyci mnie za nadgarstek albo za ramię, on jednak przyłożył mi dłoń do twarzy.

– Ciepła jesteś – powiedział zaskoczony, łagodnie przesuwając kciuk pod moim okiem. Jakby ocierał łzę. – I delikatna. Nigdy nie czułem czegoś takiego.

Ja też. Jego palec, ledwie muskając moją skórę, zostawiał ślady ciepła emanujące na całe ciało. Czułam jego oddech na powiekach i czole, ciepły, słodki, przyprawiający o zawrót głowy.

Na schodach coś stuknęło. Pewnie Curd coś upuścił. Ocknęłam się i przełknęłam ślinę.

– Eee... dziękuję.

– Pomogłaś mi uciec przed Crossem – powiedział, odstępując do tyłu. – Ja chciałem cię zabić, a ty pomogłaś mi uciec. Dlaczego?

Wzruszyłam ramionami.

– Mój ojciec to palant. Wkurzanie go to moje hobby. Poza tym tak naprawdę wcale nie chciałeś mnie zabić, prawda? Tylko się przestraszyłeś.

– Nie przestraszyłem się.

– Każdy by się przestraszył.

Nie było czasu na spory. Musiałam dowiedzieć się wielu rzeczy. Do głowy przychodziły mi pojedyncze myśli i skrawki obrazów. Dziwne nocne telefony. Wyjazdy do biura w nietypowych godzinach. Wszystkie rzeczy, które powinny mnie zaniepokoić, gdybym zwracała na nie uwagę.

– Mówiłeś, że mój ojciec jest mordercą. To taka przenośnia, prawda?

– Ja jestem jedną z jego broni.

– Broni?

– Wykorzystuje mnie.

Powiedział to w ten sposób, że dreszcze przeszły mi po plecach. I to zimne.

– Do czego? Do szpiegowania klientów?

Całkowicie zdawałam sobie sprawę, że mówię pierdoły, ale podświadomość uparła się, by wierzyć, iż ojciec jest prawnikiem.

– Nie.

Złożyłam ręce na piersi, zaczynałam się złościć.

– No to do czego? Co robiłeś dla mojego ojca?

Postawił dwa kroki naprzód. Widziałam lśnienie w jego niebieskich oczach.

– Zabijałem dla niego – powiedział spokojnie.

Zmrużyłam oczy, próbując wyobrazić sobie ojca jako złoczyńcę. Nie potrafiłam. Albo nie chciałam. Owszem, był idiotą i od lat ze sobą nie rozmawialiśmy, ale żeby zaraz mordercą? Nie ma mowy.

Kale, pokazując mi swoje dłonie, przebierał palcami.

– Uśmiercały wszystko, czego dotknąłem.

Przypomniała mi się dziwnie wyglądająca ziemia nad strumieniem. Była odbarwiona.

Wtedy to zlekceważyłam, ale...

Odchylał się za każdym razem, gdy chciałam go dotknąć...

Wciągnęłam powietrze do płuc, pomieszczenie wokół mnie zaczęło się kurczyć.

– Twoja skóra...?

Nie wzięłam tego za idiotyzm. Nikt lepiej ode mnie nie wiedział, jakie dziwactwa są możliwe. Poza tym na scenie rave już od lat krążyły różne plotki. Zwłaszcza o chłopaku, który na imprezie palcami spowodował spięcie elektryczne i był ścigany przez policję. Jak go dopadli, słuch po nim zaginął.

– Przynoszą śmierć wszystkiemu, co żyje. – Wyciągnął rękę i przesunął palec po mojej brodzie, a później na policzek. – Oprócz ciebie. Jak to możliwe, że mogę cię dotykać? Każdy inny człowiek zmarłby śmiercią tragiczną. – Mówił głosem równie miękkim jak skóra, którą mnie dotykał.

Zrobiłam krok do tyłu i zerwałam kontakt.

– Zatrzymajmy się przy tym na chwilę. Twierdzisz, że mój ojciec wykorzystywał cię jako broń. Przeciwko czemu?

Spoważniał.

– Nie czemu, tylko komu.

– Komu? – W gruncie rzeczy nie chciałam znać odpowiedzi. Bo albo ten mój szalony men był stuknięty, albo tata był... Tak czy inaczej, odpowiedź musiała mnie zaboleć.

– Przeciwko ludziom. Wykorzystuje mnie, żeby wymierzać ludziom karę.

Odwróciłam się i przeszłam na drugą stronę pomieszczenia. Przyłożyłam dłonie do skroni, żeby osłabić rosnące tam napięcie.

– Mój ojciec kazał ci dotykać ludzi, żeby ich zabijać, tak?

– Zgadza się.

Nie, to nie mogło dziać się naprawdę. Tata nie nadawał się do żadnych tajnych spisków. Był po prostu walniętym pracoholikiem z apodyktycznymi skłonnościami. Pracował w dziwnych godzinach i z jakichś powodów miał broń. Stanęłam, odwróciłam się do Kale'a i powiedziałam pełnym złudzeń głosem:

– Mylisz się. Mój ojciec jest prawnikiem.

– Prawnicy zabijają ludzi?

– Ty mówisz serio?

Twarz Kale'a pozostawała bez wyrazu.

– Oczywiście nie zabijają ludzi! Eliminują ich, usuwają, żeby nikogo nie krzywdzili.

Może nie był to najbardziej precyzyjny opis, ale najprostszy, jaki przyszedł mi do głowy.

– Tak, twój tata tym się nie zajmuje. To moja działka. Korporacja Denazen wykorzystuje mnie do karania tych, którzy postąpili źle. Jestem Szóstką. Czy z tego powodu można nazwać mnie prawnikiem?

Ups, najwyraźniej nie może być zbyt prosto.

– Jaką, u diabła, Szóstką?

– Tak jesteśmy nazywani.

Okej...

– I wymierzacie karę tym, którzy postąpili źle. Kto ocenia, kiedy postąpili dobrze, a kiedy źle?

– Oczywiście Denazen. – Zmarszczył brwi i odwrócił głowę. – A ja jestem jej własnością.

– Gdzie są twoi rodzice?

– Nie mam rodziców – odparł ze spokojem.

– Kale, jesteś człowiekiem, a nie żadną bronią. Nie jesteś niczyją własnością. I na pewno masz rodziców. Tylko nie wiesz, co się z nimi dzieje.

Zniecierpliwiona wyciągnęłam z kieszeni skórzane etui i wyjęłam ze środka zdjęcie. Mojej matki. Kilka lat temu znalazłam je na dnie szuflady ojca. Domyśliłam się, kto to jest tylko na podstawie napisu skreślonego niebieskim atramentem na odwrocie. Tata nie chciał o niej rozmawiać. Podał mi tylko jej imię i krótki opis. Im byłam starsza, tym bardziej upodabniałam się do kobiety ze zdjęcia, i pewnie dlatego mnie tak nienawidził. W końcu stracił ją z mojej winy. Umarła przy porodzie. Czasami sama siebie za to nienawidziłam.

– Moja mama umarła. Ale to nie znaczy, że jej nie mam. – Pokazałam mu zdjęcie.

Kale podszedł do mnie i wziął ode mnie fotografię. Przy okazji przesunął palcami po moim przedramieniu i uśmiechnął się przelotnie.

– To jest twoja mama?

Skinęłam głową.

– Nie odwiedzasz jej?

– Nie mogę jej odwiedzać. Ona nie żyje.

– Ależ żyje. Mieszka ze mną w kompleksie. – Ze zdjęciem w dłoni odszedł ode mnie i zaczął przyglądać się znoszonym butom Curda. Oparł się o ścianę, strząsnął z nóg moje vany, które z chlupnięciem upadły na podłogę i wsunął stopy w kozaki Curda.

Cały mój świat zamarł. Nagle ściany, powietrze i wszystko inne przestało istnieć.

– Co takiego?

Uniósł zdjęcie.

– To Sue.

4

Wyrwałam mu zdjęcie z ręki. Popatrzył na mnie zdumiony.

– Coś ty powiedział?

– Powiedziałem, że to Sue...

– Wiem, co powiedziałeś! – ucięłam.

– Ale przecież pytałaś...

– Jesteś pewien? – Uniosłam zdjęcie i podetknęłam mu pod nos. Krew szybciej krążyła mi w żyłach, znów czułam oszołomienie, chociaż tym razem nieprzyjemne. Błogość i spokój kompletnie mnie opuściły. – Jesteś pewien, że to ta sama kobieta?

– Wszędzie bym ją rozpoznał.

– I mówisz, że żyje? Mieszka w Denazen?

Skinął głową.

– Nazywa się Sueshanna. Jesteś pewien, że to ta sama kobieta?

– Tak, jestem pewien. Ona żyje. Dlaczego to cię tak poruszyło?

Chwyciłam się oparcia krzesła. Czułam, jakby ziemia chciała mnie pochłonąć. Mimowolnie zaczęłam się trząść. Ojciec był durniem. Ale żeby okłamywać w sprawie śmierci mamy? To trzeba być durniem do potęgi.

Na górze od strony schodów rozległ się jakiś hałas. Alarmująco skurczyła mi się skóra na karku. Curda nie było nieco zbyt długo. Głęboko odetchnęłam, wzięłam się w garść i spojrzałam Kale'owi przez ramię. Położyłam palec na ustach – miałam nadzieję, że rozumie ten gest – podeszłam do schodów i nasłuchiwałam. Cisza. Dałam znak, żeby Kale mnie asekurował i weszłam na pierwszy stopień. Musiałam zachować ostrożność. Byłam u Curda wiele razy i wiedziałam, że schody skrzypią. Ruszyłam do góry.

Na szczycie schodów tuż za sobą wyczułam obecność Kale'a. Chwilę później obszedł mnie i znalazł się z przodu. Chwyciłam go za koszulę, ale wymknął się i zanim się zorientowałam, był na drugim końcu pomieszczenia. Serce waliło mi jak młotem, czułam ścisk w gardle, ale poszłam za nim do kuchni. Stał w drzwiach. Gdy próbowałam zajrzeć do środka, zasłonił mi drogę.

– Nie – szepnął, biorąc mnie za rękę.

– Co, nie? – Patrzył na mnie dziwnym wzrokiem. Miałam wrażenie, że rozrzedza się powietrze.

– Musimy stąd iść.

– Iść? Dlaczego? Co się stało?

Znów milczenie. Kale próbował popchnąć mnie z powrotem w kierunku schodów.

Z pokoju napływało suche, chłodne powietrze. Odsunęłam się i włożyłam głowę przez drzwi. Na środku pokoju leżał Curd z twarzą zwróconą do podłogi, nieruchomy jak na zdjęciu. Przez dłuższą chwilę myślałam, że nie żyje. Ale w końcu drgnął.

Nagle wyrwałam rękę z uścisku Kale'a i pochyliłam się nad Curdem.

– Curd, o Boże! Co się stało?

– Są w pokoju! – usłyszałam nieznajomy głos, który odciągnął moją uwagę od Curda.

Kale podszedł i podniósł mnie na nogi. Ruszyliśmy w stronę kuchni. Nagle w mgnieniu oka wyłoniło się przed nami czterech mężczyzn. Jeden z nich rzucił się w naszą stronę. Kale pociągnął mnie do siebie. Czubki palców wbił w moje ramię. Naciągnął mi koszulę. Zakołysałam się, próbowałam złapać równowagę, lecz w końcu przegrałam bitwę z grawitacją.

Kale zacisnął rękę na moim nadgarstku. Mężczyźni szli w naszą stronę. Jeden z nich w granatowym garniturze, pozostali w takich samych kombinezonach jak ci nad strumieniem. Podążali za nami krok w krok – my jeden do tyłu, oni jeden do przodu.

Odwróciłam się do schodów po drugiej stronie kuchni. Nagle w drzwiach do pokoju Curda stanął trzeci facet w kombinezonie i z pistoletem usypiającym w dłoni. Zablokował nam drogę ucieczki. Wokół mnie musiało znaleźć się coś, cokolwiek, co mogłoby posłużyć za broń. Wycofywaliśmy się na środek pomieszczenia, gdzie znajdowała się kuchenna wyspa. Z haczyka nad głową zdjęłam żeliwną patelnię i przełożyłam przed siebie.

– Spacyfikować i pojmać ich oboje. To rozkaz Crossa – mówił z pozbawioną wyrazu twarzą mężczyzna w garniturze. Zbliżył się do mnie, a facet stojący za nami próbował chwycić Kale'a.

Kale zwinnie jak ninja przykucnął i umknął poza zasięg napastnika. Wykonał pełny obrót i uderzył go przedramieniem w klatkę piersiową. Tym samym ruchem grzmotnął go pięścią w biodro. Skomląc z bólu, napastnik osunął się na podłogę.

Dwaj pozostali mężczyźni w kombinezonach rzucili się naprzód. Ten w garniturze poprawił uścisk na mojej ręce. Machnęłam patelnią. Nie trafiłam w głowę, ale zawadziłam go o ramię. Usłyszałam przyjemny trzask. Zaskoczony poluzował uścisk i odsunął się.

Ale nie za daleko.

Szybko doszedł do siebie i ponowił atak. Jednak tym razem nie robił tego z klinicznym chłodem, lecz w rozgorączkowaniu. Hakiem trafił mnie w twarz. Świat zawirował mi przed oczami. Czułam, jakby policzek miał mi eksplodować.

Ledwie zarejestrowałam wstrząs podczas upadku. Prawym łokciem i kolanem uderzyłam o podłogę. Odzyskałam wzrok na tyle, żeby zobaczyć zbliżającą się jego rękę. Namierzyłam jego łydkę i wykonałam kopnięcie. Jednak Kale mnie uprzedził. W mgnieniu oka stanął nade mną i przechwycił rękę napastnika, który chciał mnie złapać za ramię.

Przez chwilę nic się nie działo. Kale zamarł, popatrzył mi w oczy. Miał przerażającą minę. Nagle skóra napastnika – jak w efektownych hollywoodzkich filmach – skurczyła się i poszarzała. Ledwie kilka sekund później zniknął i pozostało po nim tylko ubranie na kupce popiołu.

Dwaj pozostali próbowali wemknąć się między nas.

– Panno Cross...

Spacyfikować i pojmać ich oboje. To rozkaz Crossa. Jezu, w co ten ojciec się wdał?

Wstałam na nogi, całe pomieszczenie lekko mi wirowało. Kale chwycił mnie pod rękę i wybiegliśmy drzwiami na trawnik. Opanować i pojmać... – Spadamy!

§

Godzinę później ukryliśmy się pod drzewem za moją szkołą. Czy to możliwe, że jeszcze rano leżałam i rozkoszowałam się pierwszymi letnimi promieniami słońca? Miałam wrażenie, że od tamtej chwili minęły dwa tygodnie. Zaledwie parę godzin temu mój ojciec był zwyczajnym, egotycznym i zimnym prawnikiem, według którego do niczego się nie nadawałam. A teraz kim był? Szefem jakiegoś supertajnego programu, który wykorzystuje dziwnie utalentowane osoby do zabijania ludzi.

– Muszę się czegoś dowiedzieć – powiedziałam ledwie słyszalnym głosem. W głębi duszy znałam już odpowiedź, jednak... Póki nie miałam wyraźnego potwierdzenia, tlił się promyk nadziei... A nadzieja to rzecz niebezpieczna.

– Ojciec powiedział mi, że mama nie żyje. Czy on o niej wie? To znaczy, czy wie, że ona tam jest? Czy wie, że moja mama żyje?

Kale pokiwał głową.

– Przykro mi. – Wyglądał na smutnego. I nieco przestraszonego. Miał opuszczone kąciki ust, ponurą minę. Podszedł bliżej, wziął mnie za ręce. – Okłamywał cię. Jemu nie można ufać.

Po ucieczce z domu Curda intensywnie zastanawiałam się nad Kale'em. Rozprawił się z napastnikami tak, że bez wątpienia dałby sobie radę beze mnie. Dlaczego więc nie życzyłam mu wszystkiego najlepszego i nie pozwalałam, aby poszedł swoją drogą? Po pierwsze ze względu na to spojrzenie, które dostrzegłam w jego oczach, gdy nad strumieniem zażądał ode mnie butów. Czaił się w nim autentyczny strach.

Taki sam, który widziałam u niego w domu u Curda, kiedy mówił o tacie i o tym, że moja mama jest więziona przez Denazen. Teraz znów się bał w ten sam sposób. Lecz tym razem o mnie.

To była dla mnie całkowita nowość i czułam się trochę nieswojo. Od dawien dawna sama potrafiłam się o siebie zatroszczyć. Nie potrzebowałam, żeby ktoś pilnował mi tyłka – no, może z wyjątkiem Brandta. Ale mimo to nie protestowałam.

– Jesteś pewien, że nie możesz uciekać?

Zmarszczył brwi i pokiwał głową.

Kim musi być człowiek, który tak postępuje z ludźmi? Z własną żoną. Kimś, kto nie zawaha się wykorzystać nastolatka do zabijania. Kimś, komu nie można ufać. Kale miał rację. W żadnym razie nie mogłam wracać do domu.

Mój ojciec zgotował Kale'owi piekło. Nie mogłam przejść nad tym do porządku dziennego. Częściowo czułam się odpowiedzialna, a częściowo... czułam co innego. Coś, czego nie potrafiłam wyjaśnić. Coś jakby jego troska o mnie wywoływała moje zakłopotanie, a jednocześnie spowodowała szybsze bicie serca.

– Opowiedz mi o niej. – Bolało mnie w piersiach. Nie wiedziałam, czy wie, jak mam na imię, jak wyglądam. Czy wiedziała, że przetrzymuje ją w tamtym miejscu jej własny mąż? – Powiedz, jaka ona jest.

– Podobna do ciebie. Łagodna, ale silna. Nauczyła mnie sztuki przetrwania. – Przechylił głowę na bok i baczniej mi się przyjrzał. Nadal trzymał mnie za rękę. Kciukiem kreślił kółka na mojej dłoni. Po plecach przeszły mi dreszcze. – Masz takie same dłonie.

– Czy ona... – Poczułam ścisk w gardle. – Czy ona potrafi robić to, co ty?

Pokręcił głową.

– Ona potrafi stawać się kimś innym.

– Stawać się kimś innym? – Spytałam zaciekawiona.

– Zmieniać wygląd. Czasami działałem z nią w jednym zespole. Ona przeobrażała się w znajomą namierzonej osoby i prowadziła ją do miejsca, w którym ja wymierzałem karę.

Wstałam i odeszłam na bok. Nie chciałam, aby Kale – ani nikt inny – widział ściekające mi po policzkach łzy.

– Jak on mógł jej coś takiego zrobić? Jak mnie mógł to zrobić? – Kręciłam głową, mówiłam niespokojnym głosem. Zapomnij o płaczu, skup się na złości. – Jak mógł ją zamknąć i powiedzieć mi, że nie żyje? Cały czas tam była?

Kale nie odpowiedział. Odwróciłam się i zobaczyłam, że z fascynacją patrzy w niebo.

– Kiedyś Sue opowiadała mi o świecie na zewnątrz. Późną nocą, gdy nie przychodził sen, opowiadała mi o rzeczach, których nigdy nie widziałem, o ludziach, których nigdy nie poznałem. Czasami w środku nocy płakała, gdy nikt nie widział. Ale ja ją słyszałem. Zawsze wszystko słyszę.

Łzy napływały coraz bardziej. Byłoby mi łatwiej. Przez cały ten czas mama była dla mnie kimś w rodzaju ducha. Tworem wyobraźni bez własnego głosu ani ciała. Jakże trudno musiało jej się żyć z myślą, że ja tu jestem. I mieszkam z człowiekiem, który zamknął ją jak zwierzę.

– Kiedyś, całkiem niedawno, zapytałem ją, dlaczego nie wróci do zewnętrznego świata, skoro uważa go za tak cudowny. Dlaczego nie wróci do swojego dziecka?

– I co powiedziała?

Opuścił ręce i odwrócił się w stronę boiska. W świetle księżyca widać było sarenkę z dwiema młodymi. Kale obserwował je chwilę jak zahipnotyzowany.

– Mówili, że nic nam nie zrobią, jeśli zechcemy odejść. Tylko że zwyczajni ludzie nas nie rozumieją. Sue twierdzi, że to kłamstwo. Uważa, że jesteśmy więźniami, a Denazen nigdy nie pozwoli nam odejść. – Zacisnął pięści, zaczął mówić smutniejszym głosem: – Denazen było moim domem od zawsze. Niczego więcej nie znałem. Ani zewnętrznego świata, ani zamieszkujących go ludzi. Ale znałem znaczenie słowa „więzień".

Mówił ponuro. Miałam ochotę go objąć. Stanowiliśmy świetną parę. Każde z nas świat skrzywdził.

– Dlatego uciekasz?

Pokręcił głową.

– Nie planowałem tego. Po rozmowie z Sue zacząłem się zastanawiać. Zadawać sobie pytania. *Więzień*. Jedno słowo, które wszystko zmienia. Zacząłem baczniej przyglądać się różnym rzeczom. Wczoraj otrzymałem zadanie. Zaczęło się jak ze wszystkimi poprzednimi. Dostałem personalia osoby wziętej na cel i zostałem podwieziony do miejsca jej pobytu. Byłem eskortowany przed pracą i po niej. Miałem wykonać zadanie i wrócić. Żadnych pytań.

– Więc co się stało?

Znów się do mnie odwrócił, miał napięte mięśnie szczęki.

– Gdy wszedłem do domu, ona była sama. Spała w łóżku. Początkowo poczułem zmieszanie. Wyglądała inaczej, niż się spodziewałem. Zawahałem się. Musiało to trwać zbyt długo, bo wysłali kogoś na potwierdzenie, że chodzi o nią. Gdy tamten potwierdził, uciekłem.

– Dlaczego się powstrzymałeś?

Zacisnął powieki i pokręcił głową.

– Była jeszcze dzieckiem, bezbronnym. Siedem albo osiem lat. – Otworzył oczy. – Niewinnym. W takim wieku nie można popełnić zbrodni zasługującej na karę.

– Jezu.

– Uciekłem. A potem spotkałem ciebie. – Spojrzał w bok.

– Kiedyś Sue mi mówiła, że jeśli kiedykolwiek znajdę się w zewnętrznym świecie i nie będę miał dokąd pójść, powinienem zwrócić się do Żniwiarza.

– Żniwiarza?

– Tak. Powiedziała, że on będzie mógł mi pomóc.

– A kto to jest? Jak miałby pomóc?

Kale wzruszył ramionami.

– Wiem tylko, że jest taki ja my. Jak ja i Sue. Jest Szóstką. Powiedziała też, że jest obdarzony mocą.

Już chciałam zapytać, czy ma jakieś dalsze plany niż tylko ucieczka od Denazen, lecz właśnie w tej chwili w tylnej kieszeni rozległ się przenikliwy dźwięk. Kale spięty zrobił krok w tył.

– W porządku. To tylko moja komórka.

Wyciągnęłam ją, spodziewając się, że wyświelił się numer ojca.

– Brandt?

– Dez? Gdzie ty się, do diabła, podziewasz? Jest trzecia nad ranem! Właśnie dzwonił twój tata. Powiedział, że wybiegłaś z domu z jakimś niebezpiecznym gościem. Martwi się o ciebie.

– Brandt. – Odchrząknęłam. – On wcale się o mnie nie martwi. Uwierz mi. – Zupełnie nie podobało mi się wciąganie do tego mojego kuzyna, ale potrzebowaliśmy pomocy. – Słuchaj, mam do ciebie ogromną prośbę. Możemy spotkać się jutro w południe? Na Cmentarzysku? Przynieś jakieś swoje ciuchy. Najlepiej z długim rękawem. I rękawiczki. I jeszcze coś dla mnie na przebranie. Jestem brudna.

Nastąpiła chwila ciszy.

– Dez, przerażasz mnie. O co chodzi, u diabła? Dlaczego po prostu nie wrócisz do domu?

– Nie mogę powiedzieć.

Znów chwila milczenia.

– Nic ci nie jest? Gdzie jesteś? Jesteś sama?

Ile można mu powiedzieć? Czy taka firma jak Denazen może wytropić komórkę?

– Wszystko w porządku – odpowiedziałam w końcu. Chciałam dodać *na razie*, ale wiedziałam, że to go tylko zaniepokoi. – Nie jestem sama. Ale nie mogę ci powiedzieć, gdzie. Przynajmniej teraz.

– Okej – odparł ostrożnie. – Potrzebujesz jeszcze czegoś?

Zastanowiłam się sekundę i doszłam do wniosku, że umieram z głodu. Spotkałam Kale'a w drodze powrotnej z imprezy. Na imprezę oczywiście nie zabrałam portfela. Nie miałam więc pieniędzy. Brak pieniędzy to brak jedzenia. – Na pewno wody. I jeszcze może czegoś na ząb. I jeśli miałbyś parę groszy. Oddam wszyściuteńko.

– W porzo. A do tej pory dasz sobie radę?

– Będę musiała. – Westchnęłam. Do rana będziemy w kryjówce. Przez parę godzin uda nam się pozostać niezauważonymi.

Tylko czy na pewno? Dom Curda był blisko, ale pomiędzy moim a jego też stały jeszcze setki innych. Curd nigdy

50

u mnie nie był i tata go nie znał. Jakim cudem Denazen tak szybko nas znaleźli?

Zacisnęłam palce na komórce. A niech to... GPS. Co za głupek ze mnie.

– Nie próbuj do mnie dzwonić. Wyrzucam telefon. A przede wszystkim nikomu nie mów, że ze mną rozmawiałeś. Ani swojemu tacie, ani mojemu. – Nie czekając na odpowiedź, nacisnęłam klawisz z czerwoną słuchawką. – Nie do wiary, że to robię – powiedziałam sobie. Spojrzałam na telefon i po krótkiej chwili wahania wyrzuciłam go między drzewa. Rozbił się o pień na kilka kawałków, które poleciały na ziemię. – Chodź, musimy się stąd wydostać.

Przez resztę nocy i część dnia staraliśmy się siedzieć cicho, co wcale nie było takie łatwe. Kale usiłował zachowywać ostrożność, ale dziwił się wszystkiemu, co zobaczył. Od deskorolki i jedzenia na wynos po ubrania ludzi. W szczególności podobał mu się jeden strój, u dziewcząt. Krótkie spódniczki i buty na szpilkach.

Przedpołudnie minęło bez specjalnych incydentów. Nie mieliśmy żadnych nalotów ludzi z Denazen, więc doszłam do wniosku, że rzeczywiście musieli śledzić nas za pośrednictwem komórki. Bez niej mogliśmy poczuć się swobodniej. Przynajmniej przez chwilę.

Cmentarzysko to w zasadzie stare złomowisko na skraju miasteczka, gdzie często urządzaliśmy imprezy. Zwykle ktoś wałęsał się tam już w ciągu dnia. Jedni unikali domowych awantur, inni wagarowali – w czasie roku szkolnego – jeszcze inni kręcili się tam po pracy. Raczej nigdy nie było pusto.

Przedostaliśmy się na tyły do dziury w płocie i wemknęliśmy do środka. Właścicielem tego miejsca był Brad Henshaw, który zmarł dwa lata temu i złomowisko znalazło się w stanie zawieszenia. Plotka głosiła, że jego córka, chirurg plastyczna, mieszka w mieście i gdy znajdzie czas, przyjedzie uporządkować sprawy po ojcu. A to oznaczało, że póki co możemy robić tu, co chcemy, i imprezować do samego świtu. Staraliśmy się za bardzo nie hałasować, w pobliżu mieszkało niewielu ludzi, nikomu nie wadziliśmy, więc gliny się nie czepiały.

Na tyłach znajdowało się kilka starych, pociętych ciężarówek, które tworzyły coś w rodzaju prowizorycznej twierdzy. Zwykle tam właśnie było miejsce spotkań. Znajdowaliśmy się jakieś trzy metry od ogrodzenia, gdy coś zwróciło moją uwagę. Zatrzymałam się w pół ruchu.

– Luzik – zawołał Brandt. Wyszedł na słońce zza wraka ciężarówki. Ustawił deskorolkę, przeczesał rozwichrzone blond włosy i skinął głową. Miał na sobie te same dżinsy, co w nocy na imprezie. Poznałam po plamie z atramentu nad prawym kolanem i dużej dziurze na lewym. Wiele razy obiecywał, że je wyrzuci, ale nie robił tego. Nie potrafię pojąć, jak chłopaki mogą nosić ciuchy dwa razy pod rząd bez prania. Ale dobrze, że przynajmniej zmienił podkoszulek. – To tylko ja.

Uściskałam go serdecznie.

– Dzięki, że przyszedłeś.

– Jak mógłbym nie przyjść. – Zrobił krok do tyłu i wytrzeszczył oczy na widok Kale'a. – To ten niebezpieczny koleś ?

Kale patrzył na niego tym samym chłodnym, smutnym wzrokiem, z jakim w nocy groził, że mnie zabije.

– Dla niej nie jestem niebezpieczny.

– Mój wujek uważa, że jesteś. Jak skrzywdzisz moją kuzynkę, skopię ci tyłek. O co tu chodzi? Jakiś gang was goni?

– Gang? Ty, Brandt, wiesz co? Lepiej oglądaj trochę mniej telewizji. – Westchnęłam. – Wczoraj w nocy spotkałam Kale'a, jak wracałam z impry. Goniło go paru gości.

Brandt założył ręce na piersi i trącał stopą deskorolkę. Nigdy się z nią nie rozstawał, byli nierozłączni. Stanowiła dla niego coś w rodzaju tarczy ochronnej.

– Okej, kumam...

– No to zabrałam go do domu, żeby zrobić na złość ojcu. Ale on zareagował nie po mojej myśli. Znał Kale'a. I znał gości, którzy go gonili.

Brandt nic nie odpowiedział. Zrobił kilka kroków do tyłu i stanął przy ciężarówce. Chwilę później wyciągnął fioletowy worek marynarski i brezentową torbę. Rzucił worek do Kale'a.

– Masz tam ciuchy – powiedział. – I parę groszy, które udało mi się wykręcić. Spływaj z Dodge jak najszybciej się da.

Kale podniósł worek.

– A to dla ciebie – powiedział Brandt, podając mi brezentową torbę. – Rano wślizgnąłem się do twojego pokoju. Zamierzałem zgarnąć trochę twoich rzeczy i przy okazji podrzucić ci do prania parę moich brudnych T-shirtów. Ale jak tam dotarłem, usłyszałem jakieś głosy.

– Jakie głosy?

– Nie widziałem, kto to jest. – Pokręcił głową. – Ale jestem pewien, że słyszałem sporo szitu.

W żołądku czułam lodowatą gulę.

– Co słyszałeś?

– Twój tata to zły gość. Naprawdę zły. Słyszałem, jak mówił coś o ukrywaniu ciał. – Chwycił mnie za ramiona i potrząsnął. – *Ciał*. Dez, słyszysz? Martwych ludzi. Zwłok! Wspominał coś, że na starym miejscu jest już pełno. Mówił też o tobie. Żeby cię znaleźć i sprowadzić. A potem odeszli.

Poczułam mdłości. Może jednak coś źle zrozumiał. Może chodziło o wyrzucanie jakichś śmieci. Ciała mogły oznaczać... Hm, no właściwie tu nie ma niejednoznaczności.

– To wszystko?

Brandt zawahał się.

– Nie. Po wyjściu twój ojciec nie zamknął drzwi do swego gabinetu. Nie miałem za wiele czasu, ale udało mi się wyszperać trochę informacji. – Znów poruszył deskorolką, przekręcił ją o sto osiemdziesiąt stopni i oparł na niej nogę.

– Co znalazłeś?

– Twój tata siedzi po uszy w jakimś gównie. Jak się nazywa ta firma prawnicza, w której pracuje? Dnenazen? Dez, to żadna firma prawnicza. Zajmują się czymś zupełnie innym. Wykorzystują Szóstki, czyli ludzi z niezwykłymi zdolnościami, jako broń. Wynajmują ich tym, którzy najwięcej zapłacą. Zdeprawowanym politykom, ludziom szukającym zemsty, a nawet mafii. Wykorzystują ich jak killerów.

– Trudno mi uwierzyć, że szukałeś informacji. A jakby cię nakryli?

Przybrał szelmowską minę. Od leciutkiego uśmiechu w policzku zrobił mu się dołek. Dziewczyny wariują na widok tego uśmiechu. – Jeśli chodzi o zdobywanie informacji, to nosa mam po ojcu. Nie na darmo dzień w dzień ślęczę nad gazetami, żeby powtórzyć karierę ojca. Wyławianie wartościowych informacji z całego tego szumu wymaga umiejętności.

Wujek Mark był dziennikarzem śledczym w „Parkview Daily News". Potrafił dokopać się do najgłębiej zakamuflowanych informacji. Pamiętałam o tym, ale na razie nie chciałam z tego korzystać. Nie zamierzałam nikogo wciągać w swoje sprawy. Chyba że nie będę mieć wyboru.

– Nie dojdzie do tego – szepnęłam. – A co z moją mamą? Ona żyje. Znalazłeś coś na jej temat?

– Twoja mama żyje? – Brandt wytrzeszczył oczy. – Skąd taka myśl?

– Żyje – odezwał się stanowczo Kale. – Jest więziona przez Denazen. Ja też byłem ich więźniem.

Brandt miał zdumioną minę i otwarte usta.

– A co ze Żniwiarzem? Znalazłeś coś o nim?

– Nie, ale nie miałem za wiele czasu. Właściwie tylko przerzuciłem papiery na biurku. Po tym, co usłyszałem, twój tata jest ostatnią osobą, z którą chciałbym mieć do czynienia. – Westchnął. – Powinniśmy pójść do mnie. Pogadamy z moim ojcem. On wymyśli, co robić.

– Nie da rady... Kale jest... hm... trochę inny.

Brandt założył ręce na piersi. Przeniósł ciężar na prawą stopę, a lewą postawił na deskorolce. Poruszał nią do przodu i do tyłu.

– Zupełnie inny.

– Kale jest tu bardzo ważny. Należy do Szóstek. Nie mogę pozwolić, aby tata go znalazł.

– Dez, to nie zabawa.

Dlaczego wszyscy, do cholery, uważają, że ja tak myślę.

– Wiem!

– To przerasta i mnie, i ciebie. To coś więcej niż zagrać ojcu na nosie. Dopiero poznałaś tego gościa. Dlaczego pakujesz się w kłopoty z powodu obcego człowieka?

– Po pierwsze dlatego, że wie o Denazen i o mojej mamie. Będę potrzebowała pomocy z każdej strony, żeby ją stamtąd wydostać. – Zrobiłam krok do przodu. – Po drugie był więziony w Denazen. Wykorzystywali go do zabijania ludzi.

Brandt pobladł.

– Zabijania ludzi? – powtórzył.

– Moja skóra powoduje śmierć każdego, kto jej dotyka – potwierdził moje słowa Kale i wziął mnie za rękę.

Brandt patrzył przerażony. Pod stopą nadal miał deskorolkę.

– To dlaczego ciebie dotyka? Ciebie może?

– Ja najwyraźniej jestem odporna.

– Taaa, pewnie pomyślą, że jesteś jedną z nich.

– Innych Szóstek też nie mogę dotykać – powiedział głosem pełnym bólu Kale. – Próbowaliśmy. I to nie raz. Zabijałem wszystkich. Każdego po kolei, przy wszystkich podejściach.

Brandt obrócił się wokół siebie i posłał Kale'owi śmiercionośne spojrzenie.

– Spadaj, idioto!

– Nie zostawię go – oznajmiłam.

– Dez, to głupota – podniósł głos. Po jego minie widziałam jednak, że nie liczy na moją zmianę zdania. – Chodźmy do domu i pomyślimy, co z tym zrobić.

– Nie mogę. Muszę to wszystko rozgryźć.

Wyjął z kieszeni długopis. Wziął mnie za rękę i zaczął pisać na wnętrzu mojej dłoni.

– Idź tam i zapytaj o Mishę Vaugh. Ale ostrożnie. Nie wiem, kim ona jest, ani czym się zajmuje. Niemniej jednak jej nazwisko widniało na liście głównych celów do likwidacji. Być może ona będzie mogła jakoś pomóc. I uważaj na siebie, Dez. Nie chcę stawiać wszystkich na baczność, żeby ratować ci tyłek.

Cały Brandt. Zawsze o mnie myśli. Przytuliłam go i odwróciłam się do Kale'a.

– Powinniśmy stąd spadać. Zobaczymy, czy damy radę dowiedzieć się o tym miejscu. Ale bądź ostrożny.

Pokiwał głową i cofnął się o krok.

Byliśmy w połowie drogi do wyjścia, gdy Brandt zaklął.

– Kurde, czekaj... Muszę ci coś powiedzieć. Jestem...

W oddali rozległ się krzyk.

Rozbiegliśmy się na boki. Cokolwiek Brandt chciał powiedzieć, musiało poczekać.

5

Dotarliśmy z Kalem bezpiecznie do miasteczka. Wydawało nam się, że tam na Cmentarzysku to nie była Denazen, ale dalsze dociekania nie miały . Z każdą minutą robiło się coraz goręcej, a im więcej wiedziałam, tym bardziej mnie ciekawiło, do czego posunie się mój ojciec, żeby dorwać Kale'a. I co mie by zrobił.

Brandt dał mi adres starego hotelu znajdującego się jakieś pięć przecznic od Cmentarzyska. Gdy tam dotarliśmy, zbliżała się szesnasta i padałam z nóg. Zwykle przy małych dawkach snu świetnie sobie radzę, ale przez ostatnią dobę przeszłam prawdziwe piekło. Zza recepcyjnego kontuaru sztucznym uśmiechem powitała nas nieco przesadnie uperfumowana tęga brunetka.

– Przykro mi, ale nie wynajmujemy pokoi nieletnim. – Zmierzyła nas wzrokiem. Potem jeszcze raz. Odprawiła nas skinieniem głowy i wróciła do lektury czasopisma.

– Nie jesteśmy tu po to, aby wynająć pokój. – Podeszłam bliżej i pochyliłam się nad kontuarem. – Szukamy Mishy Vaugn.

– Skarpetki masz w praniu? – zapytała recepcjonistka. Wstała, wygładziła spódnicę i bordową bluzkę. Czekała na odpowiedź.

Patrzyłam na nią zdezorientowana. Odpowiedzi udzielił Kale.

– Nie noszę skarpetek. – Spojrzał w dół na pożyczone timberlandy, na jego twarzy malowało się zmartwienie. – Czy to jakiś problem?

Recepcjonistka zaniemówiła. Najwyraźniej nie spodziewała się takiej odpowiedzi. Może należała do osób brzydzących się bosymi stopami. Albo miała lęk przed zarazkami. Tak czy inaczej skarpetki stanowiły dla niej ważną rzecz.

– Proszę zaczekać. – Zniknęła za recepcyjnymi drzwiami. Kale obserwował ją z wyraźnym zaciekawieniem.

– Co to za miejsce?

– Hotel. Ludzie przychodzą tutaj spać.

– Spać? A tak tu cicho. – Zdezorientowany odwrócił się od kontuaru i podszedł do stolika. Wziął jedno z leżących tam czasopism i zaczął je wertować.

Podeszłam do sofy niedaleko niego i usiadłam.

– A w Denazen nie jest cicho?

– Cicho... – powtórzył i zaczął miętosić rąbek pożyczonego zielonego T-shirta. Po chwili pokręcił głową. – Nie, raczej nigdy nie jest cicho.

Niczego nie wyjaśniał, a ja nie dopytywałam. Nie chciałam wiedzieć. To, co mój ojciec robił z tymi ludźmi, z moją mamą, z Kalem, to zbrodnia. Zostali uwięzieni poza realnym światem i poddano ich praniu mózgu, przekonując, że to dla ich własnego bezpieczeństwa. Kale całe życie mieszkał w niewoli. Jak zwierzę. Obserwowanie, jak siedzi przede mną, przegląda czasopisma i co chwila rzuca okiem w stronę drzwi, przyprawiało mnie o ból w piersiach.

Moją huśtawkę emocjonalną przerwało trzaśnięcie drzwi. Ze zmęczenia i przewrażliwienia zerwałam się na równe nogi. Kale w mgnieniu oka przyjął postawę gotowości. Z uniesionymi rękami i rozstawionymi nogami wyglądał, jakby chciał stawić czoło całemu światu. Właściwie sprawiał imponujące wrażenie. Nie wiem, czy na jego miejscu przeszłabym przez to wszystko tak gładko.

Za recepcyjnym kontuarem pojawiła się kobieta z ewidentnie sztucznym uśmiechem. Bez makijażu, jasne włosy związane w kitkę na czubku głowy. Śnieżnobiałą bluzkę miała starannie wpuszczoną w dżinsy. Zgrabna z niej laska.

Kale stał nieruchomo.

– Pani jest Mishą Vaugn? – zapytał.

Kobieta wyszła zza kontuaru i wyciągnęła do niego rękę.

– Nazywam się...

Zrobił krok do tyłu, potknął się o stolik i przewrócił na sofę.

Zaskoczona kobieta stała z wyciągniętą ręką. Przestała się uśmiechać.

– Coś się stało? – zapytała.

Wstałam i podałam jej dłoń.

– Nazywam się Dez, a to jest Kale. Pilnie szukamy Mishy Vaugn.

– Słyszałam. – Przez chwilę przyglądała mi się, a później przeniosła wzrok na Kale'a, który właśnie wstawał na nogi. – Co mu jest?

Kale rozglądał się na boki i po chwili znalazł to, czego szukał. Zdecydowanym krokiem podszedł do drzewka rosnącego w doniczce z boku sali. Wystarczyło jedno dotknięcie palcem liścia.

Po kilku sekundach liść usechł i się rozpadł. To samo zjawisko przeniosło się na pozostałe. Pożółkły, pomarszczyły się i po kolei spadały, tworząc na podłodze stosik pyłu.

Kobieta zdecydowanym ruchem skinęła głową.

– Dziękuję za refleks. – Wzrokiem wskazała drzwi. – Chodźcie ze mną.

Weszliśmy za kontuar, minęliśmy drzwi i dotarliśmy do windy. Kobieta weszła do środka i kiwnęła na nas. Kale się zawahał. Popatrzył na nią i zrobił krok w tył.

– Nie ma tu schodów?

Kobieta nie kryła zdumienia.

– Są, jak najbardziej, ale jedziemy na...

– To pójdę schodami.

Spojrzała na mnie w poszukiwaniu pomocy, ale ja tylko wzruszyłam ramionami i wysiadłam z windy. Dziesięć minut później Sira, bo tak się przedstawiła kobieta, zatrzymała się przy drzwiach na czwartym piętrze i wyciągnęła klucze.

– Poczekajcie tutaj. Wkrótce ktoś do was przyjdzie.

Otworzyła drzwi, przytrzymała, a gdy weszliśmy do środka, zamknęła je za nami. Słyszałam z korytarza niknący odgłos jej kroków na podłodze pokrytej linoleum.

Kale popatrzył na dwa pojedyncze łóżka stojące pośrodku pokoju. Ostrożnie podszedł do pierwszego, przyklęknął i zajrzał pod spód. Zadowolony z oględzin przeszedł do drugiego.

– Co ty wyprawiasz?

– Sprawdzam, co jest pod łóżkami.

– Widzę. – Przewróciłam oczami. – Tylko po co?

Wstał i z poważną miną powiedział:

– Bo gdybym chciał kogoś zabić, to właśnie tam przede wszystkim próbowałbym się ukryć.

Ton jego głosu przyprawił mnie o gęsią skórkę. Zupełnie jakby chciał mnie poinformować, że zgodnie z prognozą ma padać deszcz.

Usiadł i skinął głową na okno.

– Opowiedz mi o swoim życiu. Opowiedz mi, jak tam się żyje.

– Dużo by opowiadać. W sumie to jest przechlapane. Kiepskie oceny, same kłopoty. – Roześmiałam się i usiadłam obok niego. – Kurde, ojciec pewnie wiele razy zastanawiał się, czy nie ukarać mnie przy twojej pomocy.

Kale pochylił się, położył palec na mój policzek i przesunął na brodę.

– Jesteś dobrym człowiekiem.

– Ty też – szepnęłam. A potem odruchowo podjęłam decyzję, żeby leciutko pocałować go w policzek.

Usiadł sztywno, wybałuszył oczy i koniuszkiem palca przesunął po policzku.

– Co to było?

Zaczerwieniłam się.

– Pocałunek.

– To tak czuć pocałunek?

– No, w zasadzie tak. Chociaż są różne rodzaje...

– Pokaż.

– Co?

– Pokaż te inne rodzaje.

– Chcesz, żebym cię pocałowała?

Skinął głową, ręce zacisnął na brzegu łóżka.

– Coś nie tak?

62

– Ja... – Nie wiedziałam, co robić. Zbaraniałam.

Kale siedział obok mnie, zaskoczony i pełen nadziei. Kogo chciałam nabrać? Gość był super. Pocałowanie go raczej nie byłoby aktem miłosierdzia.

Pochyliłam się. Krew pulsowała mi jak subwoofer* w dżipie Brandta. Moje usta od jego ust dzieliły centymetry, łączyły się nasze oddechy. Nagle od strony drzwi doleciał hałas. Podskoczyliśmy, a do środka weszła drobna, ruda kobieta. To się nazywa wyczucie czasu!

– Domyślam się, że wy jesteście Dez i Kale.

Przytaknęliśmy, kiwając głowami.

– Dobrze. Nazywam się Misha Vaugn. Mogę wiedzieć, kto was do mnie przysłał?

– Mój kuzyn – odezwałam się i wstałam. Kale poszedł w moje ślady. – Znalazł pani nazwisko... – wertując tajne dokumenty w domowym gabinecie mojego ojca.

– W czym dokładnie mogłabym wam pomóc?

Zawahałam się. Gdyby potrzebowała pomocy, to znaczy, że byłaby przeciwko mojemu ojcu. Ale czy gdyby była przeciwko ojcu, to chciałaby mi pomagać? Mnie i Kale'owi? Mogłaby uznać, że urządzamy zasadzkę. Ja bym pewnie tak pomyślała.

– Potrzebujemy pomocy i nie wiemy, do kogo moglibyśmy się zwrócić. – Wzięłam głęboki oddech. – Będę szczera. Nazywam się Deznee Cross. Jestem córką Marshalla Crossa. Zna go pani? – Wstrzymałam oddech i czekałam, aż nas wykopie. Nie wykopała.

---

* Subwoofer (głośnik niskotonowy) – dodatkowy głośnik służący do odtwarzania dźwięków o bardzo małych częstotliwościach. (przyp. red.)

– Znam Marshalla Crossa – powiedziała z wyraźnie wyczuwaną niechęcią. Proszę, kolejna fanka. – Mówcie dalej.

– Wczoraj Kale uciekł Denazen. Przez przypadek spotkał mnie, a ja pomogłam mu w ucieczce. Nic nie wiedziałam ani o swoim tacie, ani o Denazen. Zabrałam Kale'a do domu, ale wrócił ojciec.

Misha uniosła brwi.

– Pewnie był zaskoczony.

– Zaatakował Kale'a i uciekliśmy.

– Podejdź tutaj. – Misha była drobną kobietą, ale wyglądała groźnie. Niełatwo mnie nastraszyć, zwykle to ja przejmuję inicjatywę, lecz ona mnie niepokoiła. – Wyciągnij ręce.

Wykonałam polecenie. Złapała mnie i zamknęła oczy.

– Pomogłaś mu uciec – mówiła z zamkniętymi oczami. Chciałam zauważyć, że już o tym wspominaliśmy, ale dałam sobie na wstrzymanie. Po dłuższej chwili ciszy otworzyła oczy i wypuściła moje ręce. – Korporacja Denazen wykorzystuje takich ludzi jak Kale i ja do własnych celów. Odbierają dzieci rodzinom i robią im pranie mózgu. – Popatrzyła na Kale'a ze współczuciem. – Robią wszystko, aby pozbawić ich sumienia i człowieczeństwa. Niektórym nie udaje się przeżyć ich metod. A ci, którym się udaje, pozostają w niewoli i... są zmuszani do wykonywania poleceń Denazen. Jeśli to się nie sprawdza, są eliminowani.

– Jak byłem młodszy – Kale odezwał się szeptem tak delikatnym jak obłok dymu wiszący w powietrzu – Sue poradziła mi robić, co każą. Powiedziała, że muszę być posłuszny. Albo będę wypełniał ich polecenia, albo zrobią mi krzywdę. – Podciągnął rękaw i pokazał brzydką bliznę. – Płakała, gdy mnie krzywdzili. Nienawidziłem jej płaczu.

Poczułam ból w żołądku, ścisnęło mnie w gardle. Co oni mu, do diabła, robili? Co jej robili? Czas na odpowiedzi.

– Kim oni są? – zapytałam. – Jakaś agencja rządowa czy co?

Misha zmarszczyła czoło.

– Owszem, podejrzewamy, że rząd ma z tym coś wspólnego, ale wiemy niewiele.

– A Żniwiarz? – zapytałam. – Moja mama poradziła Kale'owi, żeby poszukał kogoś, kto się tak nazywa, bo on może pomóc. Potrafisz coś o nim powiedzieć?

Misha pokręciła głową.

– Słyszałam o nim, ale nie wiem, gdzie go znaleźć. Plotka głosi, że stanowił najgroźniejszą broń Denazen. Tylko jemu udało się uciec i przeżyć. – Spojrzała na Kale'a i uśmiechnęła się. – Aż do teraz.

Zaczynałam rozumieć, że ucieczka tego Żniwiarza to nie byle co. Jeśli udałoby się go znaleźć, pomógłby mi wydostać mamę. Być może nawet stanowi jedyną szansę na jej ocalenie.

– Kto wie, gdzie go szukać?

– Głęboko się zakamuflował – powiedziała ze zmarszczonym czołem. – Co jakiś czas słyszy się plotki, że widziano go to tu, to tam, w całym kraju. Ale nikt nie wie, gdzie on jest.

– Żadna to dla nas korzyść. – Plotki niczego nie dają. Na razie Żniwiarz to jeszcze jedna legenda stworzona po to, żeby Szóstki jadły warzywa i czuły się bezpiecznie.

Misha pochyliła się i otworzyła szufladę nocnego stolika. Wyciągnęła pióro i papier. Napisała coś i udarła kartkę. – Idźcie pod ten adres i porozmawiajcie z Colem Osterem.

Może on wam udzieli jakichś informacji. Możecie tu zostać na noc, ale o świcie musicie zmykać. Przebywanie tutaj jest dla ciebie zbyt niebezpieczne, Deznee Cross.

Skinęłam głową, podziękowałam i usiadłam z powrotem na łóżku.

Misha odeszła do drzwi. W ostatniej chwili odwróciła się na pięcie i zmierzyła Kale'a surowym wzrokiem.

– Ponieważ natura obdarzyła cię niebezpiecznym darem, lepiej, żebyś nie wychodził z tego pokoju całą noc. Nie chcę, żeby moim gościom stała się krzywda.

Kale przytaknął i obserwował jej wyjście. Zaraz po zamknięciu drzwi usiadł obok mnie. Przez moje dżinsy emanowało ciepło w miejscu, w którym położył rękę.

– Okej – powiedział.

– Co okej?

– Poszła.

Spojrzałam na drzwi.

– Tak, poszła. – Wiedziałam, do czego zmierza i z jakichś powodów czułam się zdenerwowana. Znów odmiana. Zwykle to ja wywołuję zdenerwowanie u chłopaków. Nie byłam pewna, czy podoba mi się to przestawienie. Jak liczysz, że chłopak zauważy twoje nowe buty albo zabójcze dżinsy, albo wręcz zapamięta twoje imię, to – cholera – oczekujesz za wiele. A jeśli masz go pocałować? Do tego jest pierwszy.

– To było miłe. – Z uśmiechem dotknął mojego policzka.

Wstrzymałam oddech. Boże, ale on pociągający...

– Naprawdę?

Entuzjastycznie skinął głową.

– A co z tymi innymi rodzajami?

66

Jego uśmiech był zaraźliwy. Zmieniłam pozycję na łóżku, siedziałam teraz twarzą naprzeciw niego. On zrobił to samo.

Wziął moją dłoń i położył sobie na piersiach, tuż obok serca.

– Dlaczego, gdy jesteśmy blisko siebie, szybciej bije mi serce? Jak to się dzieje?

Czułam pod palcami, że jego serce bije w rytmie mojego. Uśmiechnęłam się.

– Ze zdenerwowania, podniecenia, strachu.

– Zdenerwowania?

– Tak, zupełnie, jakbyś o coś się martwił. To zdenerwowanie.

– Wiem, co to znaczy zdenerwowanie. – Zdjął swoją dłoń z mojej i położył ją na moim sercu. Próbowałam nie myśleć, czego dotykają jego palce. – Ty masz to samo. Jesteś zdenerwowana?

– Tak, chyba trochę tak.

Nadal trzymał rękę w tym samym miejscu, patrzył mi prosto w oczy.

– Z mojego powodu?

– Tak – powiedziałam. – To znaczy nie... To skomplikowane.

Odchylił głowę. Miał skwaszoną minę.

– Nie lubię słowa „skomplikowane".

Roześmiałam się.

– Nikt nie lubi. Mówię ci.

– Boisz się mnie?

Uśmiech zamarł na moich ustach. Co mu powiedzieć? Tak, boję się. Właściwie nawet bardzo. Ale nie z tego powodu, który on ma na myśli. Odsunęłam jego rękę i ujęłam go pod brodę. Ostatni raz wciągnęłam powietrze, aby odgonić motylki w brzuchu, i zbliżyłam usta do jego ust.

Nasze wargi się zetknęły. Miękkie, ciepłe. Czułam, że Kale sztywnieje. To nie była zwyczajna reakcja. Przesunęłam ręce po jego twarzy, wsunęłam mu palce we włosy. Ponieważ nadal się nie ruszał, odchyliłam się, żeby mu się przyjrzeć. Ręce miał opuszczone wzdłuż tułowia. Od ściskania krawędzi łóżka zbielały mu kłykcie. Głęboko oddychał, a później spojrzał w dół na siebie, wziął moją rękę i znów przyłożył ją sobie do piersi.

– Teraz nawet szybciej.

Już był mój. Pochyliłam się ponownie i nie przestawałam całować, aż się rozluźnił. Z westchnieniem zadowolenia chwycił mnie w talii i przysunął do siebie. Po chwili trwającej chyba wieczność odsunęłam się i uśmiechnęłam.

– Naprawdę powinniśmy się trochę przespać – szepnęłam.

Kale zmarszczył brwi.

– Nie jestem zmęczony. – Przesunął palec po mojej dolnej wardze. – Chciałbym zrobić to jeszcze raz. Proszę.

Zachichotałam i wyślizgnęłam mu się z objęć.

– Pod wieloma względami jesteś normalniejszy ode mnie.

– Jeszcze nigdy czegoś takiego nie przeżywałem. Za każdym razem tak jest? – Położył się na plecach i – nie zdejmując kozaków – wyprostował nogi.

– Chyba musi być odpowiednia osoba. – Zdjęłam tenisówki i wsunęłam się pod kołdrę na drugim łóżku. Tani hotelowy pled nieprzyjemnie ocierał mi skórę. Zamknęłam oczy i próbowałam sobie wyobrazić, że to puszysta, miękko powleczona kołdra w domu. Poduszka była twarda, czuło się to nawet wtedy, gdy pod nią leżała druga. Worek marynarski od Brandta był wielkości mniej więcej poduszki i mogłam użyć go jako trzeciej. Ale to pewnie i tak nic by nie dało, a nie chciałam ryzykować bólu głowy.

– A jak ty to odebrałaś?

Przewróciłam się na drugi bok i zgasiłam światło. Na parking wjechał jakiś samochód. Przez otwór pomiędzy zasłonami wleciał blask reflektorów. Na ścianie zamajaczyły świetliste wzorki.

– Ja... Jakoś inaczej – przyznałam po namyśle.

Usłyszałam pomruk zadowolenia i z uśmiechem na ustach pogrążyłam się we śnie.

Zgodnie z obietnicą opuściliśmy hotel o świcie. Ta sama kobieta, która pełniła dyżur poprzedniego wieczoru, obdarzyła nas przesadnym uśmiechem i dziękowała za pobyt – zupełnie, jakbyśmy byli tu na wakacjach. A w chwili, gdy otwieraliśmy drzwi, powiedziała, żebyśmy nigdy nie wracali. Fajna gościnność.

W worku marynarskim, który Kale dostał od Brandta na Cmentarzysku, był jeden z jego niebieskich podkoszulków (na szczęście ten z długim rękawem), para skórzanych rękawiczek oraz dwie zmiany ubrań dla mnie. W tylnej kieszeni swoich dżinsów znalazłam czterdzieści dolców. Nie podobało mi się, że w taki upał Kale będzie nosił podkoszulek z długim rękawem i rękawiczki, ale lepiej się pocić niż nieumyślnie wyrządzić krzywdę niewinnej osobie.

Czekaliśmy pod wiatą na autobus. Spóźniał się jak zwykle.

– Słuchaj... – Odchrząknęłam. – ...Wiem, że trzeba odszukać tego Żniwiarza, ale może lepiej nie jechać do miasta? – Na tę myśl nogi zrobiły mi się jak z waty. Nie chciałam się z nim rozstawać, ale byłabym najgorszą świnią, gdybym chociaż mu tego nie zaproponowała. Nigdy nie należałam do osób samolubnych. Nie miałam prawa zatrzymywać go, skoro sam potrafił dać sobie radę.

– Nie jechać do miasta?

– No tak... Uciec stąd. Dałabym ci pieniądze, ile trzeba, i mógłbyś uciekać. Byłbyś o krok przed Denazen.

– A ty pojedziesz ze mną?

Zaczęłam się przechadzać w tę i z powrotem.

– Nie, skąd. Wiem teraz, że moja mama żyje i nie mogę jej zostawić. Znajdę tego Żniwiarza i namówię, żeby udzielił mi pomocy.

Pokręcił głową ze ściągniętymi brwiami.

– To po co mam wyjeżdżać?

– Żeby być bezpiecznym. Żeby być jak najdalej. Odnoszę wrażenie, że mieszkanie w tamtym miejscu do przyjemności nie należało. Po co tam wracać?

Kale wziął mnie za rękę. Z wrażenia zapomniałam o oddychaniu.

– Jeśli mam możność udzielenia pomocy Sue i zobaczenia, jak odzyskuje wolność, to warto zaryzykować.

Każde zakończenie nerwowe w całym moim organizmie zareagowało radosnym mrowieniem. Pojawiły się dziwne, skomplikowane emocje – takie, które odczuwałam gdzieś w środku, a teraz wypłynęły na wierzch. Chciałam, żeby mówił dalej. Ale oczywiście właśnie w tym momencie na przystanek wtoczył się autobus.

Zapłaciliśmy za bilet i zajęliśmy miejsca z tyłu. Kale nie był zadowolony z wyjazdu. Wskazał nosem na siedzącą przed nami kobietę:

– Dlaczego ona ma takie włosy?

Kobieta, mniej więcej trzydziestoletnia, odwróciła się i posłała nam karcące spojrzenie.

Dałam Kale'owi kuksańca w bok i szepnęłam:

– To się nazywa dredy. Taka fryzura.

– Śmiesznie pachną – powiedział równie głośno, co na początku.

Kobieta z dredami znów się odwróciła. Tym razem chciała nam powiedzieć, żebyśmy się odwalili. Zanim jednak się odezwała, przeprosiłam:

– On jest z zagranicy. Pierwszy dzień w Ameryce.

Mruknęła coś ostrego pod nosem i odwróciła się w swoją stronę.

– Szybki kurs dobrych manier... – powiedziałam, pochylając się bliżej Kale'a. – Nie wytykać ludziom wyglądu.

Zdezorientowany uniósł brwi. Przewróciłam oczami.

Wysiedliśmy z autobusu mniej więcej trzy przecznice od adresu, który dostaliśmy od Mishy. Zgraliśmy się idealnie. Na tym krótkim odcinku Kale wkurzył ciężarną, mówiąc o niej *wielka*, i zaczął wypytywać miłośników gotyku o ich niezwykły makijaż. Gdybyśmy jechali autobusem jeszcze dalej, doszłoby do rękoczynów.

Na ulicy było tłoczno. Niedawno zaczęło się lato, więc czułam się swobodniej czuć się w miejscach publicznych. Niemożliwe, aby w obecności wszystkich tych ludzi tata nasłał na nas swoich siepaczy. Przynajmniej taką miałam nadzieję.

Po minięciu jednej przecznicy Kale wziął mnie za rękę. Początkowo myślałam, że mu przeszkadzam albo że chce mi na coś zwrócić uwagę, ale gdy na niego spojrzałam, strach ścisnął mi gardło. Kale nie patrzył na mnie. Był wyszkolony, aby bacznie obserwować ulice.

Czekałam pewien czas, aż przestanie mi ściskać rękę... Ale nic z tego. Gdy zauważył, że patrzę na nasze ściśnięte dłonie, zrobił zdziwioną minę.

– O co chodzi?

– Eee... nic... ja tylko... – czułam się jak idiotka. Nie powinnam się jąkać, przecież umawiam się z chłopakami, odkąd skończyłam trzynaście lat. Z całą pewnością nie podobał mi się taki obrót spraw.

– Przecież tak można, no nie? – Uniósł nasze ręce, mieliśmy splecione palce. Skinął na roześmianą parę idącą za ręce. – Ludzie tak robią.

– To trochę bardziej skomplikowane.

– Tu wszystko wydaje się skomplikowane – mruknął.

– To jest życie. – Roześmiałam się. – A życie jest skomplikowane.

– To dobrze?

Pokiwałam głową.

– Dobrze.

Przez chwilę wydawał się usatysfakcjonowany, a potem trochę mocniej ścisnął mi dłoń.

– Wytłumacz, co robię źle. Z tą ręką.

Westchnęłam. Gdybym miała rozmawiać o seksie ze swoim rówieśnikiem, to chyba bym umarła. Porównania do koszykówki się nie sprawdzają. A Kale pewnie nawet nie wie, czym jest koszykówka. – Ludzie trzymają się za ręce, gdy się lubią.

Spojrzał na nasze dłonie, nadal miał niepewną minę.

– Pomogłaś mi, więc cię lubię.

Ciekawe, czy rodzice też mają tak ciężko.

– Nie, tu chodzi o inny rodzaj lubienia. Gdy ludzie chcą być kimś więcej niż tylko przyjaciółmi. I robić coś więcej niż tylko trzymać się za ręce.

– Więcej? Na przykład co?

Je-zu-chry-ste... Nie do wiary.

– Lubisz kogoś, gdy dobrze czujesz się w jego obecności, i lubisz kogoś, gdy on sprawia, że czujesz się kimś szczególnym, czujesz się szczęśliwy. Coś tak jak całowanie.

Zabłysły mu oczy.

– To zamiast trzymać cię za rękę powinienem cię pocałować?

Moje serce udzieliło jednoznacznej odpowiedzi: *tak*.

– Źle to wyjaśniłam. Ludzie całują się, gdy ich do siebie ciągnie. Czują się wtedy... miło.

– Ja lubię cię dotykać. Jest mi wtedy bardzo przyjemnie. – Uśmiechnął się szeroko. – Ten pocałunek wczoraj wieczorem był bardzo przyjemny.

Westchnęłam i uśmiechnęłam się nieznacznie. Ta rozmowa nie mogła mieć końca, czułam, że mózg mi się przegrzewa. A rozmowa o całowaniu plus błękitne oczy Kale'a... *Trzeba się skoncentrować!*

– No, myślę, że przyjemny. Zapewne dlatego, że jestem jedyną osobą, której możesz dotykać.

Przez dłuższą chwilę nic nie mówił, a w końcu rzekł:

– Możliwe.

Nastąpiła we mnie jakaś zmiana. Powiedziałam to, bo to logiczny argument. Ale w gruncie rzeczy chciałam, aby przekonywał mnie, że się mylę. Nie był to jednak najlepszy moment na zadurzenie się w chłopaku.

Resztę drogi przeszliśmy w milczeniu. Parkview to bardzo ładna okolica. Kilka razy byłam tu na imprezach. Typowe przedmieście z całą masą wypielęgnowanych domów z przystrzyżonymi trawnikami i plastikowymi figurkami zwierząt.

Im bliżej adresu Cole'a Ostera, tym okolica robiła się bardziej ponura. Domy zaniedbane, a nawet zrujnowane. Cole mieszkał w rozpadającym się niebieskim budynku stojącym na końcu ślepej uliczki. Ulica nazywała się Aleją Ostatniej Szansy. Ani nazwa, ani sam budynek nie napawały optymizmem. Weszliśmy po skrzypiących schodach i zapukaliśmy do drzwi. Po chwili wychylił głowę niski, łysy mężczyzna zbliżający się do pięćdziesiątki.

– Słucham.

– Czy pan Cole Oster?

– A kto pyta? – burknął.

– Ten adres podała nam Misha Vaugn. Szukamy Żniwiarza.

– Wypad stąd. – Zatrzasnął nam drzwi przed nosem.

Zapukałam ponownie, tym razem mocniej.

– Im dłużej tu stoimy, tym większe prawdopodobieństwo, że dopadnie nas Denazen. Naprawdę chciałby pan, aby złożyli wizytę w tych okolicach?

Ten argument go przekonał. Po niecałej minucie zamek szczęknął i otworzyły się drzwi.

– Szybko, do środka.

Gdy wchodziliśmy, mamrotał coś, że w najbliższym czasie będzie musiał poważnie porozmawiać z Mishą.

– Nie zapraszam was na żadne posiadówy. Lepiej się streszczajcie.

Z przedpokoju zajrzałam do salonu. Ujrzałam sterty pudeł, puszek po piwie i talerzy.

– Dziękujemy panu. – Odegnałam od siebie kolejną brzęczącą muchę. Może się myliłam, ale istniały spore szanse, że odór w domu Cole'a Ostera wystarczy, żeby Denazen trzymała się stąd z daleka. – Obleśnie tu.

– Przyszliście mnie obrażać?

– Gdzie znajdziemy Żniwiarza? – zapytał Kale.

– Od lat go nie widziałem. – Przemierzył korytarz i wszedł do salonu. Wziął do ręki kawałek podejrzanie wyglądającego sera i ugryzł. Zebrało mi się na wymioty.

– Ale widział go pan? – powiedziałam z nadzieją w głosie.

Cole zbył mnie machnięciem ręki i wrócił do przedpokoju.

– Oczywiście, że widziałem. – Zawahał się. – W każdym razie rozmawiałem z nim.

– Rozmawiał pan?

– Raczej pisałem do niego.

Pisał do niego? Jak do świętego Mikołaja?

– Chodź, Kale. Marnujemy czas.

Ruszyliśmy do wyjścia.

– Czekajcie – zawołał Cole. – Czego od niego chcecie?

– Denazen przetrzymuje moją mamę. Ponieważ on jest podobno jedynym człowiekiem, który wydostał się stamtąd i przeżył, mam nadzieję, że pomoże mi ją uwolnić.

– Powiem, co wiem. Ale nie ma się co zapalać. Wiem niewiele.

– Wszystko może nam pomóc uchwycić trop – powiedziałam, rozglądając się za czystym miejscem na ścianie, żeby się oprzeć. Nie znalazłam. Już nigdy nie powiem, że Brandt to brudas.

– Ostatnio słyszałem, że... – Przerwał w pół zdania. Popatrzył na mnie, a później na Kale'a. Z jego twarzy zniknęło zakłopotanie, a pojawiło się przerażenie. Wybałuszył oczy, rozłożył ręce i powoli na środku klatki piersiowej ukazała się jasnoczerwona plama. Wybełkotał coś niezrozumiałego i osunął się na kolana. Rzuciłam się podtrzymać go i chwyciłam za ramię, zanim padł na podłogę. – Alex...

– Musimy uciekać – odezwał się Kale.

– Alex Mo... – Cole próbował łapać powietrze.

Kale próbował podnieść mnie z podłogi, ale stawiałam opór i ciągnęłam za poplamiony T-shirt Cole'a z napisem *Metallica*. – Jaki Alex?

Zatrzęsły nim konwulsje, dygotał na całym ciele. Płytko złapał oddech.

– Alex Mojourn – jęknął, zamknął oczy i upadł bezwładnie.

– Alex Mojourn? – powtórzyłam, puszczając jego koszulę. Kale chwycił mnie i pociągnął w stronę odległych o jakieś cztery metry drzwi. – Czy on powiedział *Alex Mojourn*?

Drzwi otworzyły się z hukiem. Kawałki drewna rozprysły się na wszystkie strony. Do środka wpadli siepacze Denazen uzbrojeni w pistolety usypiające.

– Padnij – krzyknął Kale i wszystko zwolniło.

Objął mnie ręką w talii i odciągnął od frontowych drzwi. Zrobiliśmy krok. W pokoju przed nami doszło do eksplozji i zapanował chaos. Coś na nas poleciało. Kale trzymał mnie za plecy, czułam jego rękę na kręgosłupie. W jego dotyku nie było napięcia. Zupełnie, jakby unosił piórko. Jednym zdecydowanym pchnięciem posłał mnie na podłogę. Poczułam, jak jakiś przedmiot – ta cholerna lotka – przelatuje mi nad głową. Ale nic mi nie zrobiła. Przetoczyłam się po podłodze i przylgnęłam do ściany. Z rąk wysunął mi się worek marynarski. A przecież w ostateczności można by bronić się nim przed lotkami.

Siepacze byli przy drzwiach. Podobni jak w domu Curda, tylko liczniejsi. Z przodu widziałam ich co najmniej pięciu, do tyłu bałam się oglądać. Takie sytuacje widuje się w kinie, a nie w realnym życiu.

Ubrani byli w kombinezony ochronne, mieli nad nami przewagę.

– Mamy przechlapane – szepnęłam. Z prawej strony znajdował się niewielki pokój prowadzący na korytarz, na końcu widziałam zamknięte drzwi. Nie wiedziałam, dokąd prowadzą ani czy są zamknięte na klucz, ani czy dotrzemy do nich, zanim nas dopadną. Byliśmy w potrzasku.

Jeden z napastników wysunął się przed resztę. Kale wydał z siebie niski, gardłowy dźwięk i sięgnął po worek z podłogi. Chwycił mnie za rękę i krok po kroku wycofywaliśmy się do bocznego pokoju. Najwidoczniej też zauważył te drzwi, bo zmierzaliśmy w ich kierunku.

W mgnieniu oka Kale otworzył je i szarpnął mnie za rękę. Jednym ruchem zatrzasnął drzwi, zaryglował i pobiegliśmy pod górę po nieoświetlonych schodach. Zyskiwaliśmy kilka cennych sekund, ale nie łudziłam się, że zamknięte drzwi powstrzymają tamtych ludzi zbyt długo.

W pewnej chwili potknęłam się, straciłam równowagę i sięgnęłam ręką do poręczy. Jej fragment oderwał się, spadł na podłogę i z trzaskiem zleciał po schodach. Chciałam go podnieść, ale Kale chwycił mnie za rękę i pociągnął do góry.

Po dotarciu na szczyt mieliśmy do wyboru jedne albo drugie drzwi. Kale się nie wahał. Ostro skręcił w prawo i wszedł do środka. Po zaledwie trzech sekundach bezruchu podszedł do okna, spróbował je otworzyć, a potem kopnięciem stłukł szybę.

Z dołu doleciały nas hałasy. Nasi napastnicy sforsowali drzwi.

Ruszyłam prosto do okna, ale Kale mnie powstrzymał. Przycisnął palec do ust i pociągnął mnie do szafy znajdującej się po drugiej stronie pomieszczenia. Wślizgnęliśmy się do środka, po cichu zamknęliśmy drzwi i niemal w następnej sekundzie usłyszeliśmy kroki na schodach. Po chwili byli w pokoju.

– Posłać ludzi na zewnątrz, i to migiem! – krzyknął jeden z nich. Znów tupot stóp, a po nim cisza.

Bałam się drgnąć, żeby nie otworzyć drzwi. Czułam pulsowanie w uszach i ogarnęła mnie fala paniki. Tak czy inaczej musieliśmy trwać w kompletnym bezruchu. Zaczęłam się rozluźniać po kilku minutach. Kale pochylił się, poprawił mi włosy i potarł policzkiem o mój policzek. Ale nie jak facet, który chce ukraść całusa. Zupełnie inaczej. Niewinnie. Ja jednak zareagowałam tak samo. Zapomniałam o krokach i krzykach na dole. Czułam obecność Kale'a obok siebie, jego oddech pieścił moją skórę. Koniecznie będę musiała porozmawiać z nim o szanowaniu osobistych granic.

Po kilku minutach z lekkim trzaskiem otworzył drzwi szafy. Mieliśmy wolną drogę. Podeszliśmy do okna i ostrożnie, noga za nogą wyszliśmy na dach przyległego garażu. Na czworakach podpełźliśmy do brzegu dachu. Wyjrzałam i zobaczyłam jeszcze kilku mężczyzn, ale większość z nich zniknęła.

– Dasz radę zejść na dach tego wozu? – zapytał Kale, wskazując białą, zardzewiałą półciężarówkę volkswagena.

Skinęłam głową.

– Pójdę pierwszy i cię złapię.

Nie powiedziałam mu, że nie potrzebuję.

79

Opuścił się i uderzył nogami o dach samochodu z cichym, lecz słyszalnym stukiem. Natychmiast padł na brzuch i wyjrzał sprawdzić, czy go zauważyli. Uznawszy, że wszystko w porządku, skinął na mnie.

Zsunęłam się z dachu i tak jak Kale wylądowałam na samochodzie z cichym stuknięciem. Kale tego nie zauważył, ale zaraz po moim skoku dwaj ludzie z Denazen przeszli za róg domu. Prawdopodobnie niczego nie usłyszeli, ale lepiej było nie kusić losu.

Kale znów machnął ręką. Wskazałam front domu, skąd tamtych dwóch obserwowało ulicę. Kale miał z niepokoju zaciśnięte usta. Spojrzał na mnie, a ja pokazałam, żeby zaczekał, i wróciłam do okna. Zajrzałam do środka, ale nie zauważyłam niczego, z czego mogłabym zrobić prowizoryczną linę. Nie było zasłon ani pościeli na łóżku. Nie miałam wyboru. Musiałam skakać na trawę i liczyć, że nic się nie stanie.

Wróciłam na skraj dachu i wyjrzałam. Ludzie Denazen stali cały czas w tej samej pozycji. Przyciągnęłam wzrok Kale'a i wskazałam trawę obok samochodu. Skinął głową i zsunął się na dół.

Chwyciłam się krawędzi dachu i opuściłam na dół. Po sekundzie oderwałam ręce. Leciałam krótko, ale wylądowałam boleśnie. Zupełnie inaczej niż na deskorolce.

Oddaliliśmy się od garażu i przemieszczaliśmy się wokół domu. Zwracałam uwagę głównie na to, co za nami, i wpadłam na puszki ze śmieciami. Gdyby okazały się plastikowe, nie stałoby się nic strasznego, ale byłoby za łatwo. Tu jednak stały staroświeckie metalowe pojemniki z wiekami, które na betonie zaczęły klekotać.

Wokół domu usłyszeliśmy krzyki. Zostaliśmy przyłapani.

– Szybko – rzekł Kale i pociągnął mnie za sobą. Starałam się za nim nadążyć, ale miał znacznie dłuższe nogi. Oni biegli tuż za nami. Nie potrzebowałam się oglądać. Przemknęliśmy przez podwórko Cole'a, przeskoczyliśmy płot i wylądowaliśmy na rabatce kwiatów u sąsiada. Przed nami rozciągał się gęsty las. Gdybyśmy do niego dopadli, mielibyśmy szanse zgubić pościg.

Kale zatrzymał się, spojrzał w prawo, a potem w lewo.

– Tędy – rozkazał, oddychając bez większego zmęczenia. Ja z kolei ledwie zipałam. *Trzeba o siebie zadbać, pójść na siłownię.*

Przemierzyliśmy trawnik i zatrzymaliśmy się na brzegu basenu. Od zapachu chloru pomieszanego z wonią świeżo skoszonej trawy kręciło mnie w nosie.

– Jak dotrzemy między drzewa, mamy szansę ich zgubić – powiedziałam.

Kale spojrzał na drugą stronę basenu i westchnął.

– Wiem, do czego zdolni są ci ludzie. Wiem, do czego się posuną, żeby mnie schwytać. Jeśli będę biegł, ruszą za mną. Wtedy ty będziesz mogła uciec.

Poczułam przypływ złości.

– Już to przerabialiśmy na przystanku. Nie ma mowy, żebym się wycofała. Tam jest moja mama. Poza tym ktoś musi się postarać, żeby mój ojciec za to wszystko zapłacił. Mogłabym uciekać, ale i tak tkwię w tym po uszy. Przejdziemy przez to razem. Do końca.

Przez chwilę Kale milczał. Ostatni raz spojrzał na basen i powiedział:

– No dobra, to chodź.

Ledwie kilka metrów oddaliliśmy się od basenu, a w krzakach przed nami coś zaczęło ruszać się i szeleścić.

– Kurde! – przylgnęłam do ścianki okalającej basen. Już myślałam, że jesteśmy osaczeni. Ale w krzakach wcale nie było mężczyzn w garniturach ani nawet kombinezonach. Właściwie wcale tam nie było ludzi.

Krzyk ugrzązł mi w gardle.

Kale przyglądał się nowemu uczestnikowi zabawy z akademickim zainteresowaniem. Zupełnie bez strachu.

– Czy to...?

– Niedźwiedź! – jęknęłam. Chwyciłam Kale'a za rękę i usiłowałam pamiętać o oddychaniu. Wdech, wydech. Wdech, wydech. – Pieprzony niedźwiedź!

7

– Chyba większy niż encyklopedia – stwierdził Kale i pochylił się nieco do przodu. Przez ułamek sekundy pomyślałam, że zamierza dotknąć tego zwierzaka. – Może nas nie zauważy.

– Jak to nie zauważy? Przecież gapi się prosto na nas. Patrz na tę gębę! Myśli, jak będziemy smakować na podwieczorek!

Niedźwiedź wykonał kilka kroków do przodu i wydał z siebie przenikliwy dźwięk. Był około półtora metra od nas, gdy zza ściany basenu wyłonili się ludzie Denazen. Jeden z nich wydał okrzyk – najwyraźniej nie dobierają ich pod kątem odwagi – dzięki czemu niedźwiedź zwrócił uwagę na nich. Facet z przodu ewidentnie nie wiedział, jak postępować z wielkim niedźwiedziem, więc wypalił do niego z pistoletu usypiającego. Trafił zwierzę lotką w ramię. Idiota. Jeden pocisk nie powali takiej bestii. Co najwyżej może ją rozsierdzić. Niedźwiedź zawył, stanął na tylnych łapach i zaczął ludziom z Denazen pokazywać pazury.

To była dla nas szansa. Nie odwracając wzroku od niedźwiedzia, złapałam Kale'a za rękę i pociągnęłam w stronę lasu. Po krzykach z tyłu wiedziałam, że nadal jesteśmy ścigani, ale miałam nadzieję, że udało nam się zdobyć nieco przewagi.

Biegliśmy. Kale rozsuwał krzaki i nisko zwisające gałęzie. Ja nie za bardzo. Kilka razy potknęłam się, ale on w ostatnim momencie mnie łapał. Miał niezawodny refleks. Dotarliśmy na skraj lasu, zatrzymaliśmy się na ułamek sekundy i sprintem przebiegliśmy do Parview Mall.

– Tam jest tłoczno. Nie będą chcieli robić przedstawienia.

– Ruszyłam do centrum handlowego, lecz Kale się wahał.

– Co się stało?

Popatrzył na swoje ręce i pokręcił głową.

– To zbyt niebezpieczne.

– Prawie całą skórę masz osłoniętą. Jak nie zaczniesz nikogo miziać buzią, nic się nie stanie.

Nie wyglądał na przekonanego.

– Obiecuję, że będziemy ostrożni. – Wzięłam go za rękę.

– Postaram się, żebyś nikogo nie skrzywdził.

Po chwili dalszej niepewności skinął głową i dziarskim krokiem ruszyliśmy do wejścia. Przy stoisku z perfumami sprzedawczyni zagadywała wchodzących gości, próbując wyciągnąć z nich ciężko zarobione pieniądze. Gdy my się zbliżyliśmy, wręczyła nam flakonik i ruszyła do natarcia.

– Jak nie chce pani stracić palców – ostrzegłam – to proszę zabrać tę butelkę.

Bąknęła coś o ochroniarzach i ruszyła nagabywać kolejnych klientów.

Gdy skręciliśmy w główną alejkę, odwróciłam się, by popatrzeć, czy nie jesteśmy śledzeni. Do budynku właśnie wchodziło dwóch facetów w garniturach. Dwa tygodnie temu zaczęły się wakacje, więc nie było tam takiego tłumu jak w zwykły weekend, ale i tak kręciło się sporo ludzi.

Mimo to siepacze Denazen nas dojrzeli.

– W nogi! – pchnęłam Kale'a przed siebie i zmieszaliśmy się z tłumem. Brnąc między ludźmi, naciągał rękawy aż po koniuszki palców. Wpadliśmy do pierwszego z brzegu sklepu... Victoria Street. Chwyciłam wieszak z body i pociągnęłam Kale'a do przebieralni. Po kilku sekundach wyjrzałam zobaczyć, co się dzieje. Jeden z ludzi Denazen minął sklep, zajrzał do środka, ale nie wszedł.

– Jeden zero – powiedziałam do Kale'a. Ale on nie zwrócił na mnie uwagi. Miał oczy wlepione w czerwone jedwabne body, które trzymałam w dłoni.

– Co to jest? – zapytał, dotykając gładkiego materiału.

– Ubranie. Dla kobiet.

Szerzej otworzył oczy.

– To noszą dziewczyny?

Zachichotałam.

– Tak, ale zwykle dość krótko.

Kale zrobił się prawie tak czerwony jak jedwabne body.

– Założysz to teraz?

– Eee... Nie. – Spąsowiałam.

Wyglądał na nieco rozczarowanego. Przewróciłam oczami.

– Chodź, idziemy stąd. Może uda nam się wrócić tą samą drogą i niepostrzeżenie wymknąć.

Nasz plan oczywiście się nie powiódł. Ledwie wyszliśmy ze sklepu, pojawił się kolejny koleś w garniaku. Zatrzymaliśmy się i popatrzyliśmy po sobie. Najwyraźniej nie wiedział, co robić. Rzucić się na nas i zrobić scenę? A może pozwolić nam odejść i iść za nami?

– Ty – odezwał się. – Nie wiesz, w co się ładujesz. Ten człowiek to morderca.

85

Poprawiłam worek Brandta na ramieniu, podrapałam dłoń o pasek. Kusiło mnie, żeby zdzielić gościa tym workiem po głowie, ale przecież należało mu się o wiele więcej. Tuż obok znajdowało się stoisko z zabawkami. Po podłodze maszerował zdalnie sterowany robot, mniej więcej tej samej wielkości co worek. Był jednak nieco cięższy, co oznaczało, że bardziej skuteczny. Ale postanowiłam go zostawić w spokoju. Nie chciałam robić zamieszania przy ludziach.

– To wasi chłopcy zrobili z niego mordercę – powiedziałam. – Coś mi się wydaje, że wy jesteście bardziej niebezpieczni od niego.

Zrobił krok do przodu i uśmiechnął się.

– Jeszcze jeden krok i zacznę wrzeszczeć, że obmacujesz mnie po tyłku. Będziesz musiał się tłumaczyć i parę minut poleci. A my będziemy już daleko.

Mężczyzna zmarszczył czoło.

– Tatuś się o ciebie martwi.

Gdzieś w głębi duszy, w najodleglejszym jej zakamarku, chciałam, aby to była prawda. Pragnęłam znów być *śliczną córunią tatusia*. Ale tak nie było. I nigdy nie będzie. Ojciec zamienił się w *koszmar na jawie*, coś, co nie ma racji bytu. Teraz będzie musiał odpokutować za swoje czyny.

– Powinien o tym pomyśleć, zanim oszukał mnie w sprawie mamy.

– Popełniasz wielki błąd.

Wzruszyłam ramionami i wycofałam się o krok.

– Nie pierwszy i nie najgorszy. Mam ich na koncie całe mnóstwo, zapytaj mojego ojca.

Przez dłuższą chwilę wpatrywał się we mnie, a w końcu powiedział:

– Tak czy inaczej będziecie musieli opuścić to centrum.

– Nie boję się – powiedziałam, biorąc Kale'a za rękę. Miałam nadzieję, że facet z Denazen nie domyśli się, że kłamię. Zostawiliśmy go samego i zaraz dołączyło do niego dwóch kolejnych. Przed nami był czwarty. Mijając nas, skinął głową. Chwilę później obejrzałam się i zobaczyłam, że idą za nami całą czwórką. Byli spięci, niczego nie zmieniłoby nawet pogwizdywanie lub podrzucanie monet.

Zatrzymaliśmy się przed stoiskiem z biżuterią Jade Panda. Prowadząca je dziewczyna żuła gumę i wertowała jakieś czasopismo. Idealnie. Przechyliłam się przez ladę i pomachałam ręką, żeby przyciągnąć jej uwagę.

Zmierzyła mnie niechętnym spojrzeniem i zamknęła czasopismo.

– Proszę?

– Posłuchaj, nie chcę cię straszyć, ale chyba powinnaś wezwać ochronę.

Na jej twarzy pojawił się cień zainteresowania.

– Tak?

Skinęłam głową w lewą stronę, gdzie stała grupa ludzi z Denazen.

– Widzisz tych odpicowanych facetów?

Dziewczyna, która zgodnie z przypiętą plakietką nazywała się Frankie, pokiwała głową.

– W garniakach z przeceny u Armaniego?

– Tak. Podsłuchałam ich rozmowę. Mówili coś... – pochyliłam się i szepnęłam z przejęciem: – ...o bombie.

Zamiast jakiejś normalnej reakcji, czyli na przykład wytrzeszczu oczu lub opadniętej szczęki, Frankie uśmiechnęła się i podniosła słuchawkę telefonu. Mówiła coś po cichu, zerkając na mężczyzn stojących we czwórkę przy ścianie.

Ochroniarze byli przy stoisku już po kilku minutach. Porozmawiali chwilę z Frankie, która zachowywała się tak, jakby to ona podsłuchała rozmowę o bombie, a później podeszli do ludzi z Denazen.

Doszło do zamieszania, wokół zaczęli gromadzić się gapie. Właśnie tego nam było trzeba, żeby się wymknąć.

Dobra nasza!

§

Kale rozłożył się wygodnie i zamknął oczy.

Ja starałam się znaleźć najwygodniejszą pozycję dla siebie. Osiągnięcie tego w plastikowej rurze na placu zabaw nie jest łatwe, ale byłam zdeterminowana. Po opuszczeniu centrum handlowego znalazłam budkę telefoniczną i podzwoniłam po znajomych. Próbowałam znaleźć dla nas jakieś odpowiednie miejsce, ale nie miałam szczęścia. Przez chwilę myślałam o powrocie do Mishy, ale odechciewało mi się na myśl o minie recepcjonistki żegnającej nas przed wyjściem. W końcu wylądowaliśmy na placu zabaw w parku Prospect przy Mill Street. Weszliśmy tuż przed zamknięciem bram, więc mogłam dość bezpiecznie zakładać, że nikt nas nie znajdzie.

Usiadłam obok Kale'a.

– Czym właściwie jest Denazen?

– Nie pytaj o to, proszę – wyszeptał.

– To boli? To znaczy: mówienie o tym? Budzi bolesne wspomnienia?

Otworzył oczy.

– Takie... nieprzyjemne. Dlaczego pytasz o Denazen?

– Czy byłeś tam trzymany w klatce?

Przez chwilę wydawało mi się, że nie odpowie. Nie zamierzałam naciskać, ale naprawdę chciałam się czegoś dowiedzieć. Musiałam. Przecież tam była moja mama.

– Nie cały czas – odpowiedział przez zaciśnięte zęby.

– Tylko czasami, tak? – dopytałam.

Rozcapierzył palce, a potem wyginał je jeden po drugim.

– Byłem *trudnym* dzieckiem. Stawiałem się, walczyłem. Ale oni mają swoje metody.

Usłyszałam w jego głosie furię, która zmroziła mi krew w żyłach. Ciekawiły mnie te metody, ale nie śmiałam zapytać.

– Po pewnym czasie, jeśli dobrze się zachowywałem, pozwalano mi mieszkać z Sue, u niej na oddziale. – Uśmiechnął się. – Teraz rozumiem, że próbowali mnie uspokoić, bo nie umieli nade mną zapanować.

Poczułam ścisk w brzuchu.

– Więc moja mama nie jest zamknięta?

Zrobił strapioną minę.

– Denazen stosuje wszystkie metody panowania nad ludźmi. Czasami robią człowiekowi takie pranie mózgu, że jest przekonany o szlachetności wykonywanego zadania. Myśli na przykład, że pomaga ludziom. A kto jest mniej podatny, tego przekonują siłą. Sue nie musieli zamykać. Cross pozbawił ją wolności za pomocą jednej groźby.

Czego mogła się bać, że godzi się zostawać w tak okrutnym miejscu i robić tak straszne rzeczy?

I nagle mnie olśniło.

– Tata zagroził, że mnie skrzywdzi?

– Dla twojego bezpieczeństwa zrobiłaby wszystko. Tak samo jak ja zrobiłbym wszystko, aby jej zapewnić bezpieczeństwo. – Powiedział i wziął mnie za rękę. – A teraz także tobie.

To były miłe słowa, ale wyrwałam mu rękę z uścisku.

– Mnie? Dlaczego?

– Bo jesteś odważna. Silna. Twarda. – Znów położył się i zamknął oczy. – Jesteś do mnie podobna. Czuję się przy tobie tak... fajnie.

Nie mogłam powstrzymać się od uśmiechu. Abstrahując od sytuacji, w jakiej się znajdowaliśmy, ja też dobrze się przy nim czułam.

Było mi niewygodnie, ale oczy zaczęły zamykać mi się ze zmęczenia. Głos Kale'a oraz ciepło i bliskość jego ciała działały na mnie kojąco. Dziwne, zważywszy na okoliczności, ale tak właśnie było. Chociaż ludzie Denazen przeczesywali całe miasteczko, przy Kalem czułam się bezpiecznie. Jeszcze nigdy nie spotkałam nikogo takiego jak on. Z jednej strony przez całe życie uważał się wyłącznie za mordercę, to fakt, ale było w tym coś jeszcze.

A może nie?

Wiele w życiu przeszedł, ale był dobrym człowiekiem. Odważnym i lojalnym. Zachował te cechy pomimo wszystkiego, co przeżył. To zdumiewające, a może nawet... cudowne. Uważa mnie za silną i odważną? Do niego mi daleko.

Zamknęłam oczy i pozwoliłam myślom swobodnie meandrować. Moje ostatnie czterdzieści osiem godzin to było prawdziwe szaleństwo. Jak to się stało, że wcześniej niczego nie zauważałam? Jak mogłam tego nie przewidzieć? Cały

czas wszystko odbywało się pod moim nosem. Zastanawiałam się, jak wyglądałby wpis do dziennika.

*Dzisiaj ojciec próbował mnie zastrzelić i dowiedziałam
się, że jest mordercą, który w ośrodku dla swoich kilerów
przetrzymuje w niewoli moją matkę.*

8

Następnego dnia obudziłam się z poważnym problemem. Musiałam zrobić siku. I to natychmiast. Sprawę pogarszał padający deszcz. W nocy tak manewrowałam, że skończyłam wtulona w Kale'a. Gdy otworzyłam oczy, on siedział na brzegu rury i obserwował deszcz. Co pewien czas wystawiał rękę i pozwalał, aby kilka kropel spadało mu na dłoń.

– Jeszcze nigdy czegoś takiego nie czułem – powiedział, nie odwracając głowy. Skąd wiedział, że się obudziłam, musiało pozostać tajemnicą. Rękawy pożyczonej niebieskiej koszuli miał podwinięte do łokcia. – Jest zimno i mokro, a mimo to przyjemnie.

– Nigdy wcześniej nie byłeś na deszczu?

Nic nie powiedział, tylko wzruszył ramionami.

Jezu, nigdy nie był na deszczu? Przebywając z Kalem co chwila musiałam zastanawiać się nad swoją percepcją rzeczywistości. Jak to się stało, że nie rozpoznałam, kim jest mój ojciec? Może w gruncie rzeczy nie chciałam tego? Już w młodym wieku stałam się skryta i wielu rzeczy mu nie mówiłam. Część siebie trzymałam w tajemnicy. Nagle zaczęłam się zastanawiać, czy czasem – nie na pewno – część mnie od samego początku nie wiedziała, kim on jest naprawdę. Potworem.

– Lepiej stąd chodźmy.

– Dokąd?

Sięgnęłam do kieszeni po telefon, żeby napisać esemesa do Brandta, ale przypomniałam sobie, że wyrzuciłam komórkę. Super. Jesteśmy odcięci od świata. Przeszukałam worek, który udało mi się uratować z całej tej opresji, wyciągnęłam resztki gotówki i wsunęłam pieniądze do kieszeni.

– Głodna jestem. Chodź, zobaczymy, która godzina, zjemy coś i pójdziemy poszukać Alexa Mojourna.

Kale wyszedł z rury, a później pochylił się, żeby mi pomóc. Odniosłam wrażenie, że leje jeszcze bardziej. Niemal od razu przemokliśmy do suchej nitki. Cudownie. Nic dość, że bezdomni, to jeszcze wyglądaliśmy jak zmokłe kury.

Kale nic sobie z tego nie robił. Potrząsnął głową, rozpryskując dokoła siebie krople deszczu.

– Gdzie go szukać? Tamten człowiek umarł, zanim nam powiedział.

Westchnęłam i odgarnęłam z twarzy mokre kosmyki.

– Wiem, gdzie on jest.

Zanim znaleźliśmy zegar i zjedliśmy śniadanie, zrobiła się dziesiąta. W pasażu panował chaos, co normalnie zupełnie mi nie przeszkadza. Teraz jednak każda przechodząca osoba wydawała mi się podejrzana. Smutna kelnerka podająca kawę, żul obsikujący sobie nogi, a nawet starsza dama z pudelkiem, która pozdrowiła nas uśmiechem i kiwnięciem ręki. Paranoja podpowiadała mi, że każde z nich może donosić Denazen. W pewnym momencie doszłam nawet do wniosku, że dwójka niespełna dziesięcioletnich dzieci z lodami to wysłannicy mojego ojca.

Salon bilardowy Roudeya jest otwarty dopiero od południa, ale dla stałych klientów właściciel uchyla tylne drzwi znacznie wcześniej. Przynajmniej dawniej tak robił. Nie byłam tam od wieków.

Minęłam pordzewiały śmietnik i stos pudeł przy ścianie budynku. Kale trzymał się blisko mnie. Z dłonią przy ustach szłam pomiędzy śmieciami ścieżką prowadzącą do tylnych drzwi. Nacisnęłam klamkę i spostrzegłam, że niewiele się zmieniło. Otworzyłam drzwi, przepuściłam Kale'a przodem i weszłam za nim.

Słyszałam z sali dudniące dźwięki *Bring Her Down* Roba Zombiego. Z muzyką przeplatały się śmiechy, gwizdy i damski chichot. Weszłam do głównej sali z Kalem u boku.

W pierwszej chwili nikt mnie nie zauważył. Normalnie wchodzę do takich miejsc, jakbym była ich właścicielką, ale tutaj... Tu było inaczej. Rok temu przysięgałam, że moja noga nigdy więcej tu nie postanie. I dotrzymałabym słowa, gdyby nie chodziło o życie. Tu właśnie poznałam Alexandra Mojourna. Tu się wszystko zaczęło.

I tu – skończyło.

Nagle usłyszeliśmy piskliwy gwizd. Przywrócił mnie do rzeczywistości. Trzeba się skupić. Przyszłam tu w konkretnym celu.

– Dez – odezwał się wysoki rudzielec, który trzema wielkimi krokami przemierzył prawie całą salę i znalazł się przy nas. – Kopę lat. – Uścisnął mnie i uniósł tak, że oderwałam stopy od podłogi.

Odwzajemniłam się szybkim przytuleniem, a kiedy postawił mnie na podłogę z powrotem, odsunęłam się kawałek.

– Tommy, też się cieszę, że cię widzę.

Zza kontuaru właściciel Roudey skinął do mnie i porozumiewawczo mrugnął okiem. Pucując jeden z pucharów zdobytych na zawodach bilardowych, lustrował całą salę. Odwzajemniłam się uśmiechem i rozejrzałam dokoła. Pozostali też witali mnie kiwnięciem rąk, chociaż z mniejszym entuzjazmem niż Tommy. Znałam większość twarzy. Oczywiście było kilka nowych, ale przeważali ci sami, starsi o kilka zmarszczek wyrytych nieprzyjemnymi przejściami. Przejrzałam jedną małą grupkę i znalazłam osobę, której szukałam. Z nią chciałam się zobaczyć.

Fura nastroszonych blond włosów, przenikliwe brązowe oczy i koścista, roześmiana twarz. To Fred.

Znany także jako Alcx Mojourn.

Widział moje wejście, ale pozostał w kąciku nieruchomo. Gdy się zbliżałam, czułam na sobie jego spojrzenie. Starałam się iść przez salę swobodnie. Gdzieś tam na świecie latają świnie, tańczą kozy, a zielone ufoludki ściskają rękę prezydentowi. Czas o tym wszystkim zapomnieć.

– Musimy porozmawiać. – Starałam się utrzymać pod jego wzrokiem niewzruszoną minę. Sam mnie tego uczył. Niczego nie okazywać.

Ale on wciąż milczał. Spoglądał kolejno to na mnie, to na Kale'a lekko zmrużonymi oczyma, aż w końcu skinął w kierunku jednej z prywatnych sal na tyłach i odszedł.

Gdy szliśmy za nim, kilkoro znajomych machało na powitanie, ale ich ignorowałam. Oni należeli do mojej przeszłości. Takiej, której nie zamierzam wskrzeszać. Przez pewien czas tęskniłam za nimi, ale to minęło. To już koniec.

– Świetnie wyglądasz – powiedział Alex, zamykając drzwi za Kalem.

Zlekceważyłam ten komplement. Nie przyszłam tu na wspominki.

– Przysłał mnie Cole Oster. – Ograniczyłam się tylko do tych słów, bo chciałam zobaczyć jego reakcję. Nieco szerzej otworzył oczy, a po sekundzie kiwnął głową na znak, że rozpoznaje to nazwisko. Cały Alex. – Narobiliśmy sobie trochę kłopotów z Denazen. Cole powiedział, że możesz nam pomóc w odnalezieniu Żniwiarza.

W ogóle nie spodziewałam się takiej reakcji. Właściwie prawie wcale nie zareagował, czym pokazał, że znam go o wiele słabiej, niż mi się wydawało. Spojrzał mimochodem na Kale'a.

– Jesteś Szóstką?

Kale albo nie zauważył protekcjonalnego tonu, albo go zignorował, i tylko skinął głową.

Czułam, że świerzbią mnie ręce. Miałam ochotę przyłożyć Alexowi. Zupełnie tak samo, jak mu przyłożyłam podczas naszej ostatniej rozmowy, która – jak na ironię – odbywała się w tym samym pomieszczeniu.

– Wiesz o Denazen? – Starałam się mówić spokojnym głosem i nie okazywać, że obchodzą mnie jego dawne oszustwa.

Było idealnie jak w filmie klasy B. Zła korporacja, bezmózgowi mięśniacy, a nawet spisek mający na celu zapanowanie nad światem. Wszyscy byli w to wplątani oprócz biednej, pięknej, bezradnej dziewczyny.

Okej, może nie bezradnej. Ale pięknej. Nie, skreślić. *Wystrzałowej.*

Alex zignorował moje pytanie i skupiał uwagę na Kalem.

– Co wywinąłeś, że wzięli cię na radar?

– Na radar? – zapytał zdezorientowany. – Taki jak na stat-
ku?

– Uciekł – wyjaśniłam, wchodząc między nich.

Alex wytrzeszczył oczy.

– Uciekł? – Ruszył do przodu i próbował zepchnąć mnie
z drogi.

W jednej chwili Kale stanął przy mnie i wyciągnął rękę
do Alexa.

– NIE!!! – krzyknęłam. Równocześnie odepchnęłam rękę
Alexa i chwyciłam Kale'a za koszulę. Ledwie udało się uniknąć ich kontaktu. Wprawdzie Kale miał rękawiczki, ale róż-
nie mogło być. – Nie – powtórzyłam.

– Chciał cię skrzywdzić – odezwał się spokojnie Kale.
Spojrzał na moje palce zaciśnięte na jego nadgarstku. Miał
rozdarty rękaw, więc dotykałam dłonią jego skóry. Odwróciłam się i popatrzyłam na Alexa z niesmakiem. – Chciał
cię uderzyć.

Tym razem nie obyło się bez reakcji. Alex poczerwieniał
na twarzy i zacisnął pięści.

– Uderzyć? Co ci odwaliło? Nigdy bym jej nie uderzył!

Kale już na mnie nie patrzył. Zaabsorbował go Alex.

– Chciałeś ją skrzywdzić – powiedział powoli i posunął
się krok naprzód. – Taki uchwyt boli. – Mówił spokojnym,
groźnym tonem. Czułam na plecach dreszcze... ale nie ze
strachu.

– W porządku, Kale. Alex nie chciał mi nic zrobić. Był po
prostu zaskoczony i tyle. No nie, Alex?

Alex przeniósł wzrok z mojej twarzy na palce zaciśnięta
na nadgarstku Kale'a.

– Co z jego dotykiem?

Znał mnie chyba na tyle dobrze, aby wiedzieć, że gdyby chodziło tylko o wymierzenie mu ciosu, to nie powstrzymywałabym Kale'a, tylko przyglądała się przedstawieniu. Najlepiej z popcornem. A fakt, że go powstrzymałam, był bardzo wymowny.

– Jego dotyk niesie śmierć – powiedziałam, poluzowując zaciśnięte palce. Kale nie pozwolił mojej ręce opaść, tylko splótł swoje palce z moimi.

Alex patrzył z zaciśniętymi wargami.

– Chyba jestem ci winien przeprosiny.

– Taaa – powiedziałam spokojnie. – Co wiesz na temat Denazen?

Alex machnął ręką w kierunku puszki po napoju stojącej na jednym z barowych stołków po drugiej stronie pomieszczenia. Puszka poderwała się i z hukiem rozbiła o ścianę, nieopodal głowy Kale'a, a on ani drgnął.

– Telekinetyka. – Oczywiście. Krąg się zacieśnia. Boże. Zaraz ktoś mnie zabije.

– Wielu jest takich – rzekł lekceważąco Kale. – Jak któryś się stawia, *eliminują* go i biorą następnego. Takie tam nic specjalnego.

Na twarzy Alexa pojawił się szelmowski uśmieszek.

– Tak? Ale przynajmniej mogę dotykać innych... – Spojrzał na nasze splecione ręce. – Zaraz, zaraz... Nie mówiłaś...

– Jak próbował mnie zabić, okazało się, że jestem odporna na jego dotyk. – Powiedziałam to głównie po to, żeby wywołać szok.

Rety, ale zadziałało.

Alex zdębiał. Na szyi pulsowała mu żyła, uniósł górną wargę i zmrużył prawe oko. Znałam to spojrzenie. Dawniej nazywaliśmy je Elvisem. Bywało, że taki sposób patrzenia sprawiał, iż kolana robiły mi się miękkie jak lody podczas upału. A teraz? Tylko mnie to wkurzało.

– Chciał cię zabić? Dez, w co ty, do cholery, wdepnęłaś?

– Musimy odnaleźć Żniwiarza.

Alex pokręcił głową.

– Najpierw powiedz mi, o co w tym wszystkim chodzi.

– Słuchaj, mówiłam już, że szukamy Żniwiarza. Wiesz, gdzie go znaleźć, czy nie?

Po zaciśniętej szczęce poznałam, że chce się kłócić. Wiedział jednak, że to nie ma sensu. Kłótnię ze mną potrafili wygrać tylko nieliczni. Uczyłam się od najlepszych.

– Nie wiem, gdzie jest. Ale są tacy, co mogą wiedzieć.

Czekałam cierpliwie. On nic nie mówił.

– A zatem?

Widziałam, że chce mu się wyć, ale panował nad sobą. To nowość. Opanowanie nigdy nie było jego mocną stroną.

– Nie powiesz mi, o co chodzi?

Popatrzyłam mu w oczy.

– A powinnam? Ty nie czułeś potrzeby, by powiedzieć mi, że za moimi plecami posuwasz tę dziewczynę z college'u.

Poznałam Alexa Mojourna tuż przed swoimi piętnastymi urodzinami. Właśnie rzucił szkołę. Miał siedemnaście lat, a ja chodziłam dopiero do drugiej klasy.

Mól książkowy, kujon, wzorowa uczennica. Tak wtedy mówiono o mnie . Byłam nieśmiała i zamknięta w sobie, nie miałam zbyt wielu przyjaciół. Odrabiałam lekcje i przestrzegałam wszystkich zasad. Z jakichś powodów wpadłam w oko Alexowi. Kiedy uznał, że jestem warta jego uwagi, niemal padłam z podekscytowania. Zaczęliśmy ze sobą chodzić, brał mnie na imprezy, poznałam wszystkich jego znajomych.

Był moim pierwszym chłopakiem, pierwszą miłością. Z nim przeżyłam pierwszy pocałunek i wszystko inne. Kiedy miałam szesnaście lat, w jednej z sal salonu bilardowego przyłapałam go na golasa z jakąś lalunią z miejscowego college'u. Pierwszy raz miałam złamane serce.

Później spotykaliśmy się jeszcze wiele razy, głównie dlatego, że obracaliśmy się w tych samych kręgach miłośników rave. Zawsze szliśmy w przeciwne strony pomieszczenia. Widywanie go było trudne. Rozmawianie z nim – jeszcze trudniejsze. A odkrycie, że kłamał w jeszcze jakiejś innej sprawie? Druzgocące.

Ale to minęło? Jeszcze nie. Los sprzysiągł się przeciwko mnie, bo tego samego dnia mieliśmy spotkać Alexa ponownie.

Po chwili dalszej kłótni i przeprosinach za dawne występki w końcu zgodził się poznać nas z paroma ludźmi. Umówiliśmy się z nim o dziewiątej w parku za salonem bilardowym. Nie mieliśmy innego wyboru.

– Opowiedz coś więcej – poprosił Kale, siadając obok mnie na trawie. Wyszliśmy z salonu bilardowego, kupiliśmy napoje i kanapki i zasiedliśmy pod rozłożystą sosną za budynkiem.

– A co chcesz wiedzieć?

– Opowiedz, jak się tu wychowywałaś. – Rozejrzał się dokoła z nieco smutną miną. – Na wolności.

– Może lepiej tak poprowadzilibyśmy konwersację, żebym nie tylko ja mówiła? Najpierw ty zadajesz pytanie mnie, a później ja tobie.

– Mnie? – Wyglądał najpierw na zaskoczonego, a po chwili na zmartwionego.

Odwróciłam wzrok.

– Też chciałabym się dowiedzieć, jak ty się wychowywałeś.

To wzbudziło w nim przerażenie.

– Po co? Mówiłem ci już, że to straszne miejsce.

– Bo...

Jęknął i założył ręce na piersiach. Na jego twarzy nie malowała się już złość, lecz raczej frustracja.

– Mój świat nie był piękny. Pełen mroku, hałasu i bólu. Nie rozumiem, dlaczego się o to dopytujesz.

– Tak się robi. Ludzie pytają o to, gdy... są sobą zainteresowani.

– Zainteresowani?

– Chcę poznać twoją przeszłość. Ona tworzy cię takim, jaki jesteś.

Gniewnie wykrzywił usta i zerwał się na równe nogi.

– Nie, mnie ona nie tworzy. To miejsce nie ma nic wspólnego z tym, kim jestem. Sue obiecała...

Kanapka z indykiem wypadła mi z ręki i poleciała na trawę. Wzięłam Kale'a za ręce.

– Nie zrozumiałeś. Nie powiedziałam, że to coś złego. – Usiadłam z powrotem na trawie i pociągnęłam go za sobą. – Wszystkie te rzeczy, które zrobiła ci Denazen. Wszystko, przez co przeszedłeś, bardzo cię umocniło. Wyszedłeś stamtąd cały. Nie jesteś żadnym zombie ani machającym maczetą szaleńcem. Założę się, że nie o każdym można to powiedzieć.

W jego błękitnych oczach zamajaczył jakiś dziwny błysk. Smutku, a może odrobiny nadziei. Przerażeniem napawała mnie myśl, że był zamknięty przed całym światem.

– Nie brakowało mi czegoś, czego nie znałem. Ale teraz...

Przyłożył mi dłoń do policzka, przesunął na szyję, wsunął pod koszulę i położył na nagim ramieniu. Spojrzał w bok.

– Nie pytaj więcej o to miejsce, proszę – powiedział. – Nie chcę, żebyś wiedziała, jak wyglądało wcześniej moje życie.

Mogłam podjąć dyskusję. Potrafiłam dyskutować o wszystkim. Ale słysząc mękę w jego głosie, czułam się chora. Musiałam dowiedzieć się, co mu zrobili, co zrobili mojej mamie, ale nie mogłam go ciągle ranić.

Oparłam się o drzewo, pochyliłam głowę i położyłam mu ją na ramieniu.

Zaczęłam opowiadać o pierwszej głupiej rzeczy, jaką zrobiłam, żeby przyciągnąć uwagę taty.

– To było wkrótce po tym, jak zaczął brać dodatkowe godziny w Denazen. Czułam się dzieckiem zaniedbywanym. – Westchnęłam i sięgnęłam po kanapkę. – Był chłodny i zdystansowany. Czasami bardzo kategoryczny. Nie rozumiałam tego. Przez pewien czas myślałam, że to moja wina. Że zawiodłam go pod jakimś względem... Wtedy wpadłam na genialny pomysł, że zjadę ze schodów na plastikowych sankach, pokażę mu, jaka jestem odważna i wszystko znów będzie dobrze. Miałam wtedy osiem lat. Skończyło się złamaniem ręki.

– Uznał cię za odważną?

Roześmiałam się.

– Pewnie pomyślał wiele rzeczy, ale nie, że jestem odważna.

Kale bawił się kosmykiem moich włosów. Owijał je sobie wokół palca wskazującego, puszczał, a potem owijał od nowa.

– A wcześniej mieliście bliskie relacje?

– Może nie bliskie. Raczej zwyczajne. Chodził do pracy, wracał i pytał, czego nauczyłam się w szkole. Ja odrabiałam lekcje, a potem oglądałam z nim telewizję. – Wzruszyłam ramionami. – Normalka. Zawsze jednak istniała pomiędzy nami jakaś... bariera.

– Nie mówmy już o nim. Powiedz coś jeszcze. O jakiejś tajemnicy, której nikt inny nie zna.

Tajemnica, o której nikt nie wie. Była taka. Bardzo ważna. Jednak od czasów Alexa niełatwo było mi komuś zaufać. Myśl o podzieleniu się tajemnicą z Kalem wydawała mi się jednak ekscytująca. Mimo to nie mogłam z siebie wydobyć ani słowa. W każdym razie jeszcze nie teraz. Zostawiłam kanapkę i położyłam sobie na udzie dłoń Kale'a. Zrywałam po jednym źdźble trawy i obserwowałam, jak kolejno rozkładają się w kontakcie z jego dłonią. Mijało kilka sekund i pozostałe drobiny rozwiewał wiatr. Co kilka źdźbeł rysowałam palcem kółka we wnętrzu jego dłoni.

Chwilę później Kale odchrząknął.

– Szkoła – odezwał się. – Opowiedz o szkole.

Skrzywiłam się.

– Mówisz serio?

– Kiedyś Sue opowiadała mi o miejscu, do którego chodzą się uczyć ludzie w moim wieku. To mnie zawsze fascynowało. – Uśmiechnął się. – Co najbardziej lubiłaś?

Spojrzałam na niego z krzywym uśmiechem.

– Wiesz, niektórzy nazywają to siedzeniem w kozie...

§

– Nie podoba mi się ten gość – powiedział Kale, gdy siedzieliśmy na trawie za salonem bilardowym w oczekiwaniu na Alexa. – Nie podoba mi się to, jak na ciebie patrzy.

– Tak? Też za nim nie przepadam, ale on może nam pomóc. Jeśli ja mogłam tolerować go przez chwilę, to i ty dasz radę. Uwierz mi.

– Dlaczego go nie lubisz?

– Stare dzieje. – Wzruszyłam ramionami. Wkurzałam się na siebie, że coś mnie w środku skręca.

Kale przyglądał mi się. Zupełnie jakby chciał mnie przejrzeć na wylot. Ominąć moje słowa i zajrzeć prosto do głowy. I do serca.

Chciał wstać, ale go powstrzymałam.

– Chodziliśmy ze sobą. Ale mnie zdradził.

– Chodziliście... – powtórzył. – Znaczy... za rękę, tak? Sprawiał, że czułaś się wyjątkowo?

Czasami trudno mi było sobie wyobrazić, że Kale to ktoś niebezpieczny i zdolny do morderstwa. Czasami w jego oczach widziałam, że to prawda, ale nie do końca. Było w nim coś jeszcze, coś niewinnego.

– Kiedyś tak, sprawiał, że czułam się wyjątkowo. A potem to się zmieniło.

Kale wyglądał na zagubionego.

– To dlaczego powstrzymałaś mnie przed dotknięciem go? Zrobił coś złego, prawda? Zranił cię?

Byłam ostatnią osobą nadającą się do tłumaczenia komuś, co jest dobre, a co złe.

– Zranił mnie. Ale tak się czasem między ludźmi dzieje. To element życia.

Kale pokiwał ze zrozumieniem głową.

– Gdy ktoś robi złe rzeczy, zasługuje na karę.

Jęknęłam.

– Kale, w Denazen nauczyli cię nieprawdy. Na świecie są różne poziomy zła. Wiele różnych poziomów.

– Po co?

– Co: po co?

– Po co to tak komplikować? Albo coś jest dobre, albo złe. Po co jeszcze te... różne poziomy.

W głowie czułam mętlik.

– Bo tak to już jest. Kogoś, kto cię zdradził, nie można karać w ten sam sposób jak, powiedzmy, gwałciciela. Jedno zło jest gorsze od innego.

– To nie ma sensu – stwierdził, zaciskając pięści. – Zło to zło. Albo przestrzegasz zasad, albo otrzymujesz karę. Po co to dodatkowo komplikować?

– Bo to sprawa bardziej skomplikowana niż ty ją przedstawiasz.

– Znów to słowo: skomplikowana. Za często go używasz.

Popatrzyłam mu w oczy.

– Złem jest zabijanie ludzi. Ani ty, ani Denazen nie możecie decydować, kto ma żyć, a kto umrzeć.

– No to kto o tym decyduje?

Wzruszyłam ramionami.

– Rząd i prawodawcy. Ale rzecz w tym, że rzadko wymierza się karę śmierci.

To go wyraźnie zaskoczyło.

– Jak więc ludzie są karani?

– Mają proces sądowy, sędzia i przysięgli oceniają ich sprawę. Jeśli uznają ich za winnych, skazują ich.

– Skazują?

– Na przykład na więzienie.

Po minie widziałam, że zrozumiał, ale po chwili na jego twarzy pojawiło się coś jeszcze. Coś smutnego.

– Teraz zrozumiałem.

Odniosłam wrażenie, że nie zrozumiał. Ale nie miałam czasu na pytania, bo nadszedł Alex. Zbliżał się dziarskim krokiem, swobodnie wymachując rękami. Patrzył to na mnie, to na Kale'a, na ustach majaczył mu pełen złości uśmieszek.

– Przeszkodziłem wam w czymś?

Zignorowałam jego zazdrość i wstałam.

– Gdzie są ci ludzie?

– Nie przyjdą tu. My musimy iść do nich.

– Dokąd?

Alex wzruszył ramionami.

– Ze względów bezpieczeństwa lokalizacja zmienia się codziennie. Dzisiaj urzędują w starym magazynie za miastem. Pojedziemy moim samochodem.

Nie czekając na odpowiedź, odwrócił się i odszedł. Pośpiesznie ruszyłam za nim, obok mnie Kale.

– Czekaj, jaka właściwie lokalizacja?

Zwolnił kroku, ale się nie zatrzymał. Rzucił mi wesołe spojrzenie przez ramię, mrugnął okiem i powiedział:

– Lokalizacja imprezy, oczywiście.

§

Z zewnątrz magazyn wyglądał na opuszczony. Żadnych tłumów, żadnych błysków czy pulsującej muzyki. Tylko głucha cisza. Na pytanie, czy to rzeczywiście dobre miejsce, Alex przewrócił oczami i wysiadł z samochodu.

Przeszliśmy na tyły i przed metalowymi drzwiami zastaliśmy dwóch przysadzistych gości. Gdy zbliżaliśmy się, Alex odwrócił się do mnie i uśmiechnął jak ktoś, kto właśnie podkradł ciastko.

– Na tym polega cały dowcip. – Wskazał głową na jednego z dwóch mężczyzn. – Ten po prawej mówi ci, czy jesteś Szóstką, czy nie. Nie masz wypaczeń genetycznych, nie masz wejścia.

Rozdziawiłam buzię, po plecach przeszły mi ciarki.

– Chcesz powiedzieć, że mnie wpuszczą tylko wtedy, jeśli będę miała jakąś paranormalną zdolność?

Nie spodziewałam się takiego, potencjalnie katastrofalnego, obrotu spraw.

Alex rozluźnił się i wykonał kilka obrotów rękami, a potem pochylił się z zębami odsłoniętymi w uśmiechu.

– Wiem, że to dla ciebie nowość. Ale nie ma wyboru. – Nie czekając na odpowiedź, zwrócił się do mężczyzny przy drzwiach. – Cześć, chłopaki. Co słychać?

Bramkarze odwrócili się.

– Szit – szepnęłam. Próbowałam maskować ogarniające mnie przerażenie i poszłam za Alexem. Musiałam zapanować nad sytuacją, zanim będzie za późno. Co miałam powiedzieć, żeby nie zostawili mnie przed drzwiami? Stanęłam przed bramkarzami, uśmiechnęłam się i położyłam ręce na biodrach. To dawało dwa plusy: podkreśliłam swoją smukłą talię i mogłam ściągnąć trochę podkoszulek, żeby wydawał się bardziej obcisły. Chciałam wyglądać tak, żeby nie budzić żadnych podejrzeń. – Każecie mi czekać tu przez całą noc?

Starszy tylko odwrócił wzrok. Ale młodszy ukradkowo uśmiechnął się do mnie. Bingo. Oparł się o drzwi, wyprostował rękę i dyskretnie napiął mięśnie.

– W połowie nocy jest godzinna przerwa.

Zajrzałam do drzwi.

– Godzina to sporo czasu, żeby coś nagrzeszyć. Jak mnie wpuścisz, będę na ciebie czekać. Na pewno znajdziemy sobie jakiś miły kącik, żeby lepiej się poznać.

Uśmiechnął się szeroko, otworzył drzwi i wpuścił mnie do środka. Alex i Kale poszli za mną.

Po wejściu Alex pokręcił głową. Lekko się uśmiechał.

– Nie znam żadnej innej dziewczyny, która nie jest Szóstką i dostała się do tego miejsca dzięki flirtowi.

Kale szedł obok mnie. W pewnym momencie Alex chciał wepchnąć się przed niego, ale wystarczyło jedno spojrzenie

Kale'a i gest zdejmowania rękawiczki, żeby się wycofał. Kierowałam się w stronę pustego stolika w kącie sali, w którym był mniejszy tłok. Kale robił się nerwowy w tłumie, ale miałam nadzieję, że jakoś uda mu się wyluzować.

Na grubych onyksowych panelach ściennych tańczyły światła reflektorów, a odblaski ubarwiały sufit na kolory tęczy. Na najniższym poziomie sali znajdowało się kilka barów, każdy obsługiwany przez elegancką, zadbaną blondynkę. Na wyższym poziomie tłoczyli się roześmiani ludzie tańczący do muzyki techno, płynącej z ukrytych głośników. System nagłaśniający i akustyka były wspaniałe.

– Co to wszystko ma znaczyć? – zapytałam, przybliżając się do Alexa bardziej, niż bym chciała. Ale inaczej mnie nie słyszał. Mimowolnie wyczułam jego udo przylegające do mojej nogi. Jakoś tak wyszło, że siedziałam między nim a Kalem.

– Tu przychodzą imprezować Szóstki. Pochodzą z różnych stron. Jeśli myślisz, że widziałaś w rave już wszystko, to się mylisz.

Zrobiłam skwaszoną minę.

– Widzę, że to impreza, idioto. Nie kumam tylko, dlaczego jest wyłącznie dla Szóstek? A skoro już o tym mowa, to dlaczego nazywają się Szóstkami?

– Chyba dlatego, że Stan Lee ma patent na mutantów. – Rozparł się wygodniej. – Chodzi o dewiację genetyczną objawiającą się w szóstym chromosomie. Nazwa mało oryginalna, ale trafna.

Przez chwilę rozglądał się po sali, a potem klepnął mnie w ramię i wskazał wyższy poziom. Uniosłam głowę i ujrzałam na podeście dziewczynę w topie z niebieskiej skóry i pięknych kozaczkach. Na ludzi posypało się konfetti przypominające srebrny śnieg. Wystarczyło, żeby dziewczyna skinęła ręką, a konfetti przestało opadać i zawisło nad podłogą, poruszając się do rytmu. Wyglądało to wspaniale.

Od tańczącego konfetti odciągnął moją uwagę głośny huk. W drzwiach stał przysadzisty chłopak bez koszuli z rękami wysoko nad głową. Z palców wskazujących strzelały mu błyskawice. Z szerokim uśmiechem przyglądała mu się mniej więcej dwunastoletnia dziewczynka. Błyskawice wirowały chwilę nad jej głową, a w końcu uformowały słowo *Amber*.

Przed stołem stała namiętnie całująca się para. Dziewczyna wydawała się znajoma. Chyba chodziła ze mną w zeszłym roku na matematykę albo angielski. Gdy stykały się ich usta, rozlegały się syki i leciał w górę dymek.

– Łał. – Nie byłam w stanie powiedzieć nic więcej. Alex uśmiechnął się do mnie tym uśmiechem, za którym – jak sobie wmawiałam – wcale nie tęskniłam. Pod ustami robiły mu się rozkoszne dołki. Potrząsnęłam głową, żeby nie myśleć o głupotach. Nie ma mowy, nigdy więcej nie dam się w to wplątać. – Tutaj są wolni?

– No właśnie. Nikt nie musi się ukrywać.

– A to nie jest niebezpieczne? To znaczy zbieranie wszystkich Szóstek w jednym miejscu, skoro w okolicy grasuje mój ojciec i Denazen? Co będzie, jeśli zorganizują jakiś najazd albo coś w tym rodzaju?

– Najazd? Dez, chyba musisz odstawić telewizję. – Zarżał ze śmiechu. – Poza tym mówiłem ci, że lokalizacja cały czas się zmienia. A ponadto nic nam nie grozi ze strony policji. Mamy kilka Szóstek w jej szeregach.

– Skąd ludzie wiedzą, gdzie będzie kolejna lokalizacja? Nie przypuszczam, żeby porozumiewali się mejlami...

Uśmiechnął się.

– Z Craigslist.

– Jak to?

– Codziennie ktoś w sekcji *nauka* daje ogłoszenie. Gdy Szóstka dzwoni pod podany numer, otrzymuje pytanie. Jeśli odpowie poprawnie, dostaje drugi numer, pod który musi zadzwonić. Tam pada kolejne pytanie.

– Jak scavenger hunt*.

– Dokładnie. – Uśmiechnął się.

– A nie można domyślić się odpowiedzi?

– Nie. – Pokręcił głową. – Raczej nie. Zawsze pada to jakieś głupie i niedorzeczne pytanie. O coś, co wiemy tylko my. Na początek trzeba znać kogoś, kto udzieliłby prawidłowej odpowiedzi. Kogoś, kto był na poprzedniej imprezie. Albo człowiek jest pytany o nazwisko i swoje cztery jeden jeden.

– Cztery jeden jeden?

– Tak, jak znasz cztery jeden jeden Szóstki, to znasz jej talent. Jej specyficzną umiejętność.

– A co z Denazen? Nie boicie się, że wyśledzą was za pomocą ogłoszeń?

– Widziałaś, jak wygląda ten budynek z zewnątrz. Domyśliłabyś się, że jest tu coś więcej niż stary, opuszczony magazyn?

– Nie.

---

* *Scavenger hunt* (w wolnym tłumaczeniu „łowcy rupieci") – gra, której uczestnicy muszą uzbierać zestaw różnych przedmiotów. (przyp. red.)

Alex wzruszył ramionami, a potem spojrzał na zegarek i westchnął.

– Mamy niewiele czasu. – Rozłożył ręce i wskazał na parkiet. – Zatańczymy?

Na sali było głośno. Na pewno coś źle usłyszałam.

– Naprawdę prosisz mnie do tańca?

Wstał ze swego krzesła. Spod rękawa jego T-shirta wystawał fragment większego tatuażu. Chiński symbol wolności. Kiedyś zapytałam go, dlaczego akurat wolność. Powiedział, że podobał mu się ten znak. Kolejne kłamstwo.

– To tylko taniec. Co ci szkodzi?

Zastanowiłam się chwilę. Muzyka pulsowała, powietrze było naelektryzowane. Wszyscy wokół nas spoceni, podrygujący do rytmu. Komu zaszkodzi kilka minut normalności? Przypomniałam sobie ruchy naszych ciał. Mimo upływu całego tego czasu wspomnienie przyprawiło mnie o gęsią skórkę i przypływ gorąca do rąk i nóg. Wysunęłam się zza stolika, wstałam i skinęłam.

– Masz rację, odrobina tańca nie zaszkodzi.

Uśmiechnął się szeroko.

– No właśnie.

– Co ty na to, Kale? Chcesz pierwszy raz zatańczyć ze mną?

Kale przeniósł wzrok ze mnie na parkiet. Panował tam tłok, ale ja już wypatrzyłam pusty skrawek podłogi. Będzie bezpiecznie. Kale też musiał to zauważyć, bo się uśmiechnął. Kącikiem oka zobaczyłam, jak posyła Alexowi uśmiech mówiący *taratata-tararata-wybrała mnie, a nie ciebie*. Zostawiliśmy Alexa siedzącego przy stole z kwaśną miną.

Chwyciłam dłoń Kale'a i poprowadziłam go na parkiet. Pochyliłam się blisko i szepnęłam:

– Nie bierz mi tego za złe, ale wiesz, jak tańczyć, tak?

Nie odpowiedział. Z szerokim uśmiechem złapał mnie za ręce i przytulił do siebie. Właśnie rozpoczął się nowy utwór. Kale poruszał się umiejętnie i pewnie, przyciągał mnie i odpychał. Miał około metra osiemdziesiąt i idealnie pasował do mojego wzrostu. Nie musiałam stawać na palcach, a moje spojrzenie... skupiałam wyłącznie na nim i na jego ruchach.

Błyszczały mu oczy, na głowie podskakiwały włosy i w tym momencie wyglądał jak całkiem zwyczajny chłopak. Eleganckie obroty, sprawne skłony, płynny taniec. W pewnej chwili spanikowałam, bo już myślałam, że się z kimś zderzymy, ale po chwili zobaczyłam, że ludzie się rozstąpili i otoczyli nas kręgiem. Obserwowali, zachęcali, bili brawo. Kale, korzystając z dodatkowego miejsca, wypuścił mnie daleko od siebie, wykonał jakiś skomplikowany manewr nogami i zakończyliśmy taniec głębokim ukłonem. Byłam zdezorientowana, ale zachwycona.

I to jak.

Ludzie zaczęli wiwatować i bić brawo. Nie mogłam powstrzymać się od uśmiechu. Wzięłam Kale'a za rękę i odprowadziłam na bok, a ludzie wrócili do tańca.

– Niesamowite – powiedziałam. – Gdzie nauczyłeś się tak tańczyć?

Wpatrywał się we mnie nieruchomym wzrokiem. Nie marszczył brwi, ale miał poważną minę.

– To było dobre?

Ścisnęłam mu dłoń.

– Dobre? To było... – I nagle, jakby ktoś zgasił światło, wszystko zniknęło. Muzyka, tłum ludzi, po prostu wszystko. Jedyna rzecz, która nie rozpłynęła się i pozostała na miejscu, to Kale. Jego ostry owal policzków, kanciasta szczęka, lekkie wykrzywienie były teraz ledwie kilka centymetrów od moich. Jego usta zaciśnięte w prostą linię czekały na moje. Wystarczyło się przesunąć i zlikwidować kilka centymetrów dzielącej nas przestrzeni.

Właśnie podjęłam decyzję, żeby to zrobić, gdy poczułam mocne klepnięcie w ramię.

– Cholera! – Podskoczyłam i prawie popchnęłam Kale'a na potężnego faceta z irokezem.

– Ona chce się z tobą teraz spotkać – powiedział Alex z rękami na piersi. Wyglądał na zaniepokojonego. To dobrze. Tańczyłam głównie z Kalem, to go wkurzyło, a teraz... Wszystko było inaczej.

Poszliśmy przez tłum za Alexem i weszliśmy po schodach na drugi poziom. Na prawo od kolejnego baru znajdowały się pojedyncze drzwi. Alex zapukał trzy razy, a potem nacisnął klamkę. Złowieszczo zaskrzypiała.

– Alex powiedział mi, że zależy wam na naszej pomocy – rozległ się głos z drugiej części pomieszczenia. W kącie na czerwonym, wyściełanym szezlongu – jedynym meblu w całym pomieszczeniu – siedziała drobna, starsza dama. Zupełnie nie pasowała do tego miejsca. Przypominała zwyczajną babcię w kwiaciastej podomce i z posiwiałymi włosami. Jednak spojrzenie jej oczu daleko odbiegało od zwyczajności. Coś mi podpowiadało, że Babcia potrafiłaby stoczyć kilka rund z moim ojcem i nawet się nie zmęczyć.

Zamknęły się za mną drzwi.

– Nie. W *gruncie rzeczy* szukamy Żniwiarza.

Zmrużyła oczy.

– Ładnie się wyrażasz, dziecko.

Skłoniłam się z uśmiechem.

– Znam wiele takich wyrażeń.

– Dez...

Kobieta uniosła rękę.

– W porządku, Alex. To nawet zabawne.

Po drugiej stronie pokoju znajdowały się drzwi, przy których stało dwóch osiłków o kamiennych twarzach. Starsza dama dwukrotnie strzeliła palcami i jeden z mężczyzn zniknął za drzwiami. Po chwili wrócił z plastikowym kubkiem pełnym czerwonego płynu. Kobieta wzięła kubek, odprawiła mężczyznę ręką i napiła się. Popatrzyłam za usługującym jej osiłkiem. Najwyraźniej miała tu sporą władzę.

– A więc jest pani Babcią Chrzestną mafii Szóstek?

Uśmiechnęła się, odsłaniając zgryz z kilkoma brakującymi zębami.

– Kimś w tym rodzaju.

Kilka sekund upłynęło w milczeniu. Postanowiłam mówić.

– Ponieważ nie wiem, ile mamy czasu, przejdę do rzeczy. Mój ojciec to skurwiel na usługach Denazen. Dowiedzieliśmy się, że ten Żniwiarz to taki Yoda dla Szóstek. Moja mama jest więziona przez Denazen. A ponieważ tylko Żniwiarz uszedł stamtąd z życiem, potrzebuję jego pomocy, żeby uratować mamę. – Jasno, krótko i rzeczowo.

– Nie prosisz czasem o zbyt wiele? – zaskrzeczała kobieta.

– Trzeba marzyć z rozmachem – odparłam.

– Jeśli udało ci się uwolnić z Denazen – zwróciła się do Kale'a – to co tu jeszcze robisz? Dobrze wiesz, że Cross ci nie popuści.

– Cross jest uparty – potwierdził Kale. Wziął mnie za rękę.

– Ale zostaję z Dez.

Chłopak, który zsunął się po leśnym nasypie pod moje nogi, Szóstka, który chciał mnie zabić, był teraz kimś więcej. Nie wiem, jak i kiedy do tego doszło, ale tak się stało.

– Chcę uwolnić moją mamę i nie pozwolę, żeby Kale tam wrócił.

Kobieta chwilę milczała zatopiona w myślach.

– Pomogę wam – odparła w końcu. Ale moja radość nie trwała długo. W obietnicy tkwił pewien haczyk.

Zawsze jest jakiś cholerny haczyk.

– Oczywiście chcę, abyście w zamian zrobili coś dla mnie.

– Szok.

– Co mamy zrobić? Bo jeśli mam dostarczyć ucięty koński łeb, to nic z tego.

– Denazen od długiego czasu daje się Szóstkom we znaki. Jak się pewnie domyślacie, staramy się szukać sposobów wydostania Szóstek z niewoli.

Nie domyślałam się, ale co mi tam.

– Jasne.

– Brakuje nam jednak pewnych informacji.

– Jakich?

– Istnieje baza danych zawierająca personalia wszystkich Szóstek przebywających obecnie w niewoli Denazen. Potrzebuję tej bazy.

Zaniemówiłam. Nie znajdowałam słów w odpowiedzi na taka prośbę. Jak niby miałabym dostać się do Denazen i w dodatku skopiować tajne pliki?

– Odwaliło pani?

– Prosicie o pomoc. Wymieniłam swoją cenę. – Wstała, opierając się na lasce. – Moja propozycja jest stale aktualna. Moim zdaniem to uczciwa wymiana. Zdobądźcie potrzebne informacje, a ja wam pomogę znaleźć Żniwiarza, aby uwolnił twoją matkę.

Zatrzymała się przy drzwiach.

– Proponuję wam także premię. Jeśli zdobędziecie te informacje, to pomogę Kale'owi panować nad jego darem.

10

– Czekaj! – krzyknęłam i ruszyłam do przodu. Alex chwycił mnie za ramiona. – Puść mnie, palancie!

Alex poczekał, aż zamknęły się drzwi i dopiero wtedy mnie wypuścił. Rzuciłam się do drzwi i szarpnęłam klamkę. Nic. Zamknięte na klucz.

– Dez, nie naciskaj na nią. Ona tego nie toleruje.

Zaczęłam wymachiwać mu pięściami przed nosem.

– Co to ma znaczyć? Sprowadziłeś mnie tu, żeby mogła zaproponować informację o Żniwiarzu w zamian za coś, czego nie jestem w stanie zdobyć?

Alex wyglądał na urażonego.

– Nie miałem pojęcia, co ona zaproponuje. Przysięgam. Ginger to twarda baba, ale uczciwa. Nieco dziwna, ale uczciwa. Jeśli prosi cię o zdobycie czegoś, to uważa, że to możliwe. Nie wierzę, aby żądała czegoś, co pozostaje poza zasięgiem możliwości.

Usiadłam na fotelu.

– Jak niby mam zdobyć tę bazę? – Spojrzałam na Kale'a. – Masz jakiś pomysł?

Nie patrzył na mnie, wpatrywał się w drzwi, za którymi zniknęła Ginger.

– Kale?

– Myślisz, że mógłbym panować nad swoim darem? Mówiliśmy o dwóch różnych rzeczach zaproponowanych przez Ginger. Kale miał nadzieję na uwolnienie od uciążliwości swojego daru.

– Mógłby? – zapytałam Alexa.

– Skoro Ginger tak mówi, to znaczy, że mógłby.

– Cudownie. Jeszcze większa marchewka.

– Usiądźmy – zaproponował Alex – i zastanówmy się, co z tym zrobić.

Wróciliśmy na schody i zeszliśmy na pierwszy poziom. Rozglądając się po sali, poczułam ukłucie zazdrości. Wszyscy ci ludzie żyli sobie spokojnie i imprezowali do świtu. Kilka dni temu też taka byłam. Niezorientowana, niewtajemniczona i zadowolona.

Siedzieliśmy przy tym samym stoliku, co poprzednio. Mimo tłoku pozostał wolny. Alex popijał piwo, a ja i Kale mieliśmy napoje gazowane. Ja swojego nawet nie tknęłam. Kale swój kończył. W zasadzie kończył już czwarty z kolei. Najwyraźniej uwielbiał bąbelki.

Głowa ciążyła mi w stronę stołu.

– To niemożliwe.

– Alex, kochanie! – rozległ się niepokojąco piskliwy głos.

Uniosłam ciężką głowę i ujrzałam przy stoliku wysoką, rudą dziewczynę.

– Cześć, Erica – odezwał się z udawanym entuzjazmem Alex.

Skinęła i zasiadła obok niego.

– Gdzieś ty się podziewał? Nie widziałam cię całe wieki.

– Wyjęła mu piwo z ręki, wypiła sporo i odstawiła je na stół. Nie przed Alexem, tylko przed Kalem.

– Taaa, no to...

Objęła Alexa, uwodzicielskim wzrokiem popatrzyła na Kale'a, a potem spojrzała na mnie.

– Co z tobą, koleś? Wypij. – Skinęła głową na Kale'a. – Siostro, masz do wybodu dwie skrajności. Wolisz noc czy dzień?

Patrzyłam, jak przeciągnęła palcami po jasnych włosach Alexa. Kątem oka zobaczyłam, że Kale podnosi piwo. Upił łyk i odstawił. Po chwili uniósł je z powrotem i wypił do końca.

– Ja nie... – zaczęłam.

– Nie chcesz się podzielić, co? – Zrobiła nadąsaną minę. – Przecież nie potrzebujesz ich obu, nie? To nie fair wobec innych dziewczyn, że trzymasz tu sobie dwóch zakładników.

Zakładników...

Może to właśnie jest wyjście?

Ale najpierw trzeba spławić to dziewczę. Jedną ręką objęłam Kale'a, a drugą – z niechęcią – Alexa.

– A właśnie, że jestem egoistką. Chcę ich obydwu.

Po chwili rozczarowania, uśmiechnęła się porozumiewawczo.

– Na pewno!

Wstała, pochyliła się nad stolikiem i zamrugała. – Skądś cię znam. To nie ty w zeszłym tygodniu na imprezie w Deerfield wyrwałaś Troya Beldoma i Mickeya Doona?

Ups. Dzień po tej imprezie zaczęłam rozpuszczać plotki za pośrednictwem Markie Fray. Mama Markie była sekretarką mojego ojca i wiedziałam, że od niej wszystkiego się dowie. Ledwie czterdzieści osiem godzin później wpadł do domu i dał mi wykład o włóczeniu się po mieście. Punkt dla mnie. Uzyskałam reakcję.

Ostatni raz Erica spojrzała tęsknym wzrokiem na Alexa i wyruszyła na poszukiwania łatwiejszej ofiary. Alex zdjął moją rękę ze swoich bioder i popatrzył na mnie z niesmakiem.

– Poważnie? – zapytał. – Beldom i Doon?

Ugryzłam się w język i wsunęłam ręce pod pupę, żeby mu nie przyłożyć.

– Jest tu ktoś, komu możesz ufać? Ale nie tak po prostu, tylko tak, żeby powierzyć mu życie.

Zastanawiał się minutę.

– Rękę dałbym sobie uciąć za lojalność Daxa.

– A ten Dax jest tu teraz?

Alex wskazał drzwi, w których pojawił się wysoki, umięśniony chłopak w wieku około dwudziestu pięciu lat. Głowa wygolona na zero, od stóp do głów ubrany na czarno. Wyglądał jak ktoś, na czyj widok przechodzi się na drugą stronę ulicy.

– To on.

Uśmiechnęłam się na myśl o rysującym mi się w głowie planie.

– O Boże, idealny!

– Do czego? – zapytał przestraszony Kale.

– Żeby mnie uprowadzić.

§

Tata raczył odebrać dopiero po piątym sygnale. Oczywiście nie czekał z zapartym tchem przy telefonie, aż zadzwoni jego nastoletnia córka. Próbowałam nie zwracać na to uwagi, ale w gardle czułam szorstkość. Zupełnie jakbym chciała połknąć czerstwy chleb.

– Halo?

– Tato! – krzyknęłam, ale Dax wyrwał mi telefon. Przeszedł na drugą stronę pokoju, a w tej samej chwili Alex rzucił krzesłem o ścianę. Krzyknęłam, a Alex wrzasnął na mnie, żebym zamknęła mordę. Z trudem powstrzymywałam się od śmiechu.

Obok mnie Kale podniósł drugie krzesło i poszedł w ślady Alexa. Walnął krzesłem o ścianę i odwrócił się do mnie z uśmiechem.

– Nawet fajnie – powiedział półszeptem.

Po odejściu Eriki Alex zamówił drugie piwo. Byłam pewna, że musiało mu już zaszumieć w głowie. Tłumiłam uśmiech i starałam się skupić na swoim porwaniu.

– Cross, siedź cicho i słuchaj, co mam ci do powiedzenia – warknął Dax do telefonu, przechadzając się po pokoju tam i z powrotem. Przenieśliśmy się z imprezy do jednego z pomieszczeń biurowych na pierwszym poziomie. Wszystko było tu pokryte cienką warstwą kurzu. – Mamy twoją córkę.

Przez chwilę Dax milczał. Zapewne wysłuchiwał barwnej odpowiedzi mojego ojca.

– To się nie uda – szepnął Kale. – On ma wszystkich w nosie. Pójdzie na ugodę, a potem nas wydyma.

Nigdy nie miałam z ojcem najlepszych układów, ale gdybym nie wiedziała, co zrobił mojej mamie, nie mogłabym się zgodzić z Kalem. W końcu ojciec to ojciec. Chciał mojego bezpieczeństwa. Ale teraz? Teraz obawiałam się, że Kale ma rację, jednak nie wiedziałam, co jeszcze mogę zrobić.

Musiałam odwołać się do dobrej strony ojca. Niczego więcej nie potrafiłam wymyślić.

– Nie da rady – powiedział Alex. – Dax to przewidzi.

Nie przyszło mi do głowy zapytać, jakim darem dysponuje Dax.

– On widzi przyszłość?

Alex pokręcił głową.

– Jak słyszy czyjś głos, potrafi odczytać z jego głowy prawdziwe intencje.

Spąsowiałam. Dobrze, że nie było go w pobliżu, gdy tańczyłam z Kalem.

– Proponuję wymianę – mówił Dax do telefonu. – Twoja córka za dwie więzione przez ciebie osoby. Monikę i Monę Fleet.

Pytająco uniosłam brwi i spojrzałam na Alexa.

– To bliźniaczki – szepnął. – Bratanice Daxa. Trzy lata temu zostały porwane sprzed szkoły. Miały wtedy tylko po sześć lat.

– Jezu...

– Monica była bardzo odważna – odezwał się Kale, spoglądając na Daxa, który najwyraźniej go usłyszał, bo nagle zesztywniał i stanął w miejscu. – Oparła się szkoleniu Denazen. Mona błagała, żeby robiła, co każą, ale Monica stawiała opór.

Po drugiej stronie pokoju Dax stał nieruchomo jak trup. Zapewne wysłuchiwał argumentacji ojca twierdzącego, że to nieuczciwa wymiana. Ale patrzył prosto na Kale'a.

Kale odwrócił głowę.

– Później je rozdzielono. Monę widziałem wiele razy, ale Moniki nigdy więcej.

Czekaliśmy jeszcze jakiś czas, aż Dax się umówi i skończy rozmowę. Najwyraźniej dochodzili do jakiegoś porozumienia. Gdy skończył, powoli szedł przez pokój z wbitymi we mnie swoimi brązowymi oczami. Mówiłam sobie, że jego złość i cierpienie nie są skierowane do mnie, ale mimowolnie czułam się, jakby tak właśnie było.

– Wymieni Monę na ciebie – powiedział beznamiętnie. W tonie jego głosu było coś, co przyprawiało mnie o dreszcze.

– A Monica? – zapytał Alex.

– Ona... miała wypadek. – Dax zaciskał pięści. – Cross powiedział, że bardzo mu przykro.

Alex położył mu rękę na ramieniu.

– Przykro mi, stary.

Dax strącił jego rękę i wpatrywał się we mnie.

– Nic do ciebie nie mam, mała, ale szczerze mówiąc... – Podszedł kilka kroków bliżej. Zatrzymał się z twarzą ledwie kilka centymetrów od mojej. Czułam oddech przepojony piwem i papierosami. – Gdybym nie wiedział, że ten łajdak ma cię gdzieś, gdybym nie odczytał prawdy w jego głosie... to zabiłbym cię własnoręcznie i wysłał mu ciebie w kawałkach.

Ufff.

– Odsuń się – powiedział z groźbą w głosie Kale. Zrobił ruch, jakby chciał zdjąć prawą rękawiczkę.

Dax ani drgnął.

– No już. – Zdjął rękawiczkę i trzymał ją w palcach lewej ręki. – Jeszcze raz jej zagrozisz i cię zabiję.

Dax wycofał się i pochylił głowę. Gdy ją uniósł z powrotem, już w nim nie było złości.

– Przepraszam, Kale. – A dlaczego nie mnie? To mi groził, że mnie poszatkuje i prześle Fed-Eksem. Przeniósł wzrok na Alexa, potem znów na Kale'a i w końcu spojrzał na mnie z lekkim uśmiechem. – Nie zazdroszczę ci.

11

Kilka godzin później siedziałam z Daxem na ławce w Memorial Park. W każdej chwili mógł nadejść ojciec z Moną. Kale chciał iść z nami, ale kazałem mu zostać z Alexem, który wolał się nie pokazywać. Czekali przy ścieżce nad jeziorem. Nie widzieliśmy ich, ale gdyby coś się działo, pozostawali w zasięgu głosu.

Podarłam sobie czerwony T-shirt. Żałowałam, że Brandt nie przyniósł jakiegoś starego, tylko akurat mój ulubiony. Koszulka nie nadawała się już do niczego. Typowy chłopak. Nie ma pojęcia, jaki strój jest potrzebny do ucieczki.

– Mogę cię o coś zapytać? – Zawarliśmy z Daxem rozejm. Nie miałam mu za złe, że się rozgniewał. Rety, nie można go za nic winić. Nie podobały mi się gadki o ćwiartowaniu, ale go rozumiałam. Stracił bliską osobę, a mnie miał pod ręką, żeby się zemścić. Odkryliśmy jednak wspólnego wroga i na tym należało się skupić.

– Proszę – powiedział Dax. W ciemności widziałam tylko jego wygoloną głowę błyszczącą w świetle księżyca. Bawił się kluczykami nałożonymi na palec wskazujący.

– Powiedziałeś, że ojciec ma gdzieś moje bezpieczeństwo.

Na jego twarzy pojawiła się przepraszająca mina. Otworzył usta, żeby coś dodać, ale go powstrzymałam.

126

– Nie, wszystko w porządku – kłamałam. – Nigdy za mną nie przepadał. Zawsze myślałam, że to przez matkę, ale najwyraźniej się myliłam. Tylko jeśli mu na mnie nie zależy, to dlaczego chce mnie odzyskać? Poszedł na układ, ale wątpię, że z chęci zachowania pozorów. Nie wydaje się, żeby tego potrzebował...

Dax zwlekał z odpowiedzią. Przez chwilę obserwował ścieżkę, a później uniósł głowę do nieba. Odezwał się po kilu minutach.

– Czuję się rozdarty. Wiem, że ty jesteś dobrym człowiekiem. Chciałbym ci powiedzieć, żebyś do niego nie wracała. Ale chcę odzyskać moje bratanice.

Zorientował się, że popełnił błąd, i zacisnął powieki.

– Moją bratanicę – poprawił się i tupnął nogą w ziemię.

– Wiem, że musisz to zrobić, aby zdobyć informację od Ginger, ale bądź ostrożna. On chce cię wykorzystać. Byłaś za linią wroga. Stanowisz dla niego źródło informacji. Być może wszystko pójdzie tak, jak zaplanowałaś – wiem, co planujesz – ale muszę cię ostrzec. Może być trudniej niż ci się wydaje. Jeśli dowie się, kim naprawdę jesteś...

Otworzyłam usta, ale on mnie powstrzymał.

– Nikomu o tym nie powiem. Twoje tajemnice są twoje. Chciałem ci tylko uświadomić, że istnieje spore prawdopodobieństwo, że nie wszystko pójdzie po twojej myśli. On może się wszystkiego domyślić. Nie jest człowiekiem, którego łatwo wyprowadzić w pole. Być może będziesz musiała zagrać asem, którego trzymasz w rękawie. Nie powinnaś go wiecznie chować...

Normalnie, gdyby ktoś mi coś takiego powiedział, to odparłabym, że w wyprowadzaniu ojca w pole osiągnęłam profesjonalny poziom, jednak nie byłam już tego taka pewna. To on cały czas oszukiwał.

– Postaraj się, żeby wszystko wyglądało naturalnie – szepnęłam, trącając go w ramię.

Na widok ojca idącego ścieżką, Dax chwycił mnie za rękę. Jego palce wbijały mi się w skórę. Ściągnął mnie z ławki. Staliśmy w oczekiwaniu na ojca prowadzącego drobną postać. Gdy byli już blisko, zrobiłam minę pełną cierpienia i strachu. Nie było to łatwe.

Mona wyglądała jak zombie. Puste spojrzenie, martwa mina. Rytmicznie stawiała kroki, idealnie dopasowując się do ojca.

Klap, łup, klap, łup. Zatrzymali się półtora metra od nas. Mona patrzyła na wujka. Na jej twarzy nie odmalowała się żadna emocja. Ani śladu, że go rozpoznała. Nic tylko puste spojrzenie brązowych oczu przesłoniętych nieco kosmykami szarych włosów.

– Co jej się stało – warknął Dax. Prawdopodobnie mimowolnie zacisnął palce, a ja gryzłam się od wewnątrz w policzek, żeby nie krzyczeć.

– Nic jej nie jest – odparł ojciec.

– Gówno prawda! Popatrz na nią. To chodząca śmierć.

– Aby mieć zapewnione bezpieczeństwo podczas transportu, dostała środek uspokajający. Przejdzie jej po kilku godzinach.

Domyślałam się, że leki rzeczywiście przestaną działać po kilku godzinach, ale to, co przeszła w Denazen, pozostanie w niej na zawsze. Buzowała we mnie ogromna złość. Czy Kale'a też szprycowali? Czasami dostrzegałam w jego oczach te niepowtarzalne odcienie szaleństwa. Pamiętam, jak w salonie bilardowym powiedział do Alexa: *To musi boleć.*

Jak to możliwe, żebym powstała z ciała i krwi takiego potwora?

– Puść ją – powiedział Dax, ściskając mnie za ramię tak mocno, że łzy popłynęły mi z oczu. Szarpał mną w dobrej wierze. – A ja puszczę ją.

– Najpierw Deznee.

Dax roześmiał się.

– Oczywiście, bo tobie nawet do głowy by nie przyszło, żeby mnie wydymać.

– Pewnie, że nie. To moja córka. Nie mogę ryzykować, że coś jej się stanie.

KŁAMCA, chciałam krzyknąć, ale ugryzłam się w język.

– Liczę do pięciu i puszczamy je równocześnie – zaproponował Dax. Tata skinął głową na zgodę i Dax zaczął liczyć:

– Raz...

Wiedziałam, że wszystko jest zaaranżowane, lecz mimo to kwas zalewał mi żołądek.

– Dwa...

Tata nadal miał beznamiętną minę.

– Deznee, wszystko będzie dobrze.

– Trzy...

Dźwięk jego głosu parzył mi uszy.

– Cztery...

Starałam się o niczym nie myśleć. Kiedyś Brandt powiedział mi, że mam wyrazistą twarz. Nie chciałam, żeby można było z niej coś wyczytać. Ku swemu zdumieniu stwierdziłam, że udało mi się oczyścić umysł ze złości, a także z obaw o Kale'a.

– Pięć...

Dax powoli rozluźnił uścisk, a w tym samym czasie ojciec pochylił się i szepnął coś Monie do ucha. Dziewczynka ruszyła do przodu. Dzielił nas niewielki dystans, ale ona stawiała małe kroczki, więc zwolniłam. Gdy mijałyśmy się pośrodku, nie spojrzała na mnie ze zrozumieniem ani nie odnotowała mojej obecności, tylko szła dalej bez słowa.

Ojciec nie dbał o żadne pozory. Nie rozłożył ramion na powitanie. Stał sztywno, z beznamiętną miną i milczał, jakby denerwowało go, że to wszystko trwa tak długo. Czy odrobina udawanych emocji to zbyt wiele? Kiedy do niego dotarłam, zobaczyłam, jak Dax obejmuje dziewczynkę, która ani nie odwzajemnia uścisku, ani nie płacze z radości.

Podniósł głowę i spojrzeliśmy sobie w oczy. Nie myślałam o niczym, bo wiedziałam, że widzi prawdę w moich myślach, a nie w słowach.

– Zabiję cię za to, co mi zrobiłeś – powiedziałam cicho.

Uśmiechnął się i mocniej objął dziecko.

– Najpierw musisz nas znaleźć.

Pokazałam w uśmiechu wszystkie zęby.

– Zrobię to. Wierz mi.

§

Jechaliśmy do domu w milczeniu. Odkąd doszliśmy do samochodu i tata powiedział, że jest otwarty, z jego ust nie padło ani jedno słowo. Jechaliśmy główną drogą i kusiło mnie, żeby złapać za kierownicę i uderzyć w drzewo. Tata nigdy nie zapinał pasa.

Musiałam się odezwać. Nawet jeśli udało mi się udawać traumę, nie uwierzyłby w moje milczenie.

– Martwiłeś się o mnie? Chociaż trochę?

Nie odrywał wzroku od jezdni.

– Nie bądź głupia. Oczywiście, że się martwiłem.

Cisza.

– Jak... – W porę się powstrzymałam, bo chciałam powiedzieć „Kale". Mówienie o nim po imieniu na pewno nie świadczyłoby o moim strachu. – Jak *on* wtedy zapukał do drzwi, myślałam, że to ty. Że znów zapomniałeś kluczy z biura. – Patrzyłam przed siebie na deskę rozdzielczą. – Gdy otworzyłam, zaskoczył mnie i siłą wepchnął do środka.

Ojciec nie wyglądał na przekonanego.

– Dlaczego z nim uciekałaś?

No tak, to wymagało przekonującego wytłumaczenia. Wzięłam głęboki oddech.

– Poważnie? Chciałam cię wkurzyć. Z diabłem całowałabym się na języczki, gdyby to cię miało zdenerwować. Nie chciałeś, żebym z nim była, więc poszłam z nim.

– I co było później?

– Powiedział, że zna mojego kolegę. Poszliśmy do niego, ale przyszli ci ludzie i chcieli go zabrać. Nie wiedziałam, co myśleć. Jeden z nich mnie zaatakował, wiec znów uciekałam z nim. Dotarliśmy do podmiejskiego baru. Wziął za mnie od tego gościa trochę kasy i zniknął.

– Więc uciekł?

– Dorwę go. Pomogłam mu, a on mnie oszukał i sprzedał temu psycholowi.

– Zrobił ci krzywdę? – W jego pytaniu nie było emocji. Zupełnie jakby dopytywał się o używany samochód przed kupnem.

– On... – Tu musiałam zagrać z uczuciem. – On mi groził. – Dotknęłam miejsca na twarzy, w które uderzył mnie siepacz Denazen. Blizna już znikała, ale nadal było ją widać. – Trochę mnie poturbował. Nic wielkiego. Ale groził... Mówił, co zrobi, jeśli nie spełnisz jego żądań... Chciał mnie poćwiartować i wysyłać po kawałku pocztą. – Przynajmniej w tym było trochę prawdy.

Zmrużyłam oczy przed światłami z naprzeciwka, gdy zjeżdżaliśmy na podjazd. Ojciec wyłączył silnik i odwrócił się do mnie. Nadszedł czas próby dla moich umiejętności wciskania kitu.

– Tato, strasznie się bałam. Myślałam, że mnie zabije.

Nigdy nie byłam beksą. Nawet w dzieciństwie nie płakałam z powodu otartych kolan, głośnych krzyków ani ciemnych pokoi. Gdy więc dla efektu postanowiłam uderzyć w płacz, bałam się, że mi się nie uda.

Ani wspomnienie zimnych, martwych oczu Mony, ani wyraz twarzy Daxa słyszącego, co Kale mówi o Monice, ani nawet przebywanie w jednym miejscu z Alexem po tak długim czasie, jego głos czy wspomnienie o przyłapaniu go z inną, nie były w stanie mnie zmusić do płaczu.

Dopiero Kale. Lekko nawiedzony wyraz jego oczu. Włosy opadające mu na twarz. To, jak bronił mnie przed Alexem i Daxem. Jego urazy, być może nie do naprawienia, sprawiły, że wróciło do mnie życie. Z większą siłą niż podczas imprez rave i tanich wzruszeń, których wtedy doznawałam.

Bolało mnie, co ojciec zrobił Kale'owi.

Tęskniłam za nim.

Łzy popłynęły bez trudu.

12

Musiałam wdać się w mamę, bo ojciec spał tak twardo, że nie zbudziłby go koncert Powerman 5000. I to grany na żywo. Z udziałem Spider One. Przekonałam się o tym wiele razy, gdy w środku nocy wchodziłam do domu albo z niego wychodziłam. Mnie natomiast budziła igła spadająca na podłogę.

Z zamkniętymi oczami zmieniłam pozycję pod kołdrą. Za oknem gwizdał wiatr, ale nie to mnie obudziło. W moim pokoju ktoś był. W pierwszej chwili pomyślałam, że to ojciec, ale od razu odrzuciłam tę koncepcję. Zamknęłam drzwi na klucz od środka, więc nie mógł dostać się z korytarza.

W kącie pokoju ktoś cicho oddychał. Był prawdopodobnie blisko okna, przez które się wślizgnął. Jak byłam z Alexem, wchodził do mnie przez okno wiele razy. Ale to nie on. Czułam, że to ktoś inny.

I nagle mnie olśniło. Nagle zyskałam pewność, kto to jest. Kale.

Na całym ciele poczułam dreszcz podekscytowania. Alex wchodził przez okno i obserwował, jak śpię. Zawsze wiedziałam, że jest, chociaż udawałam, że się nie budzę. Uwielbiałam, jak na mnie patrzył. Od czasu do czasu wysuwałam spod kołdry gołą nogę.

Ale to było coś zupełnie innego. Czułam na sobie wzrok Kale'a i słyszałam, że oddycha szybciej niż normalnie. Wyobrażałam sobie, że głaszcze moją nogę od łydki do kolana. Przypomniałam sobie smak jego ust. Te obrazy sprawiały, że musiałam panować nad swoim oddechem. Serce niebezpiecznie przyśpieszało.

Z zamkniętymi oczami przewróciłam się na plecy. Udało mi się opuścić kołdrę aż do stóp. Kale pod oknem też zmienił pozycję i znalazł się bliżej. Nie wydawał z siebie żadnego dźwięku, ale doskonale zdawałam sobie sprawę z jego obecności.

Gdy zabolały mnie plecy, przewróciłam się na bok twarzą do okna. Podczas przewrotu podciągnęłam palcem koszulkę. Wiedziałam, że na mnie patrzy i powoli się przysuwa. To mnie ośmielało. Wyciągnęłam prawą rękę nad głowę, a prawą ręką odgarnęłam włosy z twarzy.

Kale zrobił kolejny krok. Stał już nade mną.

Zachowanie milczenia i trzymanie zamkniętych oczu wymagało ode mnie znacznej siły woli. Nie wiedziałam, co zrobi, ani czy zdaje sobie sprawę, że nie śpię. Nie chciałam, żeby się wycofał. Nie chciałam, żeby patrzył z daleka.

Nocne powietrze chłodziło odsłoniętą skórę. Ku memu zdumieniu – i niewiarygodnemu szczęściu – łóżko ugięło się pod ciężarem. Kale usiadł, a chwilę później poczułam jego jedwabisty dotyk. Przesuwał dłoń od palców, przez całe nogi do góry i zatrzymał je tuż przed brzegiem szortów.

Mimowolnie głębiej odetchnęłam i przewróciłam się na plecy. Jakimś cudem udało mi się nie otworzyć oczu. Jego palce pozostały nadal w tym samym miejscu, na gołej skórze. Po chwili przesunął je w górę po materiale. Gładził

dłonią mój brzuch i zatrzymał ją tuż przed rąbkiem koszul-
ki, tuż pod sercem. Przez niesłychanie długo ciągnącą się
minutę byłam pewna, że wsunie dłoń pod koszulkę i obej-
mie moją pierś. Wtedy otworzyłabym oczy i postawiła granicę.

Ale tak się nie stało.

Jeszcze chwilę pieścił mnie dłonią i w końcu ją zabrał.

– Dez?

Z pewnym rozczarowaniem uniosłam ręce i przetarłam
oczy.

– Uhm?

Uniosłam powieki i zobaczyłam, że stoi ledwie kilka centymetrów ode mnie.

– Kale? – Usiadłam i poprawiłam koszulkę. – Nic ci nie
jest?

Wycofał się troszkę i pokręcił głową.

– Myślałem o tym, co mi mówiłaś. O zamykaniu złych
ludzi.

– Aha...

Był zmęczony, kleiły mu się oczy.

– Czy oni wiedzą, że postąpili źle? I czy z tego samego
powodu ja byłem więziony?

– Co? – W pierwszej chwili nie zrozumiałam, o co mu
chodzi. A gdy do mnie dotarło, poczułam, jakby ktoś rąbnął
mnie cegłą w głowę.

– Boże, Kale, nie. – Podciągnęłam się do góry i oparłam
o wezgłowie łóżka. Wskazałam mu miejsce obok siebie. Po
chwili wahania wszedł na łóżko.

– Kiedy poszłaś, rozmawiałem z różnymi ludźmi. Czytałem też... eee... gazetę? Jestem strasznym człowiekiem.

Zasługuję na karę. Taką samą, jak wymierzałem innym. *Mordowałem* ich. Dlatego Denazen trzymała mnie w zamknięciu. Zasłużyłem na to.

Odwrócił głowę i utkwił wzrok w oknie.

– Nieprawda.

– Na początku szkolenia, jeśli nie wykonywałem poleceń, przez kilka dni nie dawali mi jedzenia. Dostawałem tylko szklankę wody na dzień. Wylewali ją na podłogę i mówili, że złe dzieci muszą ją zlizywać. Z trudem udawało mi się doczekać dnia, gdy znów mnie zaczynali karmić. – Zacisnął usta i pokręcił głową. – Bratanica Daxa już nigdy nie będzie normalna. Ja zresztą też. Izolują nas, łamią nas. Drążą nam w głowach, aż znajdują słaby punkt i wtedy dostają się do środka. Większość pęka. Potem stanowią broń w rękach Denazen. Inni są słabi i Denazen formuje ich na własne potrzeby. W zamian za swoje człowieczeństwo otrzymują namiastkę wolności.

Wziął głęboki oddech. Przez długą chwilę sądziłam, że już nic więcej nie powie.

– Ale myślę, że ze mną było inaczej. Miałem Sue. Powtarzała, że przetrwam to wszystko, jeśli zachowam swoje człowieczeństwo. Odkąd pamiętam, zawsze mnie kochała i tego nie mogli mi odebrać. Jednak myliła się. – Spojrzał na mnie błyszczącymi oczami i pokręcił głową. – Kiedy skończyłem dziesięć lat, pierwszy raz zmusili mnie do morderstwa. Mówili ze szczegółami, że jeśli nie wypełnię rozkazu, obedrą Sue ze skóry. Kiedy miałem dwanaście lat, pogodziłem się z takim życiem. Denazen mnie posiadła.

Miałam sucho w ustach.

– Nikt nikogo nie może posiąść – wyszeptałam.

– Wiedziałem, że postępuję źle. W Denazen wszystko jest złe. A potem, kiedy poszłaś, odkryłem, że to ja jestem zły. Za wszystkie złe czyny ponoszę taką samą winę jak oni. Mogłem podjąć taką decyzję jak Monica. Mogłem nie pozwolić się wykorzystywać. Mówiłaś, że jestem silny. Nieprawda. Jestem słabeuszem.

Przesunął palcem wskazującym po moim udzie, tuż pod szortami, a potem w stronę kolana. Czułam, jakby pozostawiał gorący ślad.

– Nie zasługuję na to.

Po raz drugi w ciągu doby popłynęły mi łzy z oczu.

– Przestań – szepnęłam. Nie wiedziałam, o co chodzi, ale gula w gardle i ogień w brzuchu podpowiadały, że powinnam się dowiedzieć.

Nie mogłam znieść jego wpatrzonych we mnie smutnych oczu. Usiadłam mu na kolanach i przyłożyłam czoło do jego czoła. Wciągając powietrze, zapisywałam w pamięci jego zapach. Ziemisty. Niczym w lesie po długim deszczu. Objęłam go rękami. Poszukałam ustami jego ust. Pocałunek był początkowo niepewny i krótki. Odsunęłam głowę, żeby popatrzeć na jego twarz. Znałam wielu chłopaków, którzy patrzyli na mnie jak na wakacyjną rozrywkę, a Kale wpatrywał się swoimi niebieskimi oczami w każdy skrawek mojego ciała. Robił to z nadzieją i podekscytowaniem. Czułam się jak gwiazdkowy poranek. Cudowny i niekończący się.

Ale to minęło. Znów się pochyliłam, lecz tym razem Kale uniósł głowę. Objął mnie swoją silną ręką i przyciągnął bliżej. Przylgnął ustami do moich warg, aż otarliśmy się zębami, ale to nie przeszkadzało. Gdy pierwszy raz całowałam się z Alexem i zderzyliśmy się zębami, ścierpła mi skóra. Dłonie Kale'a były wszędzie. Na moim karku, na mojej twarzy, na plecach pod koszulką. Wszędzie, gdzie mógł dotknąć mojego nagiego ciała.

Przygryzałam jego dolną wargę. Boże, jak cudownie smakowała. Jak korzenne piwo i guma balonowa pomieszane z czymś niepowtarzalnym. Czymś takim jak Kale. Pomimo jego protestów znów się odsunęłam i zdjęłam koszulkę. Nie tracił czasu na oglądanie. Przyciągnął mnie bliżej, przylgnęliśmy do siebie i połączyliśmy w jedno.

Po pewnym czasie leżeliśmy w poprzek łóżka, ze splecionymi nogami.

– Nie zasługuję, żeby czuć coś takiego. – Mówił łamiącym się głosem. Przygniatał mnie ciężar jego spojrzenia. – Nie po tym wszystkim, co zrobiłem.

– Chodź – szepnęłam. Gdy udało nam się usiąść, ściągnęłam mu koszulę przez głowę i pogłaskałam po karku i ramionach. Przypomniałam sobie, co mówił o codziennych treningach. Siłownia i sztuki walki. Był cudownie zbudowany. Starałam się nie drżeć, przesuwając palec wskazujący po jego torsie.

Z każdym dotknięciem oddychał coraz szybciej. Czułam bicie serca, kiedy do mnie przylgnął z taką siłą, jakby bał się, że go zostawię.

Z szeroko otwartymi oczami przesunął dłoń z mojej twarzy na szyję. Jego dotyk jak prąd przenikał moje ramiona, a potem ręce. Wygięłam plecy, przycisnął mnie bliżej siebie. Paznokcie drapały gołą skórę. Z kpiarskim uśmiechem postawiłam jednak opór. Tylko po to, żeby sprawdzić, jak się zachowa. I nie zawiodłam się.

– Proszę... – szeptał, przewracając mnie na plecy i wpychając w łóżko. – Proszę...

Otworzyłam usta, aby powiedzieć, że nie musi prosić i że chcę tego tak samo, jak on, ale powstrzymało mnie to, co zrobił. Pochylił się, jedną rękę wsunął mi pod plecy, a drugą położył na brzuchu. Potem sięgnął dalej i splótł swoje palce z moimi. Pieszcząc nosem mój brzuch, powiedział:

– Dez, teraz już rozumiem. Już wiem, o co chodzi z tymi rękami.

Zanim otworzyłam rano oczy, wiedziałam, że Kale'a nie ma. Bez jego oddechu w pokoju było ciszej. I zimniej. Podniosłam z podłogi koszulkę i włożyłam ją na siebie. Na wspomnienie nocy dostałam gęsiej skórki. Byłam gotowa posunąć się dalej, pewnie aż do końca, ale zaszło pomiędzy nami coś bardziej intymnego niż seks.

Pozbierałam swoje rzeczy i jak nieprzytomna poszłam do łazienki. Wzięłam prysznic, umyłam zęby, wysuszyłam włosy. Cały czas uśmiechałam się niemądrze i myślałam o Kalem. Ale gdy otworzyłam łazienkę, wyleciała z niej para i – podobnie jak w mojej głowie – zrobiło się chłodniej.

Miałam do wykonania pracę. Musiałam się skoncentrować.

Na dole zastałam tatę przy zwyczajowym śniadaniu: kawa, babeczki i „New York Times".

– Cześć – wyjęłam kubek z szafki. Popatrzył na mnie w milczeniu i dolał sobie kawy do filiżanki. – Muszę z tobą porozmawiać, niezależnie od wczorajszych wydarzeń.

Uniósł brwi i skinieniem głowy poprosił, żebym kontynuowała.

– Powinnam czuć, że jestem pod kontrolą – zaczęłam. – Dostałam od ciebie swobodę. Ale po tym, co mi zrobiły te łajdaki, związali, zakneblowali i trzymali w ciemności, poczułam, że nad niczym nie mam kontroli. Muszę znaleźć jakąś równowagę.

Ojciec odłożył gazetę i z dłońmi na stole odchylił się do tyłu. Po drobnym drganiu wargi i nieznacznym przechyleniu głowy widziałam, że udało mi się przyciągnąć jego uwagę.

– Co masz na myśli, mówiąc „równowagę"?

– Muszę coś z tym zrobić. Ci ludzie, nie wiadomo ilu ich jest, są wszędzie, a ja mimowolnie przy każdym zamknięciu oczu myślę tylko o tym.

– Co właściwie proponujesz?

– Zabierz mnie ze sobą do Denazen. Nakładli mi do głowy wstrętnych kłamstw, których nie umiem się pozbyć. Tylko prawda to naprawi. – Uderzyłam kubkiem o stół, częściowo stawiając go poza krawędzią. – Muszę poznać prawdę.

Dłuższą chwilę ojciec milczał, świdrując mnie oczami. Wydawało mi się, że wypadłam całkiem przekonująco, ale trudno było wyczytać, co o tym myśli tata. Przyjął pokerową minę. Już wydawało mi się, że przejrzał mnie na wylot, gdy na jego ustach pojawił się powolny uśmiech.

– Zakładaj buty.

§

Dopiero po zjeździe na parking przyszło mi do głowy, że nigdy tam nie byłam. Tata pracował w Denazen odkąd pamiętam, ale nigdy, nawet zanim zaczęliśmy sobą pogardzać, nigdy nie zaprosił mnie do swego biura.

Wysiedliśmy z samochodu w milczeniu, potem weszliśmy po schodach na górę i zatrzymaliśmy się przed szklanymi drzwiami dzielącymi nas od kontuaru recepcyjnego.

Mężczyzna za kontuarem popatrzył na mnie z uniesionymi brwiami i wręczył tacie zeszyt i długopis.

Lobby lśniło bielą nieskazitelnych podłóg z wiśniowego drewna. Po obu stronach pomieszczenia znajdowały się windy. Z jednej strony srebrne, z drugiej śnieżnobiałe. Tata wpisał się do księgi, spojrzał na zegarek i wskazał białe drzwi do windy.

– Chodźmy.

Nie było przycisków, tylko biały pasek na ścianie przypominający przesuwny czytnik kart kredytowych. Ojciec sięgnął do wewnętrznej kieszeni marynarki i wyjął niewielka kartę. Przesunął ją przez czytnik i drzwi się otworzyły.

Czekałam chwilę, a po chwili zapytałam:

– I co dalej?

– Cierpliwości.

Minęła kolejna minuta, a później rozległ się dziwny dźwięk przypominający wciąganie powietrza przez odkurzacz. Za nami otworzyły się drugie drzwi.

Tata skinął na nie i wszedł do środka.

– To jest dopiero prawdziwa winda. – Odchrząknął i powiedział: – Piętro czwarte.

Zdziwiona minęłam drzwi, które zamknęły się za mną z krótkim piknięciem. Chwilę później winda ożyła i pojechała do góry.

– Te windy działają na podstawie przepustki z poziomem zabezpieczenia. Bez niej nawet drzwi się nie zamkną. Winda nie pojedzie wyżej niż zezwala przepustka.

Po krótkiej przejażdżce wyszliśmy przez stalowe drzwi do długiego, pustego holu. W środku nikogo nie było, szliśmy prosto do pojedynczych drzwi na drugim końcu. Cisza robiła się uciążliwa i chciałam przerwać ją pytaniem. Miałam ich miliony. Tylko nie chciałam wypaść na zbyt gorliwą. Gdy minęliśmy drzwi, wszystko się zmieniło.

Nasze wejście do budynku wydawało się przeniesieniem do nierealnego świata. Panował tam ruch, hałas i bieganina. Wokół całego pomieszczenia znajdował się długi rząd biurek. Przypomniała mi się infolinia organizacji charytatywnej ASPCA, w której rok wcześniej pomagałam zbierać fundusze. Przy każdym biurku ktoś z pochyloną głową rozmawiał przez telefon i pośpiesznie coś zapisywał. Na nasze wejście nikt nie zareagował.

Na środku sali znajdował się duży szyld z napisem RECEPCJA. Zza kontuaru puszysta brunetka posłała tacie kokieteryjny uśmiech.

– Dzień dobry, panie Cross.

Tata skinął głową i obdarował ją rzadko u niego spotykanym uśmiechem.

– Cześć, Hannah.

– Czy to nowy nabytek? – Popatrzyła na mnie z pewnym przerażeniem i odwróciła wzrok do ojca. Z pewnością mówiła o Szóstkach.

Tata roześmiał się.

– Nie, to moja córka, Deznee.

Hannah cmoknęła ze współczuciem i pokiwała głową.

– To biedactwo zaatakowane przez Szóstkę, prawda?

– Nie zostałam zaatakowana – odparłam, zanim przypomniałam sobie, że gram przeciwniczkę Szóstek. – Radziłam sobie z łajdakami.

Uśmiechnęła się leciutko i tonem „mów tak sobie" powiedziała:

– Oczywiście, że sobie radziłaś.

– Wystaw jej tymczasową żółtą przepustkę. Zostaje u nas na cały dzień.

Hannah zatarła swoje pulchne palce i zachichotała.

– To musi być dla ciebie bardzo ekscytujące!

Zmusiłam się do uśmiechu, miałam nadzieję, że nie wypadł fałszywie.

– To prawda.

– Tędy – powiedział tata.

Opuściliśmy to pomieszczenie i skręciliśmy w prawo do kolejnej windy. Tym razem prowadziły do niej drzwi zielone. W środku tata powiedział:

– Piętro piąte. – A po chwili dodał: – Wszystkie windy w budynku są oznakowane kolorem odpowiadającym poziomowi zabezpieczenia. Pierwsze trzy piętra są srebrne, to firma prawnicza. Czwarte piętro, recepcja Denazen, jest białe. Przez nie musi przejść każdy pracownik idący do budynku. Również na tym piętrze znajduje się bufet. Teraz jedziemy na piąte piętro, zielone.

– Co tam jest?

– Tu w Denazen jest dziesięć pięter – powiedział, poprawiając aktówkę. – Na piąte trafiają nowe Szóstki. Tam są przyjmowani i przydzielani. Poza tym tam mieści się ochrona i moje biuro.

Winda zatrzymała się, a po otwarciu drzwi ujrzałam niskiego mężczyznę w takim samym granatowym garniturze jak ludzie, których widziałam u Curda. Uśmiechnął się, uwypuklając policzki i mrużąc oczy w wąskie szparki.

– Panie Cross, udało się ściągnąć z powrotem 104. Całkowity sukces.

Ojciec skinął głową i wyszliśmy z windy.

– Dobrze. Proszę dopilnować, żeby trafił na poziom ósmy.

– Ósmy? Zwykle trzymaliśmy go na siódmym.

– Tak... Dopóki nie spalił osoby, która przyniosła mu kolację. Zostaje na ósmym aż do dalszych instrukcji. – I zwrócił się do mnie: – Chodź za mną i trzymaj się blisko.

Facet z wypukłymi policzkami nie zwrócił na mnie żadnej uwagi. Odwrócił się od ojca i wydał polecenia człowiekowi, który do nas podszedł.

– Ktoś został spalony? – zapytałam. – Na serio?

Zatrzymaliśmy się przed drzwiami na końcu korytarza. Tata wyciągnął kartę, którą otwierał windę, i przeciągnął ją przez czytnik. Drzwi otworzyły się i weszliśmy do środka.

– Usiądź. – Wskazał duże mahoniowe biurko po drugiej stronie pomieszczenia z dwoma miękkimi fotelami po bokach.

– Szóstki bez nadzoru robią się niebezpieczne. Ale gdy je szkolimy i odpowiednio wykorzystujemy, stają się całkiem przydatne. Sprowadzamy je tutaj, szkolimy te, które się da i dajemy im dom. Za pracę dla nas dostają wikt, ochronę i dach nad głową.

Co za bzdury! Wikt, dach nad głową i *ochronę*? Raczej głód, klatki i tortury.

– Więc ci, którzy tu mieszkają, są pracownikami.

– Niektórzy z nich tak. W zamian za świadczone usługi dostają wszystkie udogodnienia. Ze względu na charakter swojej pracy mieszkają tutaj i są do dyspozycji przez dwadzieścia cztery godziny na dobę. Inni, niebezpieczni, których nie da się *rehabilitować*, są tu trzymani dla ich własnego dobra. Jednym z nich był chłopak, któremu pomogłaś uciec.

145

Pomogłaś uciec. Nie: ten, który wziął cię jako zakładniczkę. Nie: ten, który próbował cię zabić. Ja zawsze wszystko robię źle. Ojciec lubił to podkreślać na każdym kroku. Ale poczekaj, tatusiu. Godzina odwetu się zbliża.

– Na czym właściwie polega jego działalność? – Wydawało mi się, że to dobry moment na to pytanie. – Dotyka kogoś i... – Potrząsnęłam głową, udając strach. – Dotyka kogoś i ten ktoś umiera. Usycha i zamienia się w pył!

– Dziewięćdziesiąt osiem. Niszczycielski dotyk. Miałaś okazję zobaczyć na własne oczy. Powoduje śmierć wszystkiego, co organiczne. Ludzi, roślin, wszystkiego, co żyje. Niszczy lekkim dotykiem skóry. Ty stanowisz wyjątek.

Popatrzył na mnie z dziwnym zainteresowaniem. Aż zaswędziała mnie skóra. Takim samym wzrokiem patrzył mój nauczyciel angielskiego, pan Parks, gdy pokazał klasie wygrany na loterii kupon i odszedł.

– Dlaczego? Nie, żebym była z tego powodu niezadowolona. – Siadłam na fotelu i położyłam nogi na biurku. Ojciec spojrzał wymownie, ale nic nie powiedział. – Dlaczego ja nie uschłam?

– Bardzo dobre pytanie.

§

Po nieprzyjemnym przepytywaniu ojciec zabrał mnie na wycieczkę po piątym i szóstym poziomie. Dziale Badań i Szkolenia Nabytków. Widziałam młodą kobietę, która spojrzała na betonowy blok i wypaliła w nim dziurę. Mężczyznę, któremu na żądanie skóra pokrywała się lodem. I dziecko, które na moich oczach zamieniło się w piękną, błękitno-złotą papugę. Gdybym nie wiedziała, co tu

146

się naprawdę dzieje, byłabym pod wrażeniem. Zapytałam o pozostałe piętra, ale ojciec powiedział tylko, że to obszary mieszkalne i na tym rozmowa się zakończyła.

Stanęliśmy przed drzwiami do windy, tata wyjął swoją kartę i weszliśmy do środka. Już miał przeciągnąć kartę przez czytnik, gdy wyrwałam mu ją z ręki.

– Tato, ale dupiasty obrazek – powiedziałam, trzymając kartę w palcach. Plastik był gładki, chłodny i giętki. Drugą ręką sięgnęłam do tylnej kieszeni i wyciągnęłam żółtą przepustkę, którą dostałam przy wejściu. W skroniach poczułam coś przypominającego ukłucie noży. Trwało to tylko kilka sekund, ale przez ten czas nie mogłam oddychać.

Ojciec niczego nie zauważył. Zwinnym ruchem odebrał mi kartę, przeciągnął przez czytnik i schował do marynarki. W myślach poklepałam się po plecach. Tak, wszystko poszło gładko.

Kiedy wracaliśmy na czwarte piętro, była już prawie druga po południu. Ojciec miał coś do załatwienia, więc zostawił mnie w bufecie. Już miałam uciekać do windy, gdy ktoś mnie zaczepił.

– Co słychać? – zapytał wesołym głosem.

Odwróciłam się na krześle i ujrzałam chłopaka w moim wieku. Miał brązowe oczy i patrzył na mnie zadumanym wzrokiem. Wyciągnął rękę i uśmiechnął się.

– Jestem Flip. Nie widziałem cię wcześniej. Jesteś nowa?

– Uhm. Cześć.

– Pierwszy dzień? – zapytał, a potem odgryzł cieńszy koniec surowej, nieobranej marchewki.

– Właściwie przyszłam tu z tatą. Nazywa się Marshall Cross.

– Jesteś córką Crossa? – Rozpromienił się. – Twój tata jest niesamowity.

Wydawało się, że jest zafascynowany ojcem.

– Chyba bardzo go podziwiasz.

– Jeszcze jak. To wspaniały człowiek. Umie się o nas troszczyć. – Roześmiał się. – Chyba jesteś Niestką, tak?

– Niestką?

– To takie nasze wewnętrzne określenie na nie-Szóstki.

No, no. Cóż za słowotwórczość.

– Spodoba ci się tutaj – mówił dalej. – Denazen to rewelacyjne miejsce.

– Powaga? – Nie kryłam zaskoczenia. Na szczęście Flip go nie zauważył.

– No pewnie! Jesteśmy superbohaterami. Umiemy walczyć. Sprawiamy, że świat jest bezpieczniejszy dla ludzi. – Pochylił się konfidencjonalnie. – Likwidujemy złoczyńców i przywracamy porządek. Zupełnie jak X-Men, Justice League i takie tam.

Zastanawiałam się, czy kiedyś nie zaszkodzi sobie swoim gadulstwem.

– Więc jesteście dobrze traktowani?

– Jaja sobie robisz? Uciekłem z domu. Zupełnie nie wiedziałem, o co biega. Denazen wyszukała mnie, dała mi dach nad głową i nauczyła mnie, ile dobrego mogę zrobić ze swoim darem. Poza tym, czasami pomagamy *rządowi*.

Znów pieprzone urojenia.

– Nie jesteś tu więźniem?

Popatrzył na mnie z rozbawieniem.

– Więźniem?

– Możesz wchodzić i wychodzić, kiedy ci się podoba.

– Nie... Nie wiem, dlaczego. Jesteśmy tutaj, bo to dla nas bezpieczniejsze. – Zrobił zamyśloną minę. – Na zewnątrz jest mnóstwo syfu. Denazen likwiduje wielu złych ludzi. Ma całe rzesze wrogów. Na zewnątrz odbywamy treningi. Tu jesteśmy bezpieczni. Mamy ochronę.

– W zamian za świadczone usługi – powiedziałam, starając się ukryć sarkazm. Gdybym była niezorientowana, gdybym wcześniej nie poznała Kale'a, łatwiej uwierzyłabym w słowa Flipa. Ale potrafiłam przejrzeć maskę Denazen. Znałam prawdę. A teraz, jeśli zrealizuję swój plan, poznają ją wszyscy. – I dobrze wam z tym?

Zamyślił się.

– Większości z nas – tak. Zawsze znajdą się tacy, co nie chcą współpracować. Niektórzy z nas są bardzo niebezpieczni. Jeśli Szóstka zaczyna robić ludziom krzywdę, oni starają się przemówić jej do rozsądku.

Rehabilitacja.

– A jeśli się nie udaje?

– Policja ma areszty, prawda? Tutaj tak samo. Kto ma dar i wykorzystuje go do masowego zabijania, jest przestępcą. – Spojrzał na zegarek. – Kurde, śpieszę się na siłownię. – Wstał i mrugnął do mnie. – Rozłożył ręce, a marchewka została mu przy ustach. – Pomagają nam tu rozwijać różne zdolności. Teraz jestem całkowicie namagnesowany.

– Miło było cię poznać. – Uśmiechnęłam się.

Obserwując jego odejście, odetchnęłam z ulgą. Zamierzałam posunąć sprawy naprzód.

Miałam już drogę wolną, więc wstałam i poszłam do windy. Plan był dość ryzykowny, ale stanowił jedyną nadzieję na mój samotny powrót do gabinetu ojca.

Nie wpuścili mnie na przyjęcie dla Szóstek wyłącznie ze względu na urodę.

Kiedy miałam siedem lat, przed Bożym Narodzeniem, wujek Mark zabrał mnie i Brandta na zakupy. Zobaczyłam lalkę Barbie, którą po prosu musiałam mieć, i zaczęłam błagać, żeby mi ją kupił. Oczywiście odmówił, bo nie miał za wiele pieniędzy. Gdy wujek poszedł do kasy, ja wróciłam. Chwyciłam piękną lalkę i bardzo chciałam, żeby moja własna – stara i poszarpana – stała się identyczna. Żeby miała taką samą białą, zwiewną sukienkę i lśniącą koronę na gęstych jasnych włosach. Po chwili spojrzałam i obie rzeczywiście były identyczne. Odłożyłam Barbie na półkę.

Kiedy dorosłam, zrozumiałam, jak to działa. Umiałam z jednego przedmiotu stworzyć kopię innego, jeśli trzymałam w dłoni oryginał. To działało, jeśli wymiary mniej więcej się zgadzały. Eksperymentowałam trochę z tą umiejętnością i odkryłam, że jej możliwości są praktycznie nieograniczone. Jeśli miałam kanapkę z tuńczykiem, a chciałam hamburgera, nie było problemu. Kopia smakowała dokładnie tak samo jak hamburger. Jeśli chciałam piwo, a miałam lemoniadę w puszce – zero problemów. Płynne złoto powstawało na skinienie palca.

Można by pomyśleć, że z takim dziwactwem łatwo popaść w obłęd. Nastolatce, która może mieć wszystko, co zechce i kiedy zechce, musi do głowy uderzyć woda sodowa. Wbrew pozorom wcześnie doszłam do wniosku, że nie powinnam obnosić się z tą umiejętnością. Ból towarzyszący jej wykorzystaniu nie był tego wart. Za każdym razem, gdy robiłam kopię, czułam, jakby ktoś przez nos wyciągał mi mózg wędkarskim haczykiem. Pewne znaczenie miał rozmiar przedmiotu. Im większy, tym silniejszy ból. Żeby więc skopiować coś, co powoduje konwulsyjne wymioty i mroczki przed oczami, musiałam mieć poważny powód.

W zeszłym roku tata kupił nowy telewizor z płaskim ekranem, 52 cale. Dostarczono go, gdy akurat był w pracy. Wróciłam do domu z gościem poznanym na imprezie i przez przypadek potłukliśmy telewizor. Spławiłam chłopaka, zeszłam do garażu, przyniosłam kartonowe pudło i voila! Nowy telewizor. Najgorsze było pozbywanie się resztek oryginału, bo bolała mnie głowa i było mi niedobrze. Trwało to cały dzień.

Nigdy nikomu o tym nie mówiłam. Bo niby co miałam powiedzieć? Cześć, nazywam się Dcz i mam dziwną umiejętność spełniania życzeń? Życzenia życzeniami, ale... była jeszcze druga strona medalu. Umiejętność przydawała się także w sytuacjach niebezpiecznych i wyjątkowych – mimo to pozostawała dziwactwem. Potem usłyszałam o tym chłopaku zabranym z Sumrun, po którym słuch zaginął, więc miałam kolejny powód, żeby trzymać wszystko w tajemnicy. Bałam się jak diabli.

Kiedy Kale opowiedział mi o mamie i jej umiejętności, z trudem powstrzymałam uśmiech. Chociaż nigdy jej nie widziałam, czułam się dzięki niej mniej osamotniona. W końcu jaka matka, taka córka. Nigdy nawet nie myślałam, żeby zamieniać się w kogoś innego. A jeśli zmiana byłaby nieodwracalna? Nie potrafiłam sobie wyobrazić bólu, jaki musiałby towarzyszyć takiej przemianie. Pewnie by mnie zabił.

Teraz, korzystając ze swojej umiejętności, podejmowałam ogromne ryzyko. Zupełnie jakbym wdawała się w strzelaninę na posterunku policji. Z powodu zdolności mamy, tata ją uwięził. Co zrobiłby ze mną, gdyby dowiedział się o moim talencie?

Przeciągnęłam kartę przez czytnik i powiedziałam:

– Piętro piąte.

Nie wiem, czy gdzieś w głębi duszy spodziewałam się, że to nie zadziała, albo że uruchomię jakieś syreny alarmowe stawiające na nogi cały budynek, ale gdy zamknęły się drzwi i winda ruszyła, poczułam ulgę.

Wiem, że wysoko postawiłam sobie poprzeczkę – łatwo być nie mogło – ale za najlepsze miejsce na rozpoczęcie poszukiwania potrzebnych informacji uznałam biuro ojca. Nowa przepustka bezproblemowo sforsowała drzwi. Zamknęłam je za sobą i rzuciłam się do kartoteki.

Po około dwudziestu minutach poszukiwań przejrzałam wszystkie teczki. Faktury na koszty prowadzenia działalności. Kilka akt personalnych, w jednym przypadku z prośbą o podwyżkę. Nie było jednak nic, z czego można by wnioskować, ile Szóstek przebywa w Denazen ani kim one są. Pozostały jeszcze szuflady w biurku. Gdy otwierałam najwyższą, od strony drzwi usłyszałam głos.

– Co ty tu wyprawiasz?

Krew zastygła mi w żyłach. Popatrzyłam na rozwścieczoną twarz ojca.

14

Wyprostowałam się. Mój mózg działał na przyśpieszonych obrotach, próbując znaleźć jakieś logiczne wytłumaczenie.

Nie miałam żadnego.

Ojciec wkroczył do środka i zamknął za sobą drzwi. Wzdrygnęłam się, gdy trzasnęły.

– Odpowiedz! Co ty tu robisz? I jak się tu dostałaś?

Podszedł bliżej i przez ułamek sekundy myślałam, że mnie uderzy.

– Ja... – wyjąkałam. Nie udawałam. W głowie miałam kompletną pustkę. Pierwszy raz w życiu. Zwykle potrafiłabym Eskimosom sprzedać lód. – Chciałam poszukać jakichś informacji o tym Daxie.

– Jak otworzyłaś zamki?

Sięgnęłam do kieszeni po przepustkę. Złapałam palcami kawałek gładkiego plastiku. Ale nie dałam jej ojcu. Uznałby, że to jego. Kopiowanie nie działało w drugą stronę. A ponieważ nie miałam oryginału, nie mogłam dokonać przemiany powrotnej. Uśmiechnęłam się niewinnie. – O cholera, chyba zgubiłam przepustkę.

– Zgubiłaś – powtórzył.

Opuściłam wzrok i udałam, że szukam na podłodze.

153

– Pewnie tu mi spadła. Gdzieś tu musi być.

Ojciec milczał, a ja chodziłam po biurze i udawałam, że szukam przepustki. W pewnym momencie wydawało mi się, że kątem oka dostrzegam uśmiech na jego twarzy. Pozwolił mi kilka minut szukać, a później groźnie chrząknął.

– Dobra, idziemy.

§

W samochodzie panowała niezręczna cisza. W powietrzu wisiał gniew. Musiałam coś zrobić, żeby rozładować sytuację, bo w przeciwnym razie nigdy więcej nie dostanę się do tego budynku. Ojciec nadal był wkurzony, że myszkowałam po jego biurze. Jeśli nic bym nie zrobiła w celu ograniczenia szkód, nie byłabym w stanie dostarczyć Ginger informacji. Musiałam działać szybko. Podjąć drastyczne środki. Świat się walił. Jeśli chciałam wrócić do Denazen, musiałam wyciągnąć asa z rękawa.

Niestety był to as pikowy.

– Chciałabym... – przerwałam milczenie. – Chciałabym pracować dla Denazen.

Ojciec stłumił chichot.

– Nie ma takiej opcji.

– Dlaczego? – zapytałam. – Ci ludzie, którzy mnie porwali, to bestie. Planowali zaatakować Denazen.

Kątem oka zauważyłam, że ojciec wytrzeszczył oczy.

– Co takiego?

– To jedna z ich gróźb. Chcą wzniecić bunt i wypędzić cię. Uważają się za najmądrzejszych na świecie – kłamałam jak z nut. – Tato, muszę wziąć w tym udział i pomóc ich powstrzymać.

– Deznee, ty w niczym nie umiałabyś pomóc. – Inny ojciec okazałby współczucie. Inny ojciec powiedziałby to samo, tylko zaznaczył, że dla nastolatki byłoby to zbyt niebezpieczne. Ale nie mój. On mówił chłodnymi, ostrymi słowami. Twierdził, że nie jestem w stanie pomóc, bo do niczego się nie nadaję. Tak? Jeszcze zobaczymy.

Odetchnęłam i w milczeniu zmówiłam modlitwę. Wzięłam ze schowka pióro i mocno je ścisnęłam. Podniosłam z podłogi marker, który upuściłam dwa miesiące temu, gdy tata podwoził mnie ze szkoły. Wyobraziłam sobie, że trzymam dwa markery – a nie, pióro i marker.

Kilka sekund później tata zaklął i nagle skręcił kierownicą ostro w lewo. Zapiszczały opony, samochód wpadł w poślizg i przez chwilę myślałam, że nie unikniemy kraksy. Na szczęście po kilku sekundach samochód bezpiecznie się zatrzymał.

Lekko zawirowało mi w głowie, ale pulsowanie w skroniach zaczęło ustępować.

Tata patrzył na mnie nie z przerażeniem ani zdumieniem, ale czymś innym. Usprawiedliwieniem? Stłumionym podekscytowaniem? Musiał zdawać sobie sprawę, że do czegoś takiego może dojść. Przeleciał mamę, która była Szóstką. Istniało pięćdziesiąt procent szans, że i ja nią będę.

– Tato, może jednak na coś się przydam. Jak myślisz? – Spojrzałam mu prosto w oczy. Zacisnęłam pięści i powtórzyłam to, co poprzedniego dnia: Musi mi za to zapłacić.

§

Ojciec zostawił mnie samą i wrócił do pracy, a ja zastanawiałam się nad wstrząsającą tajemnicą, którą zdradziłam.

155

Byłam zaskoczona, a jednocześnie mi ulżyło. Jak tylko zniknął jego samochód, dopadłam drzwi i ruszyłam przez las do miasta.

Na początek poszłam do salonu bilardowego. Alex nie pokazał się tam od poprzedniego wieczoru, kiedy wyszedł na spotkanie ze mną i Kalem. Na szczęście właściciel, Roudey, znał jego nowy adres. Nawet nie wiedziałam, że się przeprowadził. Ale tak to bywa, jeśli kogoś unika się przez ponad rok. Po chwili rozmowy z Roudeyem i złożeniu obietnicy, że będę częściej wpadać, byłam już w drodze.

Skierowałam się do pizzerii przy czwartej ulicy, bo tam był jedyny telefon zamocowany na dworze. Wszystkie pozostałe albo w budkach, albo w jakichś pomieszczeniach. A wtedy łatwo o podsłuchiwanie. Dzień dobry, paranojo.

Zdjęłam słuchawkę i starannie unikając zeschniętej różowej gumy do żucia, wykręciłam numer do Brandta. – Cześć – powiedziałam, gdy odebrał. – To ja.

– Jezu, Dez, przegięłaś – warknął. – Wkurzyłem się!

– Wiem, przepraszam. Jestem już w domu. To znaczy nie w tej chwili, ale wczoraj ojciec po mnie przyjechał.

– I zabrał cię?

– Długa historia – powiedziałam, opierając czoło o telefon. Miałam jeszcze lekkie zawroty i trochę bolał mnie kark. – Znalazłeś coś?

Po drugiej stronie linii rozległ się trzask. Brandt usiadł na łóżku. Głęboko westchnął.

– Dez, to naprawdę gówno. Nazywają ich Szóstkami ze względu na różne dziwaczne umiejętności. Nazwa wzięła się od pewnej dewiacji w szóstym chromosomie. Niektórzy z nich są w wielkim niebezpieczeństwie.

– Tak, o tym już wiem. A co z Denazen? Dowiedziałeś się czegoś o tej korporacji?

– Owszem. Maczają palce chyba we wszystkim.

– Co masz na myśli?

– Pogrzebałem trochę i ustaliłem, że Denazen sięga swoimi mackami wszędzie.

– Koneksje?

– Mówi ci coś nazwisko Martin Bondale?

– Chyba tak. A dlaczego? Kto to jest?

– Pamiętasz może faceta, który w zeszłym roku starał się o stanowisko w Departamencie Administracji? Tego, którego pewna kobieta oskarżyła o napastowanie jej przez całe lato? Wszystkich szlag trafił, gdy potem znaleziono ją martwą.

– Tak – powiedziałam. – Pamiętam. Wszyscy myśleli, że to jego sprawka, a i tak został wybrany.

– Uhm.

– Chwila. Twierdzisz, że Denazen ma z tym coś wspólnego? – Jako syn nieprzejednanego dziennikarza śledczego, Brandt zawsze posiadał w zanadrzu co najmniej jedną teorię spiskową. Chciałabym, żeby i tym razem tak było, ale wiedziałam swoje.

– To tylko jeden z urzędników miejskich i państwowych, którzy mają powiązania z tymi ludźmi.

– Zwariowałeś? – szepnęłam. Spojrzałam za siebie, upewniając się, że nadal jestem sama. – Gdy prosiłam cię o poszperanie, nie chodziło mi o poszukiwania na taką skalę. Ci ludzie są niebezpieczni. Oni...

– Dez, uwierz mi, że doskonale zdaję sobie sprawę, jak bardzo są groźni. – Chwila przerwy, a potem znów rozległo się skrzypnięcie metalu. Bawił się deskorolką. – Słuchaj, chcę ci coś wyjaśnić.

– Ja tobie też. Ale możemy to zrobić później? Muszę znaleźć Kale'a. I upewnić się, że nic mu nie jest.

– Jak uważasz. Daj znać, jeśli jeszcze będziesz czegoś potrzebować. I zachowaj ostrożność. Beze mnie jesteś tylko bezbronną dziewczynką.

– Jasne. A ty beze mnie jesteś tylko wielkim, niekumatym facetem. – Uśmiechnęłam się i chciałam odłożyć słuchawkę, ale w ostatnim momencie się powstrzymałam. Przycisnęłam słuchawkę do ucha. – I przestań już węszyć.

Mieszkanie Alexa znajdowało się w zaniedbanej dzielnicy o nazwie Fix. Chociaż tam zawierano większość transakcji narkotykowych, policja unikała tych okolic jak ognia. Kiedy wpadali do szkoły albo centrum handlowego, nie mieli problemów z zatrzymaniem dealera. Ale Fix rządziła się własnymi prawami. Miała swoje władze i swoje organy ścigania. Z nimi nie należało zadzierać.

Wchodziłam po wąskich schodach na trzecie piętro – winda nie działała – i zatykałam sobie nos. Korytarz śmierdział uryną i niemytymi ciałami. Na górze skręciłam w lewo i liczyłam drzwi. Większość mieszkań stała opuszczona, ale na drzwiach Alexa widniał wypisany czarnym markerem numer 342.

W momencie gdy unosiłam rękę, żeby zapukać, drzwi się otworzyły.

– Dez? – Alex cofnął się do środka. Oczywiście, że się mnie nie spodziewał. – Co ty tu, do diabła, robisz? – Chwycił mnie za rękę i pociągnął do mieszkania. – Nie powinnaś tu przychodzić.

– Widziałeś Kale'a? – Nie było go, gdy obudziłam się rano. To rozsądne. Ale nie wiedziałam ani dokąd poszedł, ani gdzie go szukać.

– Tu jestem – usłyszałam głos zza pleców Alexa. Stał w przedpokoju ubrany w czarne dżinsy Alexa i zielony podkoszulek Branta. Uśmiechał się do mnie, a ze mnie opadł strach i mimowolnie odpowiedziałam mu uśmiechem.

– Wyszedłeś i nie wiedziałam, co się z tobą dzieje.

Ominął Alexa i zatrzymał się dopiero, gdy dotknął mojej ręki.

– Wyszedłem, gdy usłyszałem, że twój tata wstaje.

Kątem oka zobaczyłam Alexa wpatrującego się w nas ze zmrużonymi powiekami.

– O czym on mówi?

Kale poczuł się w obowiązku wyręczyć mnie z odpowiedzi.

– Byłem w nocy u Dez. Zdejmowaliśmy koszule.

Nie musiałam widzieć się w lustrze, aby wiedzieć, że zrobiłam się czerwona na twarzy. Muszę porozmawiać z Kalem o kwestii dyskrecji. I to niedługo.

Alex założył ręce na piersi i pokręcił głową.

– Najpierw Beldom i Doon, a teraz pan Rainman? Dez, czy ja czegoś nie wiem? – Spojrzał na Kale'a. – Myślałem, że w nocy byłeś tu u mnie.

Kale wzruszył ramionami i odwrócił się w drugą stronę.

– Wyszedłem, jak spałeś.

– Nie można się stąd wymknąć bez mojej wiedzy. – Alex był zazdrosny, widziałam to wyraźnie. Ale od dawna nie miał do tego prawa.

– Twardo śpisz – powiedział Kale do Alexa. Nadal jednak uśmiechał się do mnie. – Było łatwo.

Alex wykonał ruch, jakby chciał rzucić się na Kale'a, ale zachował bezpieczny dystans.

– Naprawdę był u ciebie dziś w nocy? – zapytał mnie zdegustowany.

– To nie to, co myślisz. Ale był. A co to cię właściwie obchodzi? Cizia z college'u już ci nie wystarcza?

Kale przeniósł wzrok na Alexa. Miał pochmurną minę.

– Skrzywdziłeś ją. Opowiadała mi o tym. Co cię obchodzi, że pozwala mi się całować? Teraz mnie trzyma za rękę, a nie ciebie!

Alex wybuchnął przeraźliwym śmiechem.

– Biedaczysko. Dajesz się robić w balona. Nie słyszałeś? Innym facetom pozwala na znacznie więcej.

Zareagowałam bez zastanowienia. Zupełnie tak samo, jak wtedy, gdy nakryłam go z tamtą laską w klubie bilardowym. Wymierzyłam cios prosto w szczękę. Przyjął go spokojnie, ale byłam pewna, że go zabolało. Musiało, bo myślałam, że odpadnie mi ręka.

– Jak ci przejdzie, to mam dla ciebie nowe wiadomości.

Jak za naciśnięciem guzika, zrobił się poważny. Szybko zapomnieliśmy, gdzie Kale spędził noc i jak wypadł mój prawy sierpowy.

– Od jutra zaczynam nową pracę – powiedziałam z nieskrywaną dumą. Powinnam się obawiać, że oddaję się w ręce ludzi, którzy takimi jak ja sterują niczym marionetkami, ale miałam wyższe cele. Udało mi się wykręcić i zamydlić ojcu oczy. Kolejny raz. I jak zwykle sprawiło mi to satysfakcję.

– Nową pracę? – Minęło chyba z sześć sekund, zanim Alex zajarzył. Wybałuszył oczy i uśmiechnął się z niekłamanym uznaniem. Nagle stałam się bohaterką. – Doskonale! Jak ci się udało?

No tak, to było w tym wszystkim najtrudniejsze. Wiedziałam, że Alex nie da się zbyć ogólnikami. Kale będzie musiał łagodzić sytuację.

– Mam coś, czego oni potrzebują.

Kale przyglądał mi się. Na miejsce złości wymierzonej w Alexa pojawiła się podejrzliwość.

Alex był po prostu zdezorientowany.

– Bez obrazy, Dez, ale co niby masz, czego oni mogliby potrzebować?

Na brzegu stołu leżała piłeczka bejsbolowa. Podniosłam ją i ruszyłam do kuchni, gdzie na blacie obok kluczyków samochodowych zauważyłam pomarańczę. Z owocem i piłeczką w dłoni wróciłam do pokoju. Zamknęłam oczy i wyobraziłam sobie spływający mi po brodzie kwaskowy sok pomarańczowy. Nierówności skórki, która czeka na obranie. Było trudniej niż zwykle – chociaż rzadko to robiłam – ale udało się. Poznałam nie po zmianie ciężaru i faktury piłeczki, lecz po nagłym bólu i utracie równowagi. Osunęłam się na podłogę.

– Jezu! – krzyknął Alex i rzucił się do przodu.

Kale odepchnął go ode mnie.

– Dez?

Wskazałam głową prawą stronę pokoju. Po podłodze toczyły się dwie pomarańcze.

– Ty jesteś...

– Szóstką – dokończył za niego Kale. Nie wydawał się zbytnio zaskoczony. Wziął mnie na ręce i zaniósł na sofę. Podparł mi głowę i odgarnął włosy z twarzy. – Krew ci leci. Co się stało?

Otarł mi wilgotny płyn spod nosa. Krew. To nowość.

– Nie korzystam z tej umiejętności, bo za bardzo obciąża mój organizm. Odczuwam fizyczny ból. – Nie musiałam więcej wyjaśniać.

– Wygląda na znacznie więcej niż tylko ból – powiedział Alex. – Ty krwawisz, na Boga.

– To się zdarzyło dopiero pierwszy raz. Chyba dlatego, że ostatnio robiłam to częściej niż zwykle.

Dopiero po kolejnych dziesięciu sekundach zrobiło się naprawdę gorąco.

– Co ci odwaliło, hę? – krzyczał Alex.

Kale chodził po pokoju w tę i z powrotem i pomrukiwał jak dzikie zwierzę.

– Nie ma mowy! – powtarzał. Znów strzelał palcami. Wskazujący, duży, serdeczny, mały.

Odczekałam kilka minut, aż uspokoją im się organizmy – testosteron i te rzeczy. Miałam nadzieję, że potrwa to krócej, ale w końcu usiedli z groźnymi spojrzeniami i tłumioną złością.

– Dlaczego mi nie powiedziałaś? – zapytał Alex po pięciu minutach milczenia. Schował się w kącie pokoju i ściskał fioletową piłeczkę do ćwiczeń. Ugniótł ją parę razy, a potem rzucił nią o ścianę i klapnął na sofę.

– A ty odkryłeś przede mną wszystkie swoje tajemnice, co? – Popaprany hipokryta! Odwrócił głowę z poczuciem winy.

– Nie podoba mi się to. – Kale przestał się przechadzać i oparł się o ścianę przy drzwiach. Może liczył, że w razie gdyby strzeliło mi do głowy uciekać do Denazen, zdoła mnie zatrzymać.

– Przestało być tajemnicą, że jestem Szóstką. Tata wie o moim talencie, więc nie ma już odwrotu. Wczoraj zawaliłam sprawę. Zostałam przyskrzyniona na myszkowaniu. Musiałam wyjść z czymś mocnym, bo już nigdy więcej nie miałabym wstępu do Denazen.

– To rzeczywiście mocne – rzekł Alex. – Aż za bardzo.

– Nie mogłaś po prostu uciec? Dlaczego tak się zarzynasz, żeby pomóc Ginger?

– Bo muszę odnaleźć Żniwiarza. On stanowi dla mnie jedyną szansę, żeby wyrwać stamtąd mamę.

– Nie martw się, coś wymyślimy. Na razie ukryję cię u siebie. To się może udać.

Kale zdrętwiał. Alex powiedział to w ten sposób, że nie byłam pewna, czy ma na myśli nasz związek, czy napad na Denazen. Tak czy siak ani jedno, ani drugie nie wchodziło w grę.

– Więc ty zamierzasz mi pomóc odbić mamę? Nie sądzę, żeby się udało. A co z Kalem?

– To trochę potrwa, ale znajdę sposób, aby pomóc twojej mamie. Obiecuję. A jeśli chodzi o niego... – Machnął ręką w kierunku Kale'a. – W końcu przestaną go szukać. Jedna Szóstka nie jest taka ważna.

– Dużo włożyli, żeby mnie stworzyć – powiedział Kale niskim, upiornym głosem. – Nigdy wcześniej nie mieli kogoś takiego jak ja, więc nie popuszczą. Mają ze mnie podwójny pożytek. Wykorzystują nie tylko mój dotyk, ale i moją krew.

Alex wzdrygnął się.

– Krew?

– Nie ma mnie już kilka dni. Będą chcieli mnie odzyskać za wszelką cenę. – Zwrócił się do mnie: – Bratanica tego faceta nie była naszprycowana narkotykami. Wstrzyknęli jej surowicę zrobioną między innymi z mojej krwi. Dostarczenie jej do krwiobiegu powoduje, że Szóstka staje się bezwolna. Uległa. Można nad nią łatwo panować. Pobierają mi krew często, ale w małych dawkach, bo surowica szybko się psuje.

– No to wyjedź stąd. To wydaje się najlepszym rozwiązaniem. I dla ciebie, i dla nas wszystkich.

– Nie może tak po prostu wyjechać. Nie beze mnie.

Alex tupnął nogą.

– A co? Robisz teraz za jego osobistego bodyguarda?

– Całe życie mieszkał w Denazen. Nic nie wie o prawdziwym świecie.

– Jak chcesz – mruknął Alex. – Nie zatrzymuję cię.

– To mi się uda. Wiem, że się uda. – Usiadłam na sofie obok niego.

– Widzisz, ile cię kosztuje korzystanie ze swojej umiejętności? A potrafisz sobie wyobrazić, co będzie po godzinie pracy w Denazen? Zmuszą cię do skakania jak małpkę na ulicy. To cię zabije!

– Dam sobie radę – nalegałam. Prawdę mówiąc, wcale tak nie myślałam. Najpierw muszą poddać mnie próbie. Będą chcieli, żebym pokazała, co potrafię. Ile wytrzyma mój organizm przed załamaniem?

– A jeśli poproszę cię, żebyś tam nie szła? – zapytał Kale z drugiej strony pokoju. Patrzył na Alexa.

– To nie ma znaczenia. Trzeba działać. – Wcale mi się to nie podobało, ale innego wyjścia nie było. – Chyba że masz lepszy pomysł. A jeśli nie, to ja się tym zajmę.

Milczenie.

Tak, właśnie tak myślałam.

Kale pokręcił głową.

– Większość ludzi zostaje tam zgładzona.

Zaczynało mnie wkurzać, że żaden z nich we mnie nie wierzy.

– W takim razie to dobrze, że nie jestem jak większość.

15

Podpuchniętymi oczami znów spojrzałam na zegar. Druga nad ranem. Nie powiedziałam Kale'owi wyraźnie, żeby poszedł ze mną, gdy wychodziłam od Alexa, ale zakładałam, że tak postąpi. A przynajmniej taką żywiłam nadzieję. Nadal miałam świeżo w pamięci wspomnienie jego pocałunku z ostatniej nocy. Denerwowałam się – skreślić, byłam przerażona – szybko nadchodzącym porankiem i myślałam, że obecność Kale'a ukoiłaby moje nerwy.

Właśnie miałam poddać się i zapaść w sen, gdy zwróciłam uwagę na jakiś ruch przy oknie. Zsunął się z gałęzi i bez słowa lekko zeskoczył na beżowy dywan w mojej sypialni. Spojrzeliśmy sobie w oczy i poczułam dreszcz na plecach. Nie zamierzał tracić czasu, dwoma długimi krokami przemierzył dzielący nas dystans i, zanim zdążyłam mrugnąć, przylgnął ustami do moich ust.

Jak zwykle miałam na sobie flanelowe szorty, ale zamiast topu na ramiączkach założyłam czarny, koronkowy stanik. Tym razem nie było wahania ani uderzania zębami o zęby. Dobrze wiedziałam, że byłam pierwszą dziewczyną, z którą się całował, ale musiałam przyznać, że miał do tego talent.

Gdy w końcu rozdzieliliśmy usta, żeby zaczerpnąć powietrza, uśmiechnął się delikatnie. Wyraźnie teraz przychodziło mu to z większą łatwością. Czułam w brzuchu dziwne rzeczy.

– Cześć – powiedział.

Roześmiałam się i przytuliłam do niego.

– Cześć. – Trwaliśmy w takiej pozycji dość długi czas. Kale przesuwał dłoń od mojej brody do brzucha. Czasami jeden palec, czasami grzbiet dłoni.

– Nie idź tam, proszę cię – powiedział w pewnej chwili.

– Już to przerabialiśmy. Muszę iść. To już ustalone. To jedyny sposób.

Skrzywił się, jakby właśnie wyssał cytrynę.

– Nie masz pojęcia, jacy są ci ludzie. Nie wiesz, co robią takim jak my.

Takim jak my. Szóstkom. Przez całe życie godziłam się z tym, ze coś mogę, a czegoś nie. Ale nigdy tego do końca nie wiedziałam, nigdy nie rozumiałam. Życie toczyło się od jednej imprezy do drugiej. Ciągle myślałam o tym, co wzbudzi moje podekscytowanie. O czymś, dzięki czemu poczuję, że żyję. Bo w środku czułam się pusta. Wydrążona. Resztę życia poświęcałam na poszukiwanie nowych, zabawnych sposobów wkurzenia ojca. A przez cały ten czas byli ludzie – tacy jak moja mama – którzy walczyli o wolność.

Alex miał rację. Powinnam wziąć Kale'a i uciec. Ale nie mogłabym zbyt długo żyć w taki sposób. Wiedziałam przecież, co się dzieje w Denazen. Wiedziałam, że jest tam przetrzymywana wbrew sobie moja mama.

– Kiedyś, gdy byłem młodszy, Sue pokazała mi stary film w telewizji – powiedział sennym głosem. – Był fascynujący. Grał w nim taki Fred, który dużo tańczył. Od niego sporo się nauczyłem.

Stary film?

– Masz na myśli Freda Astaire'a? Chcesz powiedzieć, że nauczyłeś się tańczyć dzięki filmowi z Fredem Astaire'em?

– No właśnie. Oglądałem, jak tańczy z tą kobietą, i trzyma ją blisko siebie. Mówił jej, że ją kocha.

Odsunął się, spojrzał na mnie przenikliwie swoimi błękitnymi oczami.

– Teraz chyba go rozumiem. Myślę, że cię kocham.

Poczułam łaskotanie w brzuchu. Ostatnio słyszałam te słowa od Alexa. Zresztą nikt inny nie mówił, że mnie kocha. Te same słowa z ust Kale'a, jakkolwiek spowodowały gorąco rozpływające się po całym ciele, mocno mnie zabolały. On nie mógł mnie kochać. On nie wiedział, czym jest miłość. Nie mógł dowiedzieć się tego z filmu.

– Wiem, że ci się tak wydaje. Ja jednak jestem pewna, że to niemożliwe. Nie teraz. Jest za wcześnie. Poza tym jestem jedyną dziewczyną, którą znasz. I jedynym żywym stworzeniem, którego możesz dotykać. To ci pomieszało w głowie. Wiem, że coś do mnie czujesz, ale to chyba nie miłość.

Można by się spodziewać, że po takiej przemowie chłopak się wkurzy. Ale nie Kale. On tylko pokręcił głową z pewną siebie miną.

– Nie rozumiem, jak to wszystko działa. Nie rozumiem ludzi ani ich motywacji. Nie wiem nawet, czy potrafię odróżnić dobro od zła. Ale nie jestem kompletnym ciemniakiem. Potrafię dostrzec różnice. Alexa lubię, nawet jeśli coś w środku – wskazał na swoją klatkę piersiową – podpowiada mi, że nie powinienem. Ale jak pomyślę, że miałby zrobić to, co ty zamierzasz, to nie czuję strachu. Nie mam mdłości.

Cofnął się z pochmurną miną.

– A jak pomyślę, że ty masz pójść do Denazen, to w mojej głowie dzieją się dziwne rzeczy. W piersiach czuję ból. Zupełnie, jakbym miał kłopoty z oddychaniem. A jak pomyślę o tym, co mi robili, chce mi się wyć.

Wyciągnął do mnie rękę i uniósł moją głowę. Patrzyłam na niego.

– Myśląc o Alexie, nie czuję tego. Nie czułem tego nawet w przypadku Sue. Gdybym miał wybierać, kogo mógłbym dotykać, to i tak wybrałbym ciebie.

– Kale, ja...

Położył mi dłoń na ustach i szerzej otworzył oczy. Bez słowa zeskoczył z łóżka i tym samym płynnym ruchem wyskoczył przez okno. Ninja. Prawdziwy ninja! Wygramoliłam się z łóżka w chwili, gdy biegł bez koszuli przez trawnik. Chwilę później poruszyła się klamka i tata zawołał, żebym go wpuściła.

Narzuciłam na siebie koszulę, która leżała najbliżej – czyli Kale'a – i podeszłam do drzwi.

– Co, do cholery... – Ojciec i jego dwaj goryle z Denazen bez ceregieli odsunęli mnie na bok i wpadli do pokoju. – Czy są powody, dla których ty możesz przyprowadzać facetów do mojego pokoju, a ja nie?

– Niedawno w tej okolicy namierzono 98 – powiedział. – Czy nie zakazałem ci zamykania drzwi na klucz?

– A czy nie odpowiedziałam ci, że nie mam zamiaru zostawiać ich otwartych? – Skinęłam na facetów, których sprowadził. – I nie zamierzam zmieniać tej zasady, jeśli planujesz w środku nocy ściągać do domu jakichś dziwnych typów.

– Nikogo tu nie było? – zapytał jeden z nich.

– Właściwie to chowam w szafie drużynę piłkarską, ale to moja sprawa.

Popatrzył na mnie z wytrzeszczonymi oczami.

– Nie. A teraz wynocha z mojego pokoju.

Drugi z nich podszedł do szafy i otworzył drzwi. Jezu, pomyślał, że ja mówię poważnie? Pochylił się do środka i nerwowym ruchem zgarnął wszystkie wieszaki na bok. Zadowoleni, że nikogo nie znaleźli, ruszyli do wyjścia. Tata odwrócił się na progu i powiedział:

– Prześpij się. Czeka cię ciężki dzień.

§

Poranek nadszedł zbyt szybko. Po najściu ojca i jego siepaczy nie mogłam zasnąć. Czekałam, aż Kale powróci, ale już się nie zjawił. I pewnie dobrze zrobił. Jak znam ojca, to zapewne kazał obserwować dom.

Wzięłam prysznic, ubrałam się, uczesałam włosy i zeszłam po schodach. Tata jak zwykle siedział przy stole z kawą i gazetą. Uniosłam ręce i zrobiłam obrót.

– Dobrze wyglądam? – Założyłam swój ulubiony czarny top i nowe, obcisłe dżinsy Forever 21. Na przedramionach miałam znienawidzone przez niego skórzane bransoletki.

Popatrzył na mnie, wstał i odchrząknął.

– Obawiam się, że będziemy musieli skorygować plany na dzisiaj. Jestem pewien, że zrozumiesz.

– Co zrozumiem? – Sięgnęłam po dzbanek z kawą i nalałam sobie resztkę do kubka z myszka Mickey.

– Zaczniesz pracować w Denazen od jutra. Dzisiaj szykuje się ciężki dzień.

Wsunęłam się na fotel, z którego właśnie wstał.

– A co? Namierzyliście nowego złoczyńcę?

– W nocy złapano dziewięćdziesiąt osiem – powiedział, obserwując moją reakcję. – Ledwie przecznicę stąd.

W ustach mi zaschło. Sahara to mały pikuś przy tym, jak się czułam. To musi być jakaś próba. Może ojciec chce sprawdzić, czy nie kłamałam, mówiąc o chęci zemsty na Kalem.

Zbyt długo zwlekałam. Ojciec zmarszczył czoło, kącik ust drgnął w charakterystyczny sposób. Zorientował się, że coś jest nie tak.

– Myślałem, że uznasz to za dobrą wiadomość.

– Nie, ja... – Pokręciłam głową. – To dobra wiadomość. Tylko nie chce mi się wierzyć, że dotarł tak blisko. Przecznica stąd? Myślisz, że szedł tutaj?

Ojciec złożył gazetę i odłożył na stół.

– Przypuszczam, że tak.

– Chcę go zobaczyć – powiedziałam i wstałam. – Chcę popatrzeć na minę tego łajdaka.

– Nie ma takiej możliwości. Ze względów bezpieczeństwa do czasu podjęcia decyzji, co z nim zrobić, został umieszczony na poziomie dziewiątym.

– A co tam jest? – Byłam z siebie dumna. Udało mi się zachować spokój w głosie. Przynajmniej przez większość czasu.

– Oddział przejściowy przed likwidacją.

16

Klatka schodowa prowadząca do mieszkania Alexa cuchnęła jeszcze bardziej niż poprzednio – o ile to w ogóle możliwe. Zatykając nos przed potwornym smrodem, wchodziłam po dwa stopnie naraz. Na drugim piętrze potknęłam się o człowieka śpiącego w poprzek podłogi.

– Cholera, sorry. – Pochyliłam się sprawdzić, co z nim, a on odwrócił się prawie na moje buty. – Okej, miłego kaca.

Dwie minuty później stałam pod drzwiami Alexa i waliłam w nie jak szalona. Nie znałam jego obecnego rozkładu dnia, ale było dopiero chwilę po dziesiątej rano. Dla Alexa znanego mi sprzed roku byłaby to szósta. Miałam nadzieję, że zastanę go, zanim wyjdzie do klubu bilardowego, albo gdzie on tam się ostatnio szlaja.

Drzwi otworzyły się i ujrzałam Alexa bez koszuli, w czarnych bokserkach. Włosy miał potargane, oczy podpuchnięte. Widać, że dopiero się obudził. Na jego twarzy malował się niepokój i dopiero później zorientował się, kto go odwiedził.

– Dez?

Odepchnęłam go na bok i weszłam do środka.

– Powiedz, że Kale jest u ciebie.

– Deja vu, Dez. Wczoraj przerabialiśmy chyba to samo, nie? – Nie był specjalnie zadowolony.

172

Wzruszył ramionami i poszedł położyć się na sofie.

– Prawie całą noc byłem w mieście na imprezie. Proponowałem, żeby poszedł ze mną, ale nie chciał. Wróciłem do domu chwilę po czwartej, zmęczony i trochę wstawiony. Nie patrzyłem, czy jest. Zgodziłem się go przechować, ale nie jestem jego niańką.

– Ojciec powiedział, że w nocy go złapali.

Lekko wzruszył ramionami.

– Tak to już bywa.

Wymierzyłam mu mocny policzek. Nigdy nikogo w ten sposób jeszcze nie uderzyłam. Z pięści – owszem. Ale z liścia? Nie. I ewidentnie coś sknociłam, bo dłoń paliła mnie jak ogniem. – Au!

Alex pomasował sobie policzek, na jego ustach zamajaczył uśmieszek.

– Dobry forehand. – Wstał z sofy. – Słuchaj, przykro mi, że go dorwali. Naprawdę. Ale jeśli chodzi o Denazen, to każdy jest zdany sam na siebie.

Nie przyjmowałam tego do wiadomości.

– Musisz mi pomóc.

– W czym?

– W wydostaniu go! Przecież go zabiją. Ojciec powiedział to niemal dosłownie. Chodź, będziemy działać w tajemnicy. We dwójkę szybciej zdobędziemy informacje. Może uda nam się uwolnić Kale'a i moją mamę bez pomocy Żniwiarza.

Zrobił krok do przodu i wziął mnie za rękę.

– Wiem, że trochę przywiązałaś się do tego gościa, ale musisz sobie odpuścić.

Zabrałam rękę i ruszyłam do wyjścia. Naprawdę jest taki nieczuły?

173

– Zawsze musisz być takim gnojkiem? Przez cały czas, gdy byliśmy ze sobą, byłeś pieprzonym egoistą!

Trafiłam w czuły punkt. Alex trzema krokami przemierzył pokój i przyszpilił mnie przy drzwiach.

– Denazen wymordowała mi całą rodzinę. Najpierw zabili moich rodziców. Wzięła mnie babcia, a wtedy Denazen przyszła po nią. Poświęciła życie, żeby uratować moją wolność. – Trzymał ręce na moich biodrach. – Dlaczego miałbym pchać się tam z własnej woli?

– Żeby mi pomóc – powiedziałam cicho.

Przez minutę wydawało mi się, że zaraz zacznie wyć. Miał czerwoną twarz, skrzywioną minę i zaciśnięte usta. Jednak po chwili się rozluźnił. Jego uścisk zelżał. Odwrócił mnie i skierował do drzwi.

– Spadaj stąd!

§

Następnego dnia jazda samochodem do Denazen minęła jak z bicza strzelił. Wcześniej od połowy nocy zaczęły mnie ogarniać poważne obawy. Kale był uwięziony, Alex nie chciał mi pomóc, a Brandt z jakichś powodów nie odbierał komórki. Podejmując decyzję o infiltracji Denazen i odnalezieniu informacji, w zamian za które Ginger miała nam pomóc, byłam przepełniona entuzjazmem. Bonusem miało być zagranie ojcu na nosie. Jednak gdy bezskutecznie próbowałam zasnąć, cała byłam spięta. Nie mogłam zapomnieć złości bijącej z zimnych oczu Alexa, gdy kazał mi się wynosić. Słysząc mroźny ton jego głosu, zrozumiałam, że jestem sama. Jeśli coś pójdzie nie tak, nie mogę liczyć na niczyją pomoc. Czy naprawdę powinnam się na to porywać? Miałam swoje atuty, ale stawałam do walki z potężnym przeciwnikiem. Nie mogłam oprzeć się wrażeniu, że ruszam do gry w nieswojej lidze.

Ojciec wjechał na zarezerwowane dla niego miejsce parkingowe i bez słowa otworzył drzwi. Weszłam za nim do budynku i stanęliśmy przy drzwiach do windy. Odezwał się, gdy zamknęły się za nami i zaczęły się otwierać drzwi do prawdziwej windy.

– Zanim przejdziemy dalej, muszę się upewnić, że dobrze wszystko rozumiesz. To nie żarty, to nie zabawa.

Stał i patrzył na mnie. Po chwili zrozumiałem, że czeka na potwierdzenie. Skinęłam głową.

– Denazen traktuje te szkolenia bardzo poważnie. Będziesz musiała robić rzeczy, których nie chcesz. Rzeczy nieprzyjemne. Wszystko to dla wyższego dobra.

Wyższego dobra? Czy on naprawdę próbuje wciskać mi kity o wzniosłości swojego procederu?

– Nie można się wycofać. Jak zaczniesz, nie ma odwrotu. Rozumiesz mnie?

Winda się zatrzymała, a gdy rozsuwały się drzwi, nerwowo zachichotałam. Chyba wynikało z tego, że bycie córką szefa niczego nie ułatwi.

– To zupełnie jak w mafii, nie?

Ojciec zachował poważną minę.

– Wiem, że nie będzie łatwo – mówiłam. – Ale i tak warto.

Znów skinął głową i wysiadł z windy. Poszłam za nim. Wpisywał się do zeszytu, a Hannah śledziła słodkimi oczami każdy jego ruch. Kiedy skończył, przesunęła zeszyt w moją stronę. Teraz ja też miałam się podpisać. Ojciec nie zamienił z nią ani słowa, tylko przeszliśmy do kolejnej windy.

– Cały dzień będziesz na poziomie szóstym z Mercy, która przyjmuje nasze nowe nabytki. Przepyta cię o wszystko i wszystko wyjaśni.

– Przepyta? Myślałam, że już mam tę pracę. – Zabrzmiało to zabawnie, bo właściwie nie wiedziałam, co to za praca. Powiedziałam, że chcę pracować dla Denazen, ale przecież nie mówiłam, co chcę robić. Ani za jakie pieniądze.

– To nie będzie rozmowa kwalifikacyjna. W pierwszym roku wszyscy pracownicy co miesiąc wzywani są na takie rozmowy, abyśmy mogli się upewnić, że nie ma jakichś kłopotów.

Nie zapytałam, o jakie może chodzić kłopoty. Moja wyobraźnia co chwila podsuwała nowe obrazy, a skurcz w żołądku nasilał się z każdą minutą.

Dotarliśmy na szósty poziom i otworzyły się drzwi. Po wyjściu z windy i w drodze przez takie samo pomieszczenie jak na poziomie piątym żadne z nas nic nie mówiło. Przy dużym, marmurowym, umieszczonym na środku kontuarze stała wysoka czarnoskóra kobieta w towarzystwie niskiego białego mężczyzny.

– Dzień dobry, Nika. – Później tata zwrócił się do mężczyzny. – Peter, to nowy nabytek Denazen. – Wskazał na mnie. – Chciałbym, aby cały dzień spędziła z Mercy.

Nika z pozbawioną wyrazu miną pokiwała głową. Sięgnęła po telefon, odwróciła się od nas i powiedziała po cichu kilka słów do słuchawki.

Peter natomiast nie tracił czujności. Szeroko otwartymi oczami oceniał mnie od piersi w dół. Przesunął język po wargach jak jaszczurka i pochylił się do przodu.

– A do czego ty masz talent, dziecino?

Posłałam mu złośliwy uśmiech.

– Do kopania w dupę. Chcesz zobaczyć?

Wyprostował się i wesoło zwrócił się do ojca:

– Twarda sztuka. Skąd ją wytrzasnąłeś?

– Peter, ona nie jest dla ciebie. Deznee to moja córka. – Mówił to stanowczym, chłodnym głosem, jednak zupełnie innym niż ojciec stający w obronie córki. Była w nim raczej dziwna zaborczość. Jakby mówił o nowej zabawce, którą wkrótce ma wypróbować i nie może się doczekać. Zabawce, której nie zamierza nikomu pożyczać.

Peter pobladł, jego oczy przybrały niewiarygodny rozmiar.

– Pańska córka?

– Przecież powiedziałem – warknął ojciec. Peter spojrzał na mnie i odwrócił głowę. Zajął się stertą dokumentów po drugiej stronie kontuaru.

Chwilę później Nika skończyła rozmawiać i ostrożnie na mnie popatrzyła.

– Mercy zaraz zejdzie i ją zabierze. – Mówiła z akcentem, którego nie umiałam określić. Coś pomiędzy australijskim a brytyjskim. Chciałam zapytać, skąd pochodzi, ale doszłam do wniosku, że to nie pasuje do wizerunku, który chcę stworzyć. Aby przetrwać w tym miejscu, musiałam być chłodna i zdystansowana.

Uznałam, że powinnam traktować Denazen jak więzienie. Jeśli będę zgrywać twardą, to może nikt mnie nie będzie gnębił. Zauważyłam, że gdy ojciec nie patrzy, Peter przygląda mi się lubieżnym wzrokiem.

Odeszliśmy od kontuaru i w kącie czekaliśmy na Mercy.

– Poleciłem Mercy, aby traktowała cię tak samo jak każdą nową przychodzącą do nas osobę. Będzie zadawała ci takie same pytania i oczekiwała takich samych odpowiedzi. Masz mówić prawdę, bo ona potrafi rozpoznać kłamstwo.

Wyciągnął rękę i mocno chwycił mnie za ramię. Czułam, że zostanie mi siniak. Odruchowo chciałam się wyrwać, ale po chwili zastanowienia zrezygnowałam. Tutaj to byłoby pewnie nie do przyjęcia. Nie byłam już jego córką. Nie mogłam puścić focha ani pokazać mu środkowego palca. Patrzył na mnie z satysfakcją. W końcu byłam w miejscu, które miał pod kontrolą. Rozkoszował się tą chwilą. Widziałam to w jego oczach.

– Denazen to specyficzne miejsce. Aby dać sobie radę, trzeba przede wszystkim być posłusznym.

17

Mercy była bardzo drobną kobietą o zielonych, pozbawionych wyrazu oczach i brązowych włosach upiętych w ciasny kok, który w żaden sposób nie wpływał na kształt jej twarzy. Nosiła pomięte, beżowe spodnie i za ciasną niebieską bluzkę, która opinała jej ramiona. Często wiele można powiedzieć o człowieku na podstawie tego, co na siebie ubiera i jak to nosi. Pod tym względem Mercy wypadała tragicznie.

Na pierwszy rzut oka było widać, że jest nijaka i bezwolna. Założyłabym się o nową parę kozaczków – czarnych, zamszowych – że mówi cichym, łamiącymi się głosem. Lekko się garbiła, w dłoni bawiła się piórem – kierowała skuwkę raz do siebie, raz od siebie. Na koniec, gdy już myślałam, że gorzej być nie może, przygryzła dolną wargę. Nienawidzę tego.

Łatwo sobie z nią poradzę. Ktoś taki jak ja bez trudu zjada ją na śniadanie.

– Usiądź – powiedziała ostro, wskazując pojedyncze krzesło w rogu pokoju.

Cholera, chyba się pomyliłam.

Mercy usiadła z drugiej strony za długim, białym biurkiem i wyciągnęła z szuflady duży notatnik.

– Nazywam się Mercy Kline. W imieniu Denazen przesłuchuję nowych. Dostaniesz serię pytań. Radzę odpowiadać szczerze i szybko. Będziemy...

– Jakich pytań?

Łypnęła na mnie znad kartki.

– Słucham?

Nie pytałam o nic skomplikowanego.

– Jakie dostanę pytania? – powtórzyłam wolniej. – A skoro już o tym mowa, to co ja miałabym tu robić? Polować na Szóstki? Pracować w bufecie? Nikt nawet pary z gęby nie puścił na ten temat.

Na jej twarzy zaskoczenie ustąpiło miejsca władczości.

– Może pan Cross nie wyraził się jasno. – Pochyliła się do przodu. Z trzaskiem zamknęła szufladę. – Ty masz tu odpowiadać na pytania. A nie zadawać. Jasne?

Skinęłam głową.

– Proszę podać pełne imię i nazwisko – powiedziała udobruchana.

– Deznee Kaye Cross.

– Wiek, data urodzenia.

– Siedemnaście. Pierwszy lutego 1993.

– Imiona i wiek rodziców.

– Poważnie? Przecież dobrze wiesz...

Spojrzała na mnie znad notesu. Jej spojrzenie ugodziło mnie z taką siłą jak ciężarówka spadająca z nieba.

– Imiona i wiek rodziców – powtórzyła.

– Moja mama nazywa się Sueshanna. Nie znam jej wieku. – Gdy to mówiłam, starałam się panować nad głosem. Tak dobierałam słowa, aby nie mówić o mamie jak o kimś nieżyjącym. Jeśli naprawdę potrafi rozpoznawać kłamstwo, to od razu wykryłaby, że wiem, że mama żyje. Chciałam obejść ten temat. – Ojciec nazywa się Marshall Cross i ma czterdzieści pięć lat.

– Stan cywilny – Z jej głosu bił chłód porównywalny z powiewem arktycznego powietrza.

– Jeśli masz na myśli mnie, to nie jesteś w moim typie. A jeśli chodzi ci o ojca, to jest singlem, ale raczej też nie jesteś w jego typie. – Uśmiechnęłam się leciutko. Mercy nie wyglądała na rozbawioną. Na jej czole zaczęła pulsować jak szalona mała, niebieska żyłka.

Widok jej złości tylko mnie rozochocił.

– Właściwie to nawet nie wiem, kto jest w jego typie. Nigdy nie widziałam go z kobietą. Z przykrością muszę ci się zwierzyć, że istnieje duże prawdopodobieństwo, iż mój ojciec jest gejem.

– Deznee...

– Mów mi Dez – poprawiłam ją. Tylko ojciec nazywał mnie Deznee i nienawidziłam tego.

– Deznee – powtórzyła. – Ojciec ostrzegał mnie przed tobą. Tobie też na pewno mówił, że nie będziesz miała żadnej taryfy ulgowej ze względu na powiązania rodzinne.

– A co dokładnie mówił?

Po mruganiu oczami poznałam, że nie zrozumiała.

– Mówiłaś, że ostrzegał cię przede mną. Pytam, co mówił.

Odsłoniła w uśmiechu zęby.

– Że jesteś rozpuszczoną bździągwą, której potrzeba ostrej dyscypliny i mamy trzymać cię krótko.

– Ooo.

– Idziemy dalej. – Znów pochyliła się nad biurkiem. – Stan cywilny?

– Panna.

– Orientacja seksualna?

Już prawie zapytałam, czy przystawia się do mnie, ale przypomniałam sobie poprzednią wymianę zdań i zrezygnowałam.

– Normalna.

– Heteroseksualna.

– Co?

– Prawidłowa odpowiedź brzmi: heteroseksualna.

Nic nie powiedziałam, chociaż chodziło mi po głowie mnóstwo myśli.

– Alergie?

Na głupotę. Muzykę country. Kłamców. I chyba także na skorupiaki.

– O żadnych nie wiem.

– Ilu miałaś partnerów seksualnych?

Popatrzyłam na nią z oburzeniem.

– A skąd wiesz, że nie jestem dziewicą?

Pochyliła głowę i – przysięgam – przewróciła oczami.

– Jednego – powiedziałam niechętnie. Te bzdury nie miały nic do rzeczy i to zupełnie nie jej sprawa.

Znów spojrzała na mnie i dojrzałam w jej oczach coś w rodzaju niedowierzania.

– Jesteś chodzącym wykrywaczem kłamstw? – Zabrzmiało to nieco kłótliwie.

– A tak, wiem, że mówisz prawdę. Tylko jestem trochę zaskoczona.

Uniosłam brwi, ale nie odezwałam się.

– Z ze słów twojego ojca można było wnioskować, że jesteś rozpustnicą.

– Rozpustnicą? Już nikt tak nie mówi. Chodziło ci chyba o słowo „dziwka". Albo „kurwa". „Puszczalska" chyba też ujdzie. – Powtarzałam sobie, że ona tylko szuka u mnie jakiegoś czułego punktu, jakiejś szpary w zbroi. Mimo to dotknęło mnie, że ojciec powiedział jej, że jestem dziwką.

Otrząsnęłam się i nadal grałam twardą. Nie dałam jej satysfakcji i nie okazałam, że to mnie ruszyło.

– Lubię się zgrywać. Fajnie wyrwać gościa, a potem spławić go uprzejmym „jeszcze nie jestem gotowa". Kumasz, nie? – Odchyliłam się na krześle i dołożyłam do pieca: – Chociaż... może i nie kumasz.

– Imię.

– To już chyba było. Deznee...

– Tego chłopaka.

Shit. Chcą znać jego nazwisko? Nie miałam wyboru, musiałam odpowiedzieć. A kłamstwo od razu by wykryła.

– Alex – powiedziałam z nadzieją, że nie zapyta o nazwisko. Chociaż za bardzo się nie łudziłam.

– Jaki Alex?

Zaczynałam tracić poczucie humoru.

– Mojourn. – Musiałam zmobilizować całe zasoby swojej samokontroli, żeby na nią nie krzyknąć.

Zanotowała coś na kartce.

– A inni? Imiona i nazwiska.

– Przecież mówiłam, że był tylko jeden.

– Z iloma wchodziłaś w relacje półintymne?

– Półintymne? A co to, cholera, ma znaczyć?

– To, że masz podać imiona i nazwiska tych, z którymi się... migdaliłaś.

– Chyba sobie jaja robisz.

Usiadła wyprostowana. Pukała piórem w krawędź biurka.

– Jakiś problem, Deznee?

– W istocie, *Mercy*! – wstałam. – Nie jestem w stanie przypomnieć sobie tych wszystkich imion i szczerze mówiąc, nie wiem, co to ma do rzeczy. Bycie Szóstką jest zaraźliwe? Boicie się, że roznoszę jakąś chorobę?

– No dobrze – powiedziała spokojnie. – Wystarczy, jeśli podasz personalia trzech ostatnich.

Westchnęłam.

– Joe Lakes, Max Demore i... – Fuck! I co dalej? Nie mogłam odpowiedzieć szczerze, bo bym się pogrążyła i cała moja historia o szukaniu zemsty okazałaby się nieprawdziwa. A nie mogłam skłamać.

I wtedy mnie olśniło. Przecież właściwie nie wiem, jak Kale *faktycznie* się nazywa.

– Nie wiem, jak ten trzeci się nazywał.

Badała mnie czujnym wzrokiem. Patrzyła prosto w oczy. Miałam ochotę wejść pod krzesło. Dawno niczyje spojrzenie tak na mnie nie działało.

– Jak daleko się posunęliście?

– Słucham?

– Jak daleko posunęliście się z tym anonimowym chłopakiem?

Wzięłam głęboki oddech.

– Z całym szacunkiem, ale jaki to ma związek z moją pracą w tej firmie?

– Jak daleko się posunęliście? – powtórzyła spokojnie.

Wstałam z zaciśniętymi pięściami.

– Jak daleko? Byliśmy w łóżku. – Mówiłam niskim, chrypiącym głosem. – Dotykał mnie wszędzie. Wsuwał dłonie pod ubranie. Gładził moje włosy. A świadomość, że na dole jest mój ojciec, dodatkowo mnie podniecała...

Mercy wstała.

– Zróbmy chwilę przerwy od tych pytań. – Obeszła biurko dokoła i oparła się o krawędź blatu. – Porozmawiajmy o Denazen.

– Okej.

– Tutaj, w Denazen, ważne jest dla nas całe twoje życie. Ze względu na wysoce... newralgiczny charakter pracy, musimy dokładnie znać swoich pracowników. I tych pracujących w firmie, i tych spoza niej. W tym celu zadajemy trudne, a nawet niewygodne pytania. Powinnaś też wiedzieć, to ważne w twoim przypadku, że Denazen wyznaje zasadę „zero tolerancji".

– Co to oznacza?

Zadrżała jej warga. Gdybym nie wpatrywała się uważnie, nie zauważyłabym tego.

– To oznacza, że nie tolerujemy tu takich jak ty rozbestwionych smarkul.

Zareagowałam może trochę impulsywnie. Okej, zbyt impulsywnie. Ale od czasów przedszkolnych nikt tak do mnie nie mówił i nie zamierzałam tego zmieniać.

– Wal się!

Podeszłam do drzwi i nacisnęłam klamkę.

Nic się nie stało.

Nacisnęłam jeszcze raz i pociągnęłam. Znów nic.

– Co jest, do diabła?

Mercy chrząknęła. Odwróciłam się i ujrzałam w jej dłoni mały, srebrny kluczyk. A na jej twarzy pełen złośliwej satysfakcji uśmiech.

– Wracaj na swoje miejsce i odpowiedz na ostatnie pytanie. Tylko bez dramatyzowania. Jak daleko posunęliście się z tym chłopakiem?

Chciałam, żeby to wszystko było nieprawdą. Zanim się poddałam, jeszcze raz nacisnęłam klamkę. Wszystko było prawdą. Ojciec więził tu moja mamę, więc dlaczego ze mną miałoby być inaczej?

– Twierdzisz zatem, że jestem pozbawiona wolności? – Zajęłam swoje miejsce i spojrzałam jej prosto w oczy. Nie okazywać strachu.

– Bynajmniej.

Uniosłam brwi i spojrzałam na drzwi.

– Wiem, jak to musi wyglądać z twojej perspektywy. Gdyby ktoś inny postąpił tak, jak ty... – Wyjęła małe czarne pudełko z kilkoma czerwonymi, groźnie wyglądającymi przyciskami, i wskazała na podłogę. – ...wiłby się w konwulsjach na tej podłodze.

Dopiero teraz zauważyłam ledwie widoczne druciki pomiędzy ceramicznymi płytkami.

– Zdaje się, że ojciec zabronił traktowania mnie w sposób szczególny. – Zawiesiłam nogi na oparciu krzesła, żeby nie dotykały podłoża.

Wstała i wygładziła pogniecione spodnie. Wyglądała teraz na bardziej rozluźnioną.

– Tak, jeśli chodzi o pracę, to Marshall czasami posuwa się za daleko.

Znów spojrzałam na drzwi.

– Nie powiesz mu?

– Możemy kontynuować? Twój ojciec nie musi o tym wiedzieć.

Westchnęłam i ponieważ nie widziałam żadnego innego wyjścia, dokładnie opowiedziałam jej o swoim anonimowym chłopaku.

18

Ojciec podwiózł mnie do domu i na szczęście wrócił do pracy. Jak tylko samochód zniknął z pola widzenia, pognałam do magazynu. To było ryzykowne posunięcie, ale musiałam coś zrobić. Ginger postawiła sprawę jasno: pomoc za listę. Ale ponieważ Kale został schwytany, a Alex odmówił pomocy, liczyłam, że Ginger zrobi wyjątek. Da mi jakieś wsparcie, coś podpowie, cokolwiek. Nie miałam do kogo się zwrócić. Oczywiście magazyn był pusty. Została tylko jedna szansa. Ogłoszenia na Craigslist. Może jeszcze nie było za późno, aby dowiedzieć się, gdzie dzisiaj będzie impreza.

Za ostatnie pieniądze wróciłam autobusem do miasta. Z jednej strony siedzenie było brudne i musiałam trzymać się prawej strony, żeby nie dotknąć podejrzanej plamy. A facet siedzący naprzeciwko mnie śmierdział jak stary ser.

Przede mną jakaś kobieta kłóciła się przez telefon z kimś o imieniu Hank. Co chwila wymachiwała rękami i przeklinała. Było to nieprzyjemne, ale dzięki temu nie musiałam pytać jej – ani faceta śmierdzącego serem – o godzinę. Widziałam na jej zegarku, że jest za piętnaście dziesiąta. Co gorsza, trafiłam na jedynego kierowcę w okolicy, który przestrzegał ograniczeń prędkości i zatrzymywał się na każdym przystanku, chociaż w autobusie były tylko trzy osoby.

Wysiadłam na miejskim rynku i zanim przeszłam przez las do domu, zrobiło się wpół do dwunastej. Do zdjęcia ogłoszenia pozostało zaledwie pół godziny.

Włączenie mojego przedpotopowego komputera trwało całą wieczność. Wyjęłam z szuflady torebkę cukierków, weszłam na Craigslist i zabrałam się do pracy. Odszukanie właściwego ogłoszenia okazało się trudniejsze niż przypuszczałam. Wiele było dziwacznych tekstów. Do północy odpowiedziałam na cztery ogłoszenia: o lekcjach tańca brzucha, o nauce prawidłowego kąpania psa, o uczeniu chomików *zdumiewających* sztuczek i na ogłoszenie kobiety twierdzącej, że „i ty możesz dokonać zemsty za złamanie serca".

Okej, to ostatnie wybrałam głównie z uwagi na siebie.

Godzinę później, po kilku innych ciekawych telefonach, dałam za wygraną.

Zadzwoniłam jeszcze raz do Brandta, znów nie odebrał, więc zostawiłam na poczcie głosowej niezbyt uprzejmą wiadomość. Zaczynało być śmiesznie. Ostatnio obraził się na mnie w szóstej klasie, gdy pocałowałam jego najlepszego kumpla, Davida Fenringa.

Zasnęłam, ale nie był to sen relaksujący. Całą noc miałam koszmary. A właściwie jeden koszmar. Straszny, dziwaczny, przerażający i upiorny, nawet Clive Barker się chował.

Znów byłam na imprezie na polu, na tej samej, po której spotkałam Kale'a. Tańczyliśmy. On był bez koszuli, miał na sobie tylko wypłowiałe dżinsy, a na szyi coś, co przypominało psią kolczatkę. Nie było źle. To był nawet ciekawy widok.

Wszystko układało się dobrze. Kołysaliśmy się do miarowego rytmu, niebezpiecznie blisko siebie. Kale objął mnie w talii. Pochylił się, żeby mnie pocałować, lecz nagle został pociągnięty do tyłu. Spojrzałam mu przez ramię i w tłumie ludzi tańczących na prowizorycznym parkiecie ujrzałam ojca z długą smyczą w ręku. Pociągnął jeszcze raz i zwiększył się dystans między mną a Kalem.

„Powinnaś go zostawić", usłyszałam za sobą czyjś głos. „Powinnaś wszystko to przewidzieć".

Oderwałam oczy od ojca, odwróciłam się i zobaczyłam Brandta w ulubionych dżinsach i podkoszulku z napisem *Milford Ink*. Stał z rękami na piersiach, miał potargane włosy i wyglądał nie najlepiej. Na widok jego miny poczułam skurcz w żołądku. Szczęka zaciśnięta ze złości plus dziwny, niemal przerażający błysk w oczach – nieobecnych, a jednocześnie pełnych gniewu.

Mimo ciemności wiedziałam, że coś się stało. Nie chodziło tylko o wyraz twarzy... Było u niego jeszcze wiele rzeczy przyprawiających o gęsią skórkę. Skóra wydawała się zbyt blada, oczy zbyt puste. Nawet postawa z lekkim przechyleniem na lewą stronę sugerowała jakieś kłopoty. Nie miał ze sobą deskorolki. Już samo to budziło niepokój.

„Powinnaś temu zapobiec", powtórzył z jadem w głosie. Znałam ten ton, ale nigdy nie mówił nim do mnie. Odchylił podkoszulek i pokazał paskudną czerwono-niebieską ranę na szyi. Między czarnymi strupami pełzały robaki. Zrobiłam krok do tyłu, powstrzymując się od zwymiotowania.

Próbowałam odszukać w tłumie Kale'a, ale coś od tyłu mnie pociągnęło i upadłam na ziemię. Zanim zorientowałam się, co to było, byłam już wleczona po błocie. Spojrzałam w górę i ujrzałam ojca z drugą smyczą. Ta była przymocowana do kolczatki na mojej szyi.

Z przerażeniem zaczęłam oglądać się za kimś, kto mógłby mi pomóc. Alex stał z rękami na plecach i wyglądał jak ogarnięty apatią. Obok niego na granatowym szezlongu siedziała Ginger. Miała sukienkę wyszywaną srebrnymi cekinami i z plastikowego kubka popijała coś, co przypominało koktajl owocowy.

Ojciec ciągnął mnie po ziemi, a ja krzyczałam: „Alex, zrób coś, błagam!"

Ale on mnie ignorował.

Próbowałam wyrwać się ojcu. Bezskutecznie. Wydawało się, że ma siłę dziesięciu mężczyzn.

„Ginger!"

Uśmiechnęła się tylko, po brodzie spłynął jej koktajl owocowy.

Ojciec trzymał mnie za gardło, patrzyliśmy sobie w oczy.

– Powinnaś odpuścić, Deznee.

Odwrócił się i skinął w stronę tłumu.

Popatrzyłam tam, gdzie on, i ujrzałam Kale'a z szeroko rozłożonymi rękami. Końcem palców dotykał po kolei moich znajomych, którzy kurczyli się na moich oczach, rozpadali w pył i opadali na ziemię. Trwało to zaledwie sekundy. Mrugnęłam i było po wszystkim. Muzyka nadal pulsowała, a impreza zamieniła się w pobojowisko.

Kale zbliżał się powoli, nadal był na smyczy mojego ojca. Zatrzymał się przede mną i milczał.

– Kale?

Położył dłoń na moim karku, a potem powoli przesuwał ją po plecach aż do pośladków. Właśnie pozabijał moich przyjaciół. Obok stał i obserwował nas ojciec. Alex patrzył zimnymi, nieobecnymi oczami.

191

Dla mnie to nie miało znaczenia. Kale, jego bliskość i jego dotyk były dla mnie wszystkim. Byłam uzależniona.

– Powinnaś sobie odpuścić – szepnął, pochylił się i zbliżył wargi do moich ust.

Byłam podekscytowana jak przy pierwszym pocałunku. Ale wkrótce to się zmieniło i na całym ciele, od stóp do głowy, poczułam kłucie i swędzenie. Odsunęłam się od Kale'a, który słodko się uśmiechał. Spojrzał na moje dłonie, serce szybciej mi zabiło. Moja skóra zaczęła blednąć, potem szarzeć, aż w końcu kurczyć jak owoc na słońcu. Dłonie pękały od koniuszków palców w stronę nadgarstków. Potem całe ręce. Włosy z głowy spadły na ziemię, kurz pokrył źdźbła trawy.

A potem nic.

Obudziłam się zlana potem, łapczywie wdychałam powietrze. Ledwie uspokoiłam oddech, od strony drzwi usłyszałam pukanie.

– Wychodzimy za dwadzieścia minut – ostrym, chłodnym głosem oznajmił ojciec.

§

– Opowiedz o swoim darze – poprosił tęgi mężczyzna, który właśnie wszedł do pokoju. Żadnego „dzień dobry", żadnego „nazywam się..." Ci ludzie mieli obsesję.

– Co dokładnie chcesz wiedzieć? – zapytałam, opierając się o ścianę. Zaraz po wejściu obejrzałam podłogę. Nie znalazłam żadnych kabelków.

– Zacznij od tego, co to jest.

– Potrafię... eee... zmieniać różne rzeczy.

– Uściślij, co znaczy zmieniać rzeczy.

– Potrafię kopiować. Zmieniam jedną rzecz tak, aby wyglądała jak inna. Pod warunkiem, że mają zbliżone rozmiary i dotykam ich obu.

Mężczyzna rozglądał się chwilę, a później sięgnął do kieszeni. Wyjął ołówek i długopis.

– Pokaż.

Wzięłam je od niego. To kolejny powód, dla którego trzymałam swój dar w tajemnicy. Wkurzałoby mnie, gdyby kazano mi popisywać się jak jarmarcznej małpce. Zamknęłam oczy i ścisnęłam ołówek oraz długopis. Ból pojawił się szybko i był ostry, wciskał mi głowę w ramiona. Gdy uniosłam powieki, trzymałam dwa długopisy. Tamten facet wziął je ode mnie i każdym z nich narysował sobie kreskę na ręce.

– Prawdziwe. I naprawdę piszą.

Wzruszyłam ramionami.

– Pewnie, że piszą.

– Jeżeli zatem zamienisz śliwkę w nektarynkę, to będzie smakować jak nektarynka?

Pokiwałam głową.

Wyglądał na zafascynowanego.

– Mamy tu taką, która umie zmieniać, ale ona tylko wywołuje złudzenie. Robi sztuczkę oszukującą zmysły. I potrafi zmieniać tylko siebie. Nic innego. – Odłożył długopisy. – A co z ludźmi?

– Z ludźmi?

– Czy potrafisz zmienić jedną osobę w drugą?

Przestąpiłam z nogi na nogę. Nagle cały pokój się skurczył. Nie potrafiłam sobie nawet wyobrazić efektów takiej zmiany. Mózg by mi się ugotował? Rozpłynęły się narządy wewnętrzne?

– Nigdy nie próbowałam. – Mimo starań, głos mi drżał, bo wiedziałam, co będzie dalej.

Mężczyzna niecierpliwie złożył ręce na piersi.

– Najwyższy czas, żeby spróbować.

– Naprawdę nie sądzę...

Popukał w zegarek.

– Czas leci, a my nie robimy się młodsi. Do dzieła.

Cholera. Cała roztrzęsiona wzięłam go za rękę. Była lepka i z trudem powstrzymałam się, żeby jej nie wypuścić. Zamknęłam oczy i skupiłam się na jego pękatym nosie i pucołowatych policzkach. Ból nadszedł szybko. Poczułam mrowienie na całej długości kręgosłupa. Próbowałam przełknąć ślinę, ale miałam wrażenie, że opuchło mi gardło. Chciałam odetchnąć i z przerażeniem skonstatowałam, że nie czuję żeber. Po dłuższej chwili konwulsji upadłam, z trudem łapiąc powietrze.

– Nie mogę.

Mocniej ścisnął mi rękę.

– Spróbuj jeszcze raz.

Trema. Zamknęłam oczy i próbowałam się skoncentrować. Coś przeskoczyło w moim splocie słonecznym. Minęło kilka sekund. Czułam ciarki na karku. Coś było nie tak. Chciałam odsunąć się kawałek, ale nogi odmówiły posłuszeństwa. Były zbyt ciężkie i wielkie. W końcu udało mi się spojrzeć na dłonie i... zdębiałam. On także. Zamiast długich, bladych, kościstych palców, do których przywykłam, miałam serdelkowate, pomarszczone paluchy w czekoladowym kolorze.

Puścił mnie i opadłam na podłogę. Zakasłałam, a później otarłam usta grzbietem dłoni. Po wyprostowaniu ręki zauważyłam na niej czerwone plamy. *Nie okaż przed nim strachu!* Wytarłam rękę o miękki materiał bluzki.

Patrzył na mnie jak głodny lew na gazelę. Zamknęłam oczy i wstrzymałam kopiowanie, z ulgą wracając do własnej postaci. Ból zelżał, ale na skali od jednego do dziesięciu nadal oscylował w okolicach *pięćdziesięciu.* Czy wyrządziłam sobie wewnątrz jakieś szkody? A jeśli sobie coś złamałam? Może przedziurawiłam jakiś narząd albo wywołałam wylew krwi do mózgu? O Boże. A jeśli zmiana powrotna nie powiodła się całkowicie? I pozostaną mi jego organy wewnętrzne? A na zewnątrz... Dodatkowe... Potarłam nogę o nogę i odetchnęłam z ulgą. Żadnych męskich pozostałości.

– Hmmm – zaczął mężczyzna, obchodząc mnie dokoła. – Jakieś efekty uboczne? – Pochylił się i uważnie mnie oglądał. Oddech śmierdział mu chipsami.

– Jestem zmęczona i trochę głodna – powiedziałam swobodnie. W żadnym razie nie miałam zamiaru powiedzieć mu, że czuję się, jakbym wypadła z samolotu i przekoziołkowała po stercie tłuczonego szkła. Minęły dwa dni i już wiedziałam, jak tu sprawy wyglądają. Kale miał rację. Drążą człowiekowi umysł i szukają słabych punktów.

– Będziemy musieli przeprowadzić dodatkowe testy – odezwał się, ale nie do mnie. Zostawił mnie na środku pokoju, zajrzał do kartoteki i mówił do siebie. Nie podobało mi się podekscytowanie słyszane w jego głosie.

– Testy? Jakie testy?

Popatrzył tak, jakby już o mnie zapomniał.

– No, testy fizyczne. Takie na czas reakcji. Odpowiedzi na bodźce i tym podobne. Poza tym musimy ustalić granice twoich możliwości. Któregoś dnia chciałbym, żebyś przeprowadziła to... kopiowanie, tak?... na czymś większym.

Mówił nieprecyzyjnie i to mnie przerażało, ale nie wdawałam się w szczegóły. Przez następne godziny Rick, bo w końcu się przedstawił, zadał mi milion dziesięć pytań. Z każdą odpowiedzią rosła jego fascynacja.

O czwartej byłam wycieńczona i chciałam tylko walnąć się spać. Skutki kopiowania całego ciała całkowicie nie ustąpiły. Ból głowy ustępował, ale od ćmienia w mięśniach i kościach chciało mi się wymiotować.

Rick litościwie zakończył przepytywanie.

– Teraz zmierzę ci ciśnienie krwi – powiedział. – A potem odprowadzę cię do ojca.

– Najwyższy czas, Rick. – Tata stał oparty o ścianę z rękami na piersiach i patrzył. Przypomniało mi się, jak w dzieciństwie na wiejskim jarmarku jeździłam na karuzeli. Z każdym obrotem widziałam, jak obserwuje mnie z uśmiechem na twarzy. Ale wtedy to był inny uśmiech. A może wcale nie? Może widziałam to, co chciałam zobaczyć?

– Słyszałem, Deznee, że dobrze ci dzisiaj poszło – powiedział ojciec, gdy Rick mierzył mi ciśnienie.

– Drobiazg. – Zmusiłam się do uśmiechu. – I jakie mamy wyniki? Nadal nie wiem, co będę tu robić. Zdradzisz tę tajemnicę?

Tata uśmiechnął się nadzwyczaj szeroko. W jego uśmiechu było wiele nadziei.

– Wszystko w swoim czasie.

– Zdumiewające – powiedział Rick. – Sto dwadzieścia na osiemdziesiąt. Idealnie. – Zdjął mankiet i uśmiechnął się do mnie. – Jesteś zdrowa jak ryba, moja droga.

Odwrócił się, żeby coś zanotować. Podszedł ojciec.

– Mam dla ciebie nagrodę.

Powiedział to tak wyniosłym i obraźliwym tonem, że chciałam mu przyłożyć. Ale ciekawość zwyciężyła.

– Nagrodę?

– Spodziewałem się, że napsujesz krwi Rickowi i rozwalisz dzień wszystkim, którzy biorą w tym udział. Ale wypadłaś wyjątkowo dobrze.

– Może zanim odwieziesz mnie do domu, mogłabym klapnąć chwilę na sofie u ciebie w biurze? Będziemy kwita. – Oczy mi się same zamykały.

– Jeśli wolisz spać zamiast przejść się do celi zatrzymań, to proszę bardzo...

Dobrze wiedział, że wzbudził moje zainteresowanie.

– Cela zatrzymań?

– Pomyślałem, że miło byłoby zabrać cię na górę i pokazać tego chłopaka za kratkami. Zamknięty nic ci nie zrobi. – Objął mnie ramieniem i pomógł wyjść z pokoju. – Może to ci pozwoli odzyskać spokój ducha.

Oglądanie Kale'a w jego starym świecie – zamkniętego jak zwierzę – tylko pogorszyłoby koszmar, który przeżywałam.

19

Kiedy wysiadaliśmy z windy, od razu poczułam, że jestem na dziewiątym poziomie – najwyższym, na jakim byłam dotychczas. Uderzyła mnie zupełnie inna atmosfera. Trudno uznać, że na niższych panował luz, ale w porównaniu z dziewiątym poziomem, tam było wesoło. Na środku sali stał taki sam okrągły kontuar jak na poprzednich poziomach. Siedział za nim mężczyzna z nieszczęśliwą miną, w białym kitlu i białych rękawiczkach. Nie zwrócił na nas uwagi, bo rozmawiał z człowiekiem siedzącym za biurkiem w odległym krańcu sali. Dochodziły mnie tylko fragmenty ich rozmowy, ale dominowały w niej takie słowa jak spalenie, wywózka i sprzątanie. Później przestałam słuchać.

Kiedy szliśmy, odgłosy naszych kroków odbijały się głośnym echem. Spojrzałam w dół i zobaczyłam, że podłoga jest z betonu pokrytego brązowymi plamami.

– Łatwiejsza do mycia – odezwał się ojciec, gdy zobaczył, na co patrzę. – Czasami robi się tu trochę nieporządnie.

Nieporządnie? Przełknęłam ślinę i wyobraziłam sobie, jak ktoś zmywa wężem krew i resztki po poprzedniej *eliminacji*. Zanim doszliśmy do drzwi po drugiej stronie, chciało mi się puścić pawia.

– Dziewiąty poziom należy do departamentu rozwiązywania problemów. Gdy Szóstka wymyka się spod kontroli, trafia tutaj na czas, w którym opracowuje się optymalny plan działania.

– Optymalny plan działania?

– To nie jest wesoła praca. I nie zawsze przyjemna. Od czasu do czasu trzeba podejmować trudne decyzje. Między innymi takie, czy Szóstka nadaje się do poprawy, czy trzeba ją uśpić.

Uśpić?

Jak zwierzę.

Zagryzłam wargę, żeby nie krzyknąć. Poczułam w ustach nieprzyjemny, miedziany smak.

– Wiem – mówił dalej ojciec – że to wydaje ci się brutalne. Ale robimy to wszystko dla dobra społeczności. Wszystkich społeczności.

Szliśmy dalej. Tata wyjął przepustkę i przeciągnął przez czytnik. Weszliśmy do małego, białego pomieszczenia ze skromnym biurkiem i czerwonymi drzwiami na przeciwnym końcu.

– Dzień dobry, Yancy. Zabieram Deznee na obchód po celach. To nie potrwa długo.

Yancy skinął głową i otworzył drzwi. Gdy go mijaliśmy, czułam na sobie jego wzrok. Odwróciłam się, przez sekundę patrzył na mnie, ale zaraz odwrócił wzrok. Może nie wszyscy w Denazen są tak dumni ze swej pracy jak mój ojciec.

Weszliśmy do sali, a raczej szerokiego, niewiarygodnie długiego korytarza. Po obu stronach znajdowały się szklane pomieszczenia.

A właściwie klatki.

Zatrzymaliśmy się przed pierwszą zajętą.

– To 101 – powiedział tata i dwa razy zapukał w szybę. Przypomniał mi się gest, którym puka w stojące w salonie akwarium.

W środku była młodsza ode mnie dziewczyna, miała ze trzynaście lat. Góra czternaście. Wpatrywała się przed siebie dużymi, zielonymi, pozbawionymi życia oczami. Miała lekko rozchylone usta, a z prawego kącika wyciekała na podbródek strużka różowego płynu. Dziewczyna siedziała na pryczy opatulona starymi kocami obok pluszowego misia bez głowy. Jej ręce bezwiednie zwisały na kolanach. Miała na sobie brudne, postrzępione spodnie i znacznie za duży podkoszulek.

– To jeszcze dziecko. Dlaczego tu jest? – Dałam z siebie wszystko, żeby w moim głosie nie pojawiło się oburzenie. Kale mieszkał tu całe życie. Tak samo wyglądał w jej wieku?

– 101 była u nas kilka lat. Jej matka zginęła w wypadku i zostawiła córkę samą i bez grosza. Przygarnęliśmy ją. Jakiś tydzień temu zaatakowała i pogryzła tutejszego lekarza.

– Taka mała dziewczyna zaatakowała lekarza? – Nie widziałam u niej ostrych kłów ani jadowitego języka. W mokrych ciuchach i z dwiema cegłami w ręku nie ważyłaby więcej niż czterdzieści kilogramów.

– 101 ma dar wstrzymywanie u człowieka akcji serca. Zanim ją tu posadziliśmy, zabiła trzy osoby. – Sięgnął po kartę wiszącą na sąsiednich drzwiach.

– Dlaczego?

– Co: dlaczego?

– Dlaczego to zrobiła? Musiała mieć jakieś powody. – Wiedziałam, że wchodzę na grząski grunt, ale nic nie mogłam poradzić. Coś musiało tę dziewczynę nieźle wkurzyć. Może przebywała godzinę w obecności Mercy...

– Nie potrzebowała powodu. Szóstki czasem gryzą. To się zdarza.

Powinnam trzymać język za zębami, ale nie mogłam.

– Naprawdę? Ze mną też tak będzie? Skończę w jednej z tych klatek z numerem zamiast nazwiska? Bo na przykład czymś cię wkurzę albo wrócę narąbana z imprezy?

Odwrócił się od 101 – ciekawiło mnie, jak ma na imię – i uśmiechnął się protekcjonalnie.

– Póki trzymasz się z dala od kłopotów, nic takiego ci nie grozi. – Nie spuszczał ze mnie wzroku przez minutę, która wydawała się godziną, a później poszliśmy dalej.

– A tu mamy 119 – odezwał się przy następnej klatce. – Nazywamy go Czaruś.

Wydawało mi się, że nie może chodzić o uwodziciela.

– Czaruś?

– Mamy w kartotece zanotowanych wiele różnych odmian jego talentu. Od początku dziewiętnastego wieku. – W głosie ojca pojawił się cień fascynacji. – Roztacza nad ofiarą swój czas i zaczyna nad nią panować. Przypuszczamy, że jemu podobni stali się inspiracją dla legend o inkubach.

Popatrzyłam przez brudne szkło na 119. W środku był mężczyzna o miłej twarzy z wyrazem podobnym do 101. Ubrany w takie same szare spodnie i biały podkoszulek. Miał brązowe oczy, lecz nie całkiem pozbawione wyrazu jak w przypadku tamtej dziewczyny. Patrzył przed siebie.

– Za co tu trafił?

– Z nim jest trochę inaczej niż ze 101. Jest u nas tylko od kilku tygodni, przez cały czas tu na dziewiątym poziomie.

Przywieźliśmy go po tym, jak został ujęty przez policję. Prowadził dom publiczny.

– Był alfonsem? To dla Denazen takie ważne?

– Był podejrzany o uprowadzanie dziewcząt i podawanie im narkotyków. Robił z nich zombie.

– Ale to nie były narkotyki, tylko jego dar?

– Zgadza się.

Przeszliśmy obok kilku pustych klatek i zatrzymaliśmy się przy kolejnej zajętej.

– Tę 121 zgarnęliśmy jakiś tydzień temu. Chyba chodziła do twojej szkoły.

Spojrzałam przez szybę i z przerażeniem rozpoznałam koleżankę z klasy, a czasami rywalkę, Kat Hans. Miała takie samo spojrzenie jak pozostali – puste i martwe. Zawsze starannie ułożone kasztanowe włosy teraz zwisały w nieładzie, a jej idealna cera przybrała szarą barwę. Często miałyśmy ze sobą na pieńku, ale jej widok budził we mnie furię. Od trzeciej klasy chciała być weterynarzem. Odkąd Denazen położyła na niej swe łapy, mogła się pożegnać z marzeniem.

– To Kat Hans! Zaginęła w zeszłym tygodniu.

– Jest tu u nas. – Odwrócił się od niej zdegustowany. – Pracowała dla nas przez pewien czas. Jej ojciec, Dean Hans, prowadzi u nas archiwum na piątym poziomie. – Klepnął się w czoło. – Facet ma fotograficzną pamięć. – Spojrzał na Kat. – Jego córka ma dar trochę podobny do 119, tylko jest mniej niebezpieczna i łatwiej nad nią zapanować. Na żądanie potrafi sparaliżować człowieka dotknięciem palców.

– I, jak przypuszczam, próbowała sparaliżować kogoś, kogo nie powinna.

– Niezupełnie. – Ojciec pokręcił głową. – Pozwoliliśmy jej tu pracować ze względu na wiek i koneksje rodzinne. Jak wiesz, Dax Fleet, ten facet, który cię porwał, należy do grupy ludzi próbujących zniszczyć Denazen i zaprzepaścić całe dobro, które czynimy. Chcieliśmy wykorzystać 121 do infiltracji tej grupy, a potem rozsadzenia jej od środka. Okazało się jednak, że ona szpieguje dla nich, a nie dla nas.

Zaschło mi w gardle.

– Szpieguje? Skąd ci to w ogóle przyszło do głowy?

Tata roześmiał się. Na ten dźwięk ogarnęła mnie panika.

– Nie przyszło. Od początku wiedzieliśmy. Ale mieliśmy nadzieję, że przejdzie na naszą stronę. A gdy okazało się, że nic z tego, osadziliśmy ją tutaj.

– No, no.

– I tu pojawiasz się ty.

Jestem pewna, że w tym momencie pobladłam.

– Ja? – wykrztusiłam. – Chyba nie myślisz...

Znów się zaśmiał.

– Że szpiegujesz? Oczywiście, że nie. Jesteś na to za bystra, Denzee. Dbasz o swoje życie. Dobrze wiesz, jak to by się skończyło, prawda?

Na plecach poczułam dreszcz. W jego oczach malowało się rozbawienie pomieszane z czymś... Nie byłam pewna. Może ze złością? Ale od jego spojrzenia gorszy był głos. Lodowaty, ostry, przyprawiony odrobiną oskarżenia. Czyżby wiedział? Czy sprowadził mnie tu właśnie z tego powodu? Żeby pokazać mi, co mnie czeka? Skinęłam głową. Wolałam nie ryzykować mówienia. Nic tak nie zdradza jak roztrzęsiony głos.

– Chciałbym, żebyś przejęła zadanie, które przydzielili-
śmy 121. Chciałbym, żebyś zinfiltrowała grupę odszczepień-
czych Szóstek. Jest taka kobieta, nazywa się Ginger Midlen.
Ma wielkie możliwości i nie sposób jej znaleźć. Ona orga-
nizuje tych ludzi. Zależy mi, żeby ich dostać. Musimy zająć
się nią, zanim dojdzie do eskalacji problemu.

To jakiś dowcip. Zaraz wyskoczy Ashton Kutcher i powie,
że zostałam wkręcona. Albo może ten drugi, jak on się nazywa... Jamie Kennedy?

– A na deser zostawiliśmy najlepsze. – Minął kilka klatek
i zatrzymał się przy ostatniej. – Widzisz? Zamknięty na trzy
spusty.

Za szybą na podłodze siedział oparty o ścianę Kale. Kolana podciągnięte, głowa opuszczona. Miał takie same jak inni
regulaminowe spodnie i biały podkoszulek. Chwilę później
uświadomiłam sobie, że tak samo był ubrany, gdy się poznaliśmy.

– Cześć, Ken – powiedział tata na widok mężczyzny
w takim samym kombinezonie, jakie nosili ci, którzy gonili
Kale'a po lesie. Mężczyzna odstawił walizeczkę, sięgnął do
kieszeni i wyjął przepustkę z czerwonym paskiem. – Czas
zbioru plonów?

Mężczyzna skinął głową i przesunął przepustkę w czytni-
ku obok drzwi do klatki Kale'a.

– Nie będzie ci przeszkadzać, jak popatrzymy? Zabrałem
Daznee na małą wycieczkę.

Ken wzruszył ramionami, podniósł walizeczkę i wszedł
do Kale'a.

– Czas zbioru plonów? – Zapytałam, patrząc na zamyka-
jące się drzwi. Kale nadal nie podnosił głowy.

– Rada opowiedziała się za jego uśpieniem. Ale mamy dylemat. 98 to rzadki przypadek. Ma oczywiście bardzo niebezpieczny dar, ale posiada jeszcze jedną właściwość. Ma w składzie krwi coś, co sprawia, że Szóstki stają się uległe i posłuszne. W odróżnieniu od nowoczesnych leków, które powodują nieprzyjemne skutki uboczne i sprawiają, że podmiot staje się bezużyteczny, krew 98 hamuje wszystkie skłonności do przemocy i wymusza posłuszeństwo.

– To ciekawe indywiduum ten 98 – mówił dalej tata. – Trafił do nas jako niemowlak. Wychowywała go jedna z naszych rezydentek, całe życie pracował dla Denazen.

– Mówiłeś, zdaje się, że nie był pracownikiem.

Ojciec pokręcił głową.

– Kiedyś był. Przeszedł wojskowe szkolenie bojowe, które regularnie było uzupełniane. Wysyłaliśmy go na najważniejsze misje. Jednak po jego niesprowokowanym ataku i ucieczce, a także po uprowadzeniu ciebie, wielu z nas uważa, że 98 to przypadek niereformowalny. Coś się w nim popsuło.

Jak w zabawce.

– Trzymacie go przy życiu, żeby pobierać mu krew? – Starałam się, żeby w moim głosie nie zabrzmiało przerażenie. Bezskutecznie.

Ojciec wzruszył ramionami, jakby nie zauważył mojej reakcji.

– Próbowaliśmy zastąpić jego krew jakimś syntetykiem, ale nie powiodło się. Na wypadek, gdyby zaszło coś niespodziewanego i musielibyśmy zlikwidować go wcześniej, pobieramy mu krew nie raz, lecz cztery razy dziennie. Niestety to taktyka krótkofalowa. Po kilku dniach związek chemiczny

205

z jego krwi zanika i nie nadaje się na surowice. Doskonalimy sposób jego składowania, ale na razie bez większych sukcesów.

Odwróciłam się i zobaczyłam przez szybę, że Ken ciągnie Kale'a za nogi. Kale spojrzał do góry i w końcu nas zobaczył. Spojrzeliśmy sobie w oczy i poczułam, że grunt usuwa mi się pod stopami. Był blady, na prawym policzku i pod oczami miał niebieskie siniaki. Z trudem stał o własnych siłach. Ken dwa razy musiał opierać go o ścianę, żeby nie upadł.

– Wygląda strasznie – wyszeptałam. To najgorsze, co w tej chwili mogłam powiedzieć. Ojciec mnie obserwował. Musiał zobaczyć moją reakcję.

– Pierwszego dnia próbował podskakiwać. Nasz personel musiał obejść się z nim ostro. Ale teraz mu się poprawiło i może już stać o własnych siłach.

Złość się we mnie zagotowała. Musiałam go stąd wydostać.

Ojciec wskazał głową kąt celi. Pod ścianą w szeregu niczym żołnierze wyruszający na wojnę stały szklanki z gęstym, żółtym płynem. Sok pomarańczowy.

– Odmawia jedzenia i picia. Na razie.

Ken spakował sprzęt do walizki. Wychodząc, zatrzymał się, podniósł szklankę z sokiem i podał Kelemu. Kale wziął ją i znów spojrzał na mnie.

– On nas słyszy?

Ojciec pokręcił głową i odsunął się, żeby przepuścić wychodzącego Kena.

Kale podszedł bliżej. Obejrzałam się na ojca. Ściszonym tonem naradzał się z Kenem. Nie zwracali na mnie uwagi.

„Wypij", poruszyłam wargami. Ku mej radości uniósł szklankę do ust i wypił do dna. Wcisnęłam ręce głęboko do kieszeni, żeby nie ulec pokusie przyłożenia ich do szyby. Ułożyłam usta w słowo „Przepraszam".

Twarz Kale'a niczego nie zdradzała, ale po oczach widziałam, że tęskni tak samo jak ja. Gdybym tak mogła go dotknąć. Choćby przez chwilę.

– Gotowa do powrotu? – Podskoczyłam, gdy tata położył mi dłoń na ramieniu.

TRZASK.

Kale rzucił pustą szklankę w drzwi celi. Dokładnie w kierunku głowy ojca. Kropelki soku spłynęły po nienaruszonej szybie i rozprysły się po podłodze.

Kale wycofał się w kąt celi. Ani na chwilę nie spuszczał wzroku z ojca. Na jego ustach pojawił się cień szyderczego uśmieszku.

20

Wróciliśmy do domu o wpół do ósmej wieczorem. Ojciec pojechał jeszcze do pracy „załatwić parę rzeczy", więc zostałam sama. Po raz pierwszy, odkąd pamiętam, chciało mi się tylko płakać.

Kręciłam się po salonie i zbierałam pamiątki z życia, którego nigdy nie było. Porcelanowa figurka w kształcie kota, niebieskie róże ze szkła. Wszystko to oszustwo. Podeszłam do wazonu. Tego brzydkiego i kiczowatego. Wzięłam go, uniosłam jak Kale wtedy, gdy się poznaliśmy, i potrząsnęłam nim.

Tu powinny być rośliny, no nie?

Przesunęłam palce po brzegu i rzuciłam o ścianę. Roztrzaskał się na kawałki – jak szklanka Kale'a – które poleciały na wszystkie strony. Spadły na parkiet i rozsypały się na całej podłodze.

W pozostałych pokojach było mniej więcej tak samo. Miałam w głowie zamęt i żadnym sposobem nie mogłam się go pozbyć. Spróbowałam jeszcze raz zadzwonić do Brandta. Nie odebrał. Wysłałam mejla. Nie odpowiedział. Wtedy upewniłam się, że nie daje znaku życia, bo zajmuje się poszukiwaniem informacji. Widziałam to w jego oczach na Cmentarzysku. Nie oparłby się takiemu wyzwaniu, a ponieważ nie chciał mnie okłamywać, postanowił mnie unikać. Nie wydawało mi się to do końca logiczne, ale trochę poprawiało mi samopoczucie.

Poszłam do kuchni i przygotowałam sobie ulubioną kanapkę z indykiem, pomidorem i masłem orzechowym, ale straciłam na nią ochotę. Mimo to ugryzłam, lecz chleb wydał mi się suchy i czerstwy, a indyk śmierdział, chociaż był świeży. Wyplułam na rękę i przy okazji o mało nie zwymiotowałam. Głodny żołądek protestował, ale wyrzuciłam resztę kanapki i poszłam do swojego pokoju.

Telewizja – nic nie ma. Radio – tylko rzewne piosenki. Komputer – wszystkie czaty puste. Spodobał mi się pomysł, żeby pójść się gdzieś zabawić – wystarczyło kilka telefonów, żeby wkręcić się na jakąś imprezę – ale nie miałam na to siły.

Zdjęłam buty i weszłam pod kołdrę. Byłam jeszcze wykończona po tych wszystkich kopiowaniach, ale chociaż miałam niespokojną głowę (martwiłam się o Brandta, złościłam na ojca i bałam o Kale'a), zasnęłam łatwiej, niż przypuszczałam.

§

Jakiś czas później obudził mnie łagodny, lecz wyraźnie słyszalny dźwięk. Usiadłam, rozejrzałam się po pokoju. Była druga noc pełni – najjaśniejsza z trzech – i od podłogi w moim pokoju odbijało się srebrne światło wpadające przez okno.

Okno.

To stamtąd dobiegał ten dźwięk. Wstałam z łóżka i wychyliłam się przez parapet. Alex.

– Co ty tu robisz?

– Mogę wejść?

Wzruszyłam ramionami, wróciłam do pokoju, a on zaczął się wspinać.

Wszedł przez okno i spojrzał na mnie ze zmarszczonymi brwiami. Dobrze, że nie przebrałam się w piżamę.

– Jesteś w domu? Szukałem cię po mieście.

– Cały czas tu byłam – powiedziałam, kładąc się z powrotem na łóżku. – Po co mnie szukałeś? Ostatnim razem powiedzieliśmy sobie już wszystko, co było do powiedzenia. Nie pamiętasz? Kazałeś mi się wynosić.

– Martwiłem się o ciebie. Chciałem sprawdzić, czy wszystko w porządku.

– Następnym razem zadzwoń. Albo napisz mejla. Albo przyślij gołębia pocztowego.

– Wykasowałem twój numer, adres mailowy też. A gołębi nie mam.

– Mój adres się nie zmienił.

– Aha.

Milczenie.

– No i? – Popatrzyłam na zegar na nocnym stoliku. Dopiero północ. Nie spałam długo, bo gdy poprzednio sprawdzałam, było dwadzieścia po jedenastej.

– No i co? – zapytał zdenerwowany.

– Mówiłeś, że chciałeś sprawdzić, czy wszystko w porządku. Wygląda na to, że tak.

– Boże – syknął przez zaciśnięte zęby. – Wkurzasz mnie.

– Dziękuję – powiedziałam, wskazując okno. – Czy to będzie ironia, jeśli teraz ja ci każę się wynosić?

Westchnął.

– Słuchaj, przepraszam za tamtą noc. Denazen fatalnie na mnie działa. Ja...

Nie interesowały mnie wymuszone przeprosiny Alexa Mojourna.

– Nic się nie stało. Musisz dbać o swój tyłek. Zakumałam.

Milczał minutę, rozglądając się po pokoju.

– Niewiele tu się zmieniło, nie?

Ściany miały niezmiennie niebieski kolor, odkąd skończyłam siedem lat. Niektóre meble zostały wymienione na nowsze, ale ogólnie wszystko stało na tym samym miejscu co zawsze. Gdyby odsunąć łóżko od ściany, znalazłoby się jeszcze wyryte serce z jego i moim imieniem. Po tym, jak go nakryłam na zdradzie w klubie bilardowym, setki razy przynosiłam z kuchni nóż, żeby zamazać ten rysunek i wyrzucić z pamięci. Ale za każdym razem się powstrzymywałam.

– Chodzi ci jeszcze o coś? To znaczy oprócz podziwiania designu mojego pokoju?

Przestępował z nogi na nogę i wpatrywał się w podłogę.

– Chcę ci coś powiedzieć.

Cokolwiek to było, budziło jego zdenerwowanie. Warto było poświęcić na to kilka minut. Usiadłam na łóżku i patrzyłam, jak Alex się wije.

– Wiem, kim jesteś.

Myślałam, że w końcu zacznie mi wciskać jakieś kity i przepraszać za to, co zrobił. Pudło. Powinnam się domyślić.

– Co?

Przeniósł ciężar ciała na drugą stopę.

– Od samego początku wiedziałem, kim jesteś. Wiedziałem, że jesteś córką Marshalla Crossa.

Cały pokój zawirował. To był cios poniżej pasa. Otworzyłam usta, a po chwili z powrotem je zamknęłam. Nie miałam słów. Wykorzystał mnie? Czy to właśnie chce powiedzieć? Że to wszystko było kłamstwem?

– Myślałem, że jak zbliżę się do ciebie, zdobędę jakieś informacje o twoim ojcu i Denazen.

Przerwał, by sprawdzić moją reakcję. To, co zobaczył, musiało go zaniepokoić, bo zaraz zaczął przechadzać się po pokoju.

– Szybko zdałem sobie sprawę, że nie masz zielonego pojęcia o Denazen ani o działalności swojego ojca. Byłaś tylko niewinnym dzieciakiem siedzącym w czymś, o czym nic nie wiesz.

W tym momencie był gorszy od mojego ojca. Bo Alexowi wierzyłam. Wierzyłam w nas. To, co mówił, działało na mnie druzgocąco.

– Jak długo?

Uniósł ręce.

– Chodziliśmy ze sobą już od pół roku, gdy się zorientowałem.

– A potem? – Ruszyłam w jego stronę. W głowie mi wirowało. Wykorzystał mnie, żeby zbliżyć się do mojego ojca.

– Byliśmy ze sobą rok.

– Wiem, przykro mi. Ginger i inni zadecydowali, że mam z tobą zerwać dopiero, gdy zyskamy stuprocentową pewność, że zabrnęliśmy w ślepą uliczkę. Nie myślałem... Czułem...

Straciłam opanowanie. Od pierwszego ciosu w jego szczękę zabolała mnie głowa, ale poczułam satysfakcję.

– Miałeś czelność stać tutaj i mówić, że mnie kochasz.

– A nie chciałaś tego usłyszeć? – Masował sobie policzek.
– Cholera. Naprawdę zakochałem się w tobie. Nie było żadnego udawania.

Znów do niego ruszyłam, ale mnie wyczuł i złapał za rękę. Oddychał głęboko.

– Ty gnoju! Mało ci było raz mnie oszukać i przyszedłeś znów?

– O ile dobrze pamiętam, tym razem to ty do mnie przyszłaś. Nie miałem zamiaru cię szukać.

Nie odpowiedziałam. Staliśmy naprzeciw siebie w świetle księżyca. Alex odezwał się dopiero po kilku minutach.

– Zrobię to – powiedział cicho.

– Co? – zapytałam.

– Pomogę ci z Denazen.

Rewelacja. Przychodzi, mąci w sercu, a potem próbuje wyrolować. Cały Alex Mojourn.

– Dlaczego? Dlaczego zmieniłeś zdanie? Jakieś wyrzuty sumienia czy coś...

– Sumienie nie ma tu nic do rzeczy. Jak myślę, że jesteś sama, to spać nie mogę.

Roześmiałam się.

– Nagle zacząłeś się o mnie troszczyć? Nie potrzebuję rycerza na białym koniu. Ty się do tego kompletnie nie nadajesz. Wiesz co? Mam prośbę. Spływaj.

– Jezu, Dez, ja mówię poważnie.

– Znów cię ktoś nasłał? – Popchnęłam go w stronę okna.

Zachwiał się, odzyskał równowagę i też mnie popchnął.

– Wydaje ci się, że już wszystko wiesz – powiedział ostro.

– A tak nie jest. Ta dziewczyna wtedy w klubie bilardowym była Szóstką.

Jęknęłam. Ostatnia rzecz, której potrzebowałam, to pikantne szczegóły. Zaraz opowie mi o rozmiarze jej piersi i że lubiła spacery plażą w świetle księżyca.

– Guzik mnie to obchodzi. Dla mnie to już zamierzchła przeszłość. Historia. Chciałeś, żeby tak było, to proszę bardzo.

– Wyświadczała mi przysługę.

Robiło się zabawnie. Gdyby chodziło nie o mnie, lecz o kogoś innego, pewnie chciałoby mi się śmiać. Ale ponieważ byłam główną bohaterką dramatu, nie było mi do śmiechu. Nic a nic.

– Pozwalając się obłapiać i namiętnie całować? Rzeczywiście, niezła przysługa.

– To było udawane. Zaaranżowane pod ciebie. Chciałem, żebyś nas nakryła.

Zaaranżowane? O co chodzi, do cholery?

– Nigdy nie widziałam, żebyś miał problemy z waleniem prawdy prosto z mostu. Jak ci się znudziłam, to dlaczego po prostu nie zerwałeś ze mną?

– Opowiadałem ci, że oni chcieli, żebym skończył akcję z tobą. Gdy zwlekałem, nie za bardzo się to podobało, ale spoko, nic nie mówili. Z czasem jednak zaczęły pojawiać się pomysły, żeby wykorzystać cię do zdobycia dalszych informacji. Chcieli za twoim pośrednictwem dotrzeć do twojego ojca. A ja nie chciałem cię mieszać do niczego, co miało związek z Denazen. I oświadczyłem im to.

– Chcesz powiedzieć, że złamałeś mi serce dla mojego dobra?

– Jedyne, co mogłem wtedy zrobić, to wymazać cię ze swojego życia. Wiedziałem, że nigdy mi nie przebaczysz.

– Przymknął powieki i pokręcił głową. – Widząc wtedy ból w twoich oczach, myślałem, że umrę. Zrobiłem to, żeby trzymać cię z dala od całej tej sprawy. Gdybym wiedział, że jesteś Szóstką...

– Kłamiesz – powiedziałam, chociaż w głębi duszy mu wierzyłam. Czuliśmy się ze sobą naprawdę mocno związani (a może tak mi się wydawało, bo był moją pierwszą miłością) i nie chciało mi się wierzyć, że to wszystko było kłamstwem. Jeśli teraz mówi prawdę, niczego to nie zmieni, lecz przynajmniej trochę mnie uspokoi.

Zbliżył się do mnie i położył mi dłonie na policzkach.

– Przepraszam.

Przepraszam.

Moja determinacja prysła. Opadła ze mnie złość. Została po niej tylko pusta rana. Długo czekałam na te słowa. Stanęłam na palcach i pocałowałam go w usta. Odpowiedział równie ochoczo. Pod wpływem charakterystycznego sposobu, w jaki chwytał moją górną wargę, pod wpływem drapania zarostu o mój policzek i podbródek, wróciły wszystkie pozytywne związane z nim uczucia. Eksplodowały, jakbym otworzyła pudełko od dawna zamknięte i ukryte.

Odsunął się na chwilę, ale tylko po to, żeby zdjąć przez głowę koszulę. I pociągnął mnie do łóżka. Rzuciliśmy się na materac, namiętnie obejmowaliśmy się rękami i nogami.

– Tęskniłem za tobą – szepnął mi w usta. Wsunął palce pod moją koszulę i posuwał je do góry.

Jego pocałunki wprawiły mnie w euforię. Rozbudzona wspomnieniami, oszałamiająca rozkosz roznieciła mi ogień w piersiach, zapłonęły mi policzki. To było takie... znajome... To było...

Złe.

W chwili, gdy zdejmował mi koszulę przez głowę, odepchnęłam go od siebie. Chłodne powietrze ostudziło mi skórę i spowolniło bieg myśli. Potrzebowałam dystansu. Dystansu.

– Przestań – jęknęłam, uciekając na drugą stronę łóżka.

Zamknął oczy i wykonał kilka ciężkich, głębokich oddechów. Po kilku minutach uspokoił się, podobnie jak ja, otworzył oczy i popatrzył na mnie.

– O co chodzi?

– Nie mogę – odparłam. – Nie teraz. Nie z tobą.

– Nie z...

– Kale – powiedziałam, przypominając, że został schwytany. Także to, że jego dotyk, delikatny, a jednocześnie jakiś pierwotny, tkwił nadal w moim sercu, umyśle i mojej duszy.

Gdy ALex złamał mi serce, myślałam, że umrę. Z nikim się nie umawiałam. W każdym razie nie na poważnie. Z kim chciałam, kiedy chciałam i bez żadnych zobowiązań. Z nikim nie sypiałam, ale wielu zawracałam w głowie. Naprawdę wielu. Ani razu nie czułam wyrzutów sumienia. Nie było takiej potrzeby. Nikt nie był w stanie wpłynąć na moje decyzje. Porzuciłam monogamię. Aż spotkałam Kale'a.

– Mówisz poważnie? – Alex aż podskoczył. – Chcesz powiedzieć, że jesteś z nim?

– Nie jestem z nim – odparłam, sięgając po koszulę. A może jestem? Włożyłam koszulę i poprawiłam. Wstałam. – To skomplikowane.

– Jak to? Ciągle cię kocham. – Sięgnął po moją rękę. – Wiem, że ty też coś do mnie czujesz.

– Może i tak – przyznałam, umykając, żeby mnie nie dotknął. Z jednej strony czułam, że od dawna tego pragnęłam, a z drugiej chciało mi się śmiać. Zasłużył na to, żeby sprawić mu ból. Marzyłam o tym, żeby się zemścić. Żeby poczuł gorzki smak odrzucenia. Teraz znalazłam się w idealnej sytuacji, żeby to osiągnąć i nie chciałam tego wykorzystać. Sprawienie mu bólu przestało wydawać mi się dobrym wyjściem. – Ale niewiele to zmienia.

Z powrotem włożył koszulę.

– A właśnie, że zmienia.

– Nie. – Pokręciłam głową. – Nie zmienia. Wszystko zniszczyłeś, nieważne, z jakich powodów. Rozwaliłeś nasz związek. Mogłeś powiedzieć mi prawdę, ale wolałeś tego nie robić. Chciałeś załatwić to po swojemu, więc teraz masz, czego chciałeś. Łzy podeszły mi do oczu, niewiele brakowało, aby popłynęły. – Nadal coś do ciebie czuję, nie wiem, czy kiedykolwiek mi przejdzie. Bardzo tego żałuję. Ale czuję także coś do Kale'a. Coś bardzo silnego. Jeszcze nie wiem, co to jest, ale zamierzam się dowiedzieć.

Wyglądał na gotowego do kłótni, ale zachował milczenie.

– Muszę iść. Gdyby twój ojciec mnie tu zastał, byłaby katastrofa.

– Zapewne tak – skinęłam głową.

Uniósł rękę i skierował ją w stronę biurka. Długopis uniósł się w powietrze, zawisł na sekundę, a po chwili znalazł się nad notesem leżącym na nocnym stoliku. Zapisał coś na kartce, a później bez życia wylądował na podłodze.

– To jest numer mojej komórki. Zadzwoń rano, to spotkamy się i porozmawiamy o Denazen. Poważnie. Chcę ci pomóc wydostać matkę... – Zrobił rozgoryczoną minę. – ...i Kale'a.

Skinęłam głową i odprowadziłam go do okna. Przerzucił nogi przez parapet i chwycił się gałęzi drzewa stojącego najbliżej domu. Zeskoczył na ziemię, zatrzymał się i spojrzał do góry.

– Dez, ja nie popuszczę. Zawaliłem sprawę, ale wszystko naprawię. Kale czy nie, będziesz moja.

A potem odszedł i zniknął w ciemności.

21

Następnego dnia obudziłam się zaplątana w pościel jak spaghetti na widelcu. Miałam obolałe ramiona, zdrętwiałą szyję i spięte plecy. Spałam fatalnie. Prawie co godzinę się budziłam. Śnił mi się ten sam koszmar, co poprzedniej nocy, choć w różnych odmianach. Czasami Kale mnie całował, a Alex obserwował. Czasami Alex wpychał Kale'a w tłum. Ciężko było na to patrzeć, Alex za każdym razem umierał. Czasami umierali obydwaj.

Zaspałam. Minęła dziesiąta. Ale się nie przejmowałam. Ponieważ kopiowanie poprzedniego dnia mnie wycieńczyło, ojciec kazał mi zostać w domu. W głowie nadal mi huczało i miałam ściśnięty żołądek, ale nie było aż tak źle, jak mi się wydawało. Wzięłam prysznic, ubrałam się i szłam na dół ucieszona, że udało mi się uniknąć ohydnego, codziennego rytuału: kawy z ojcem. O tej porze powinien już być w pracy.

Zgodnie z przewidywaniami jego zwyczajowe miejsce było puste. Ale nadal był w domu.

Niedobrze.

Chodził po kuchni z telefonem ściśniętym między uchem a ramieniem i zapisywał coś w notesie. Po jego minie widziałam, że rozmawia w ważnej sprawie. W taki sposób wyglądał tylko wtedy, gdy rozmawiał z klientami.

Nasypując sobie płatków do miski, próbowałam podsłuchiwać. Zadanie okazało się niemożliwe do realizacji, bo ojciec prawie milczał. Udzielał tylko banalnych, nieskomplikowanych odpowiedzi: *tak, nie, oczywiście, jak najbardziej*. Nie powiedział nic, po czym mogłabym się zorientować, z kim rozmawia ani w jakiej sprawie. Zwykle wychodził z domu niezawodnie o ósmej, więc musiało zajść coś poważnego. W tym momencie bardziej od daru kopiowania przydałby się psi słuch.

Kwadrans później ojciec przysiadł się do stołu. Nie miał telefonu.

– Dziwię się, że cię tu widzę – powiedziałam z ustami pełnym płatków ryżowych. Na myśl o kawie robiło mi się niedobrze. – Masz wolne? – To był żart, ojciec nigdy nie brał wolnego.

– Cały ranek rozmawiałem z Markiem.

– Naprawdę? – Odłożyłam łyżkę.

– Kiedy ostatnio rozmawiałaś z Brandtem?

Niknął, czerwcowy upał, a na jego miejscu pojawił się lodowaty chłód. Przełknęłam ostatnią porcję płatków, które nagle zaczęły smakować jak papier i starałam się nie zakrztusić.

– Wczoraj cały dzień próbowałam się do niego dodzwonić. Wkurzył się na coś i jest obrażony.

– On nie żyje.

Upuściłam łyżkę. Płatki z mlekiem chlupnęły na stół. Zimne powietrze zaczęło mnie dusić. Brakowało w nim tlenu do oddychania. A może to nie brak tlenu, tylko przestałam oddychać? Zacisnęłam palce na blacie stołu, bo nagle podłoga zaczęła wirować jak jarmarczna karuzela. Mdłości. Chciało mi się wymiotować.

Ojciec, nieczuły na moje dolegliwości, mówił dalej.

– Policja uważa, że mógłby istnieć związek pomiędzy tą śmiercią a artykułem, nad którym pracował Mark. Dziś rano na progu przed drzwiami znaleziono zwłoki Brandta.

Otworzyłam usta, żeby coś powiedzieć. Przynajmniej tak mi się wydawało. Ale nie wypowiedziałam ani słowa. Drugi raz w ciągu dwudziestu czterech godzin oniemiałam.

Tata wstał od stołu i nadal mówił. Coś o krwi i ubraniach Brandta. Nie słuchałam prawie wcale. Ledwie zarejestrowałam, że zabrał klucze, zamknął za sobą drzwi i poszedł do garażu. Odnotowałam w głowie tylko szum silnika i turkot otwierania oraz zamykania mechanicznych drzwi garażowych. Dwadzieścia sekund później wstałam i w czarnej bluzie z kapturem wybiegłam za drzwi.

Przez pewien czas gnałam na oślep między drzewami. Było wilgotno, deszczowo, włosy opadały mi na twarz. Działałam na autopilocie, ale wkrótce zorientowałam się, dokąd zmierzam.

Do Brandta.

Całe życie mieszkał po sąsiedzku. Wprawdzie sąsiedztwo oznaczało w tym wypadku cztery akry gęstego lasu i płytki strumień, ale i tak było niedaleko. Zanim jeszcze dobiegłam do skraju lasu, ujrzałam błyski czerwonych i niebieskich świateł. Wokół domu kręciło się mnóstwo policji i sąsiadów. Wujek Mark milczał i wpatrywał się w drzwi. Ciocia Cairn nieobecnym wzrokiem obserwowała, jak na ulicy dwaj mężczyźni wkładali do karetki pogotowia długi, czarny pakunek. Potrafiłam sobie wyobrazić, że w tym worku jest piasek, są kamienie albo śmieci – wszystko, tylko nie mój kuzyn.

I wtedy usłyszałam rozdzierający serce krzyk. Wujek Mark pobiegł przed siebie.

– Muszę zobaczyć mojego syna! To wszystko moja wina. Nie mogłam czekać ani chwili dłużej.

Cofnęłam się do lasu i po pewnym czasie byłam już z powrotem na drodze. Miałam miliony znajomych i przyjaciół, którzy także znali Brandta. Ale tylko jeden mógł zrozumieć, co jest grane. Tylko jeden by mnie nie wyśmiał, gdybym mu powiedziała, co naprawdę stało się mojemu kuzynowi.

Skręciłam za róg i zmierzałam w kierunku klubu bilardowego.

Otworzyłam tylne drzwi i weszłam do środka. Byłam cała przemoczona, buty chlupały przy każdym kroku. Cała twarz mokra od łez albo deszczu, czułam też, że mam czerwone i zapuchnięte oczy. Wchodząc do sali głównej z pewnością płakałam. Wszystkie rozmowy ucichły.

Pierwszy wypatrzył mnie, jak zwykle spostrzegawczy, Tommy. Natychmiast do mnie podszedł.

– Dez, nic ci nie jest?

Nie miałam szans na udzielenie odpowiedzi. Natychmiast zjawił się Alex, odepchnął Tommy'ego i zanim się zorientowałam, zaciągnął mnie do bocznej sali.

– Co się stało? Jesteś cała? – Odgarnął mi z twarzy mokre włosy.

Chciałam odpowiedzieć, ale zdobyłam się tylko na rozpaczliwy szloch. Alex zabrał kluczyki i wyprowadził mnie, zanim zorientowałam się, o co chodzi. W tym momencie mój mózg odmówił dalszego posłuszeństwa.

§

Jakąś godzinę później uspokoiłam się na tyle, że byłam w stanie mówić. I myśleć. Powiedziałam Alexowi wszystko, przedstawiłam też swoje podejrzenia, że w śmierci Brandta mógł maczać palce mój ojciec. Alex nie był zaskoczony.

– Węszył – szepnęłam. Miałam skurczone gardło, szczypały mnie oczy i wrócił ból głowy powodowany kopiowaniem. – Chciał znaleźć coś na Denazen. Kazałam mu przestać, ale to z mojej winy w ogóle zaczął. Sama go o to prosiłam, a powinnam być mądrzejsza. Mogłam przewidzieć, że posunie się za daleko. To ja go zabiłam.

Przypomniałam sobie, co ojciec mówił o domysłach policji. O tym, że kojarzyli śmierć Brandta z pracą wujka Marka. Jezu, czy ojciec naprawdę chce zrzucić na brata odpowiedzialność za śmierć jego syna? Nie powinnam się dziwić. To tylko jeszcze jeden znak potwierdzający ojca bezduszność.

Alex podszedł bliżej.

– Nie masz z tym nic wspólnego. Rozumiesz? Wszystko to wina Crossa.

– Brandt był jego bratankiem – mówiłam. – Synem jego brata. Jak mógł...

– Tacy są właśnie ci z Denazen. Rodzina nic dla nich nie znaczy. Musimy to zrobić teraz.

– Co?

– Wprowadź mnie do środka. Nie ma mowy, żebyś wracała tam sama.

– Ciekawe, jak miałabym cię wprowadzić. A nawet gdyby nam się to powiodło, to i tak nie wiadomo, czy byśmy się tam zobaczyli. Już nie mówię o tym, żebyśmy mogli być blisko siebie. To nie ma sensu.

– Coś wykombinujemy – powiedział.

W jednej chwili siedziałam obok niego na sofie, a w następnej obejmował mnie, usiadłam mu na kolana i pocałowałam go. To się stało jednym płynnym ruchem. Nie trwało nawet sekundy. Wiedziałam, że powinnam się wycofać, ale nie mogłam. Jego rozochocone ręce były wszędzie, stale było im mnie za mało. W końcu coś czułam. Wsunęłam mu ręce z przodu pod koszulę. Gładziłam palcami jego ciało. Nie pamiętałam już, że jest tak wspaniale zbudowany.

Chciałam mu zdjąć koszulę, ale nie mogłam jej ściągnąć przez głowę. Po chwili moich zmagań pomógł mi. Podarł koszulę na części i rzucił je na dwie strony pokoju. Szerokie ramiona, rozpalone, orzechowe oczy. Tak, wszystko wracało. Jego oczy zależnie od nastroju zmieniały kolor z orzechowego na brązowy lub odwrotnie. Miał jasną skórę i tylko jedno odbarwienie na prawym ramieniu – pozostałość po groźnym wypadku rowerowym w wieku czternastu lat. Oto Alex, którego pamiętałam. Bardziej energiczny i zdecydowany niż poprzedniej nocy.

Zakończenia nerwowe na całym ciele ożyły i łaknęły coraz więcej doznań uśmierzających ból. To działało, więc posuwałam się dalej. Zrobiłabym wszystko, żeby nie rozlecieć się na kawałki. A tak się działo. Straciłam Brandta, straciłam Kale'a, straciłam mamę.

Pochyliłam się do Alexa, wsunęłam palce w jego blond włosy i przyciągnęłam go do siebie. Ogarnął mnie zapach papierosów połączonych z czymś miętowym, może tiktakami. Gdzieś w głębi umysłu coś przestrzegało mnie, aby nie pozwolić mu wykorzystać mojego cierpienia, ale ciało zupełnie się tym nie przejmowało. Potrzebowałam tego. Musiałam to czuć. Zeszłej nocy miałam ochotę go zastrzelić, gdzieś głęboko nawet o tym pamiętałam. Ale odcięłam się od tych myśli. Teraz nie był czas myślenia, lecz czas działania.

Alex chwycił guzik przy moich dżinsach i czekał na mój protest.

Moje ciało na to nie pozwoliło.

Ale dusza krzyczała: *stop!* Dźwięczały dzwonki alarmowe, zapalały się migoczące światełka, wszystko zmuszało do włączenia hamulców bezpieczeństwa. Ale hamulec chwilowo nie działał.

Alex umiejętnie rozpiął guzik i rozsunął zamek.

Kale. Chciałam myśleć o Kale'u.

Alex wsunął ręce pod tkaninę moich dżinsów i ścisnął nagie uda niemal do bólu. Drżałam pod wpływem jego dotyku. Kale miał palce miękkie i ciepłe. Alex – twarde i szorstkie. Jak lód. To był szok dla organizmu.

Kale. Zrobiłabym wszystko, żeby myśleć teraz tylko o nim. Był poza moim zasięgiem – jak Brandt. Przez chwilę przyszło mi do głowy, że mogłoby tak zostać na zawsze i poczułam jeszcze większy ból.

Łudziłam się, że mi się powiedzie. Z Kalem i Denazen. Gdy zerwałam z Alexem, przyrzekłam sobie, że nie będę się wikłać w żadne inne związki. Na to musi być odpowiedni czas i muszą być więzy. Bez nich gdy tylko coś zaczyna się psuć, związek się rozpada. A jeśli nie uda mi się wydostać Kale'a z rąk Denazen? Istniało prawdopodobieństwo, że jeżeli mi się nie powiedzie, będą mieli i mnie, i Kale'a. I nadal będą mieli moją mamę.

Alex wsuwał mi ręce pod koszulę. Niemal go powstrzymałam.

Nie powinnam liczyć, że uda mi się stanąć do walki z kimś takim, jak mój ojciec. Owszem, kłóciłam się z nim miliony razy i uważałam go za zwyczajnego, pyskatego prawnika. Ale odkąd zrozumiałam, do czego zdolna jest Denazen – do czego zdolny jest ojciec – nie mogłam się oszukiwać. Owszem, jak ci guma do żucia wpadnie pod biurko, to możesz ją oczyścić i włożyć z powrotem do buzi, ale co to da? Smak już stracony.

Kale stracony.

Koszula leżała już na sofie. Alex przesuwał dłoń od mojego ucha na ramię.

Mama stracona.

Wsunął palce pod moje mokre dżinsy i pociągnął je w dół. Uklęknęłam, aby mógł zsunąć je dalej. Gdy były już możliwie najdalej, strząsnęłam je ruchem nogi.

Brandt stracony.

Alex zębami odpiął mi stanik.

Straciłam nadzieję.

Przesuwał ciepłe usta z mojej szyi na ramię.

Zatraciłam siebie.

Nie!

Nie poddaję się tak łatwo! Jestem uparta. Im sprawa trudniejsza, tym lepiej. Uwielbiałam udowadniać ludziom, że się mylą. Kochałam zwłaszcza udowadniać to sobie sobie. To mi dodawało życia.

W końcu zaczęłam wracać do rzeczywistości i odsunęłam się. Pocałunki Alexa oczywiście były miłe. A co najważniejsze, czułam je. Ale nie o to mi chodziło w gruncie rzeczy. Odmawiając mu zeszłej nocy, byłam rozdarta. Miał rację, rzeczywiście nadal coś do niego czułam. Ale to za mało. Może to z powodu tego, co między nami zaszło.

Nigdy nie poznałam kogoś takiego jak Kale. Przy nim czułam się szczęśliwa. Jego uproszczone spojrzenie na świat plus płomienny entuzjazm do życia to rzeczy, bez których nie mogłam żyć. Chociaż Denazen bardzo go skrzywdziła i chociaż łączyło mnie coś z Aleksem, wiedziałam, kogo pragnę.

Czego pragnę.

Pragnęłam więzi.

– Przepraszam – powiedziałam i odepchnęłam go. Niczego nie musiałam tłumaczyć. Wszystko widział w moich oczach. Rozumiał. Był niezadowolony, ale nie krzyczał.

Odsunął się, zabrał koszulę i wstał z sofy. W jego uśmiechu było coś dziwnego. Coś budzącego strach.

– Zobaczymy – powiedział.

§

Zanim odebrał, telefon zadzwonił czternaście razy. Wiedziałam, że rozmowa jest nagrywana. Ojciec należał do ścisłego kręgu trzeciego.

– Marshall Cross.

– To ja, tato.

Milczenie. Zapewne sprawdzał identyfikację dzwoniącego.

– Deznee? Gdzie jesteś?

– W mieście. Możemy się spotkać w Blueberry Bean.

– Jestem w pracy. To musi poczekać.

– Nie może czekać. I jest związane z pracą. Spotkajmy się za dwadzieścia minut. – Rozłączyłam się. Niemal czułam dym, jaki unosi się spomiędzy uszu ojca. Uśmiechnęłam się. Zrobiło mi się trochę przyjemniej.

– Załatwione? – zapytał Alex, wyciągając rękę po telefon. Oddałam mu i schował go do kieszeni.

– Chyba tak. Jesteś gotów? Powinien być tu dość szybko.

– Muszę tylko skorzystać z kibelka. – Podał mi kluczyki.

– Idź do samochodu. Spotkamy się na dole.

§

Dwadzieścia minut później zgodnie z umową siedziałam pod rozłożystym parasolem przy stoliku przed Blueberry Bean, lokalem dla kofeinistów. Nadal padał deszcz, ale parasol był wystarczająco duży, aby nie zmoknąć. Chociaż dla mnie to nie miało żadnego znaczenia, bo byłam mokra jeszcze od rana.

Wymownie spojrzałam na nadgarstek. Nie miałam zegarka.

– Co tak długo?

– Deznee, to nie jest śmieszne. – Ojciec postawił po przeciwnej stronie stolika kubek, w którym z całą pewnością było podwójne espresso. W ciemnych okularach i beżowym prochowcu wyglądał trochę jak tajny agent z filmu. Innym razem zadrwiłabym z niego. Jeśli chodzi o stroje, łatwo było go wyprowadzić z równowagi. Nigdy nie rozumiałam, dlaczego.

– Już dobrze, nie chciałam stroić sobie żartów. – Uśmiechnęłam się i spróbowałam nie siedzieć w nonszalanckiej pozycji. Po takim dniu jak dzisiaj wymagało to sporo wysiłku.

– Postanowiłam tym razem przejąć inicjatywę.

Wysunął krzesło i usiadł.

– Tak?

Skinęłam na Alexa, który czekał w kawiarni. Dziwiłam się trochę, że po ostatniej nocy nadal chciał mi pomagać.

Dawny Alex był egoistą. Kiedy coś szło nie po jego myśli, zabierał swoje zabawki i zmykał do domu.

Wyszedł frontowymi drzwiami, minął róg i bez słowa usiadł między mną a ojcem.

– Dzień dobry, panie Cross.

Jeśli ojciec był zaskoczony, to dobrze to ukrywał.

– Pan Mojourn – powiedział z kamienną miną. – Co za miła niespodzianka.

Alex uśmiechnął się i rozparł na krześle.

– I vice versa.

Gdy chodziłam z Alexem, nigdy nie nawiązali ze sobą bliższych relacji. Prawdę mówiąc, ojciec kilka razy obiecywał, że obetnie Aleksowi pewną cześć fizjonomii i przybijc ją w salonie do ściany.

– *W każdym razie* – powiedziałam do ojca – Alex jest Szóstką i szuka pracy.

Na wieść o czymś takim ojciec nie zdołał ukryć zaskoczenia.

– Szóstką?

Alex wymierzył palcem w solniczkę stojącą na końcu stolika. Poruszyła się, przesunęła na samą krawędź, a później przemieściła na przeciwną stronę.

Nie powiem, żeby na ojcu zrobiło to wrażenie. Może Kale miał rację. Dar Alexa jest zbyt powszechny.

– Telekinetyka – powiedział ojciec. – Przydatna sprawa.

– No właśnie, mogę się przydać – podchwycił Alex. – Mam duże możliwości i umiejętności. A co najważniejsze, mój kręgosłup moralny pozostaje dość elastyczny.

– Czyżby? – w głosie ojca wyczułam zaintrygowanie. Na ustach dojrzałam cień uśmiechu.

– Tak – potwierdził Alex.

Ojciec przenosił wzrok to na niego, to na mnie.

– A moja córka?

Alex wzruszył ramionami.

– Co z nią?

– Jakie masz wobec niej zamiary?

– Panie, jeśli pytasz pan, czy zamierzam znów chodzić z pańską córeczką, to ni chuja. Jak dla mnie za duże koszty utrzymania.

§

Jechałam do Denazen z tatą. Alex podążał za nami swoim samochodem.

– Wkurzasz się z powodu tego Alexa? – Wolałam niczego nie owijać w bawełnę. Od chwili opuszczenia kawiarni ojciec nie odezwał się ani słowem. I jak zwykle niczego nie potrafiłam wyczytać z jego miny.

– Prawdę mówiąc, Deznee, jestem z ciebie dumny. Widzę, że przykładasz się do nowej pracy i wykazujesz się taką dojrzałością i odpowiedzialnością, o jaką cię posądzałem.

Olala.

– Zostaniesz rekomendowana do jak najprędzej podjęcia pracy w terenie. Za kilka dni. Chciałbym, żebyś jak najszybciej zaczęła zbierać informacje o zakamuflowanych Szóstkach. Coś mi mówi, że najlepszym sposobem dotarcia do nich będziesz właśnie ty. Być może za pośrednictwem Alexa.

– Alexa? Chyba nie zamierzasz przydzielić nas do jednego zespołu ani nic z tych rzeczy.

– To byłby jakiś problem?

Bingo! Mogłam liczyć na więcej szczęścia? Stłumiłam uśmiech i zmarszczyłam brwi.

– Szczerze mówiąc, nie byłabym zachwycona. Nie przepadam za tym gościem.

– Sprawiacie wrażenie bardzo zaprzyjaźnionych.

– Słucham? Starałam się zaimponować ci i sprowadzić nowego chłopaka. Gdybym, próbując go skaptować, próbowała wyrywać mu jaja i wpychać do gardła, nie przyczyniłabym się do sprawy Denazen, nie?

Ojciec roześmiał się. A raczej zachichotał. Nigdy wcześniej nie słyszałam jego śmiechu. Gdybym nie nienawidziła go tak bardzo, może nawet bym się rozpromieniła. Włączył kierunkowskaz i zjechał na parking Denazen.

– Mam nadzieję, że to dobrze wpłynie na wszystkich.

22

Tego dnia już nie widziałam Alexa. Następnego też nie. Tata zapewniał, że nic mu nie jest, pracuje z dobrymi ludźmi i robi postępy.

Stałam przed lustrem i próbowałam podjąć decyzję, czy związać włosy, czy pozostawić rozpuszczone. Brand uwielbiał rozpuszczone. Mówił, że wyglądam w nich dziko i to do mnie pasuje. W końcu wybrałam opcję, która podobałaby się Brandtowi.

Ostatecznie to jego dzień.

Wygładziłam spódnicę i jeszcze raz spojrzałam na siebie, a później zabrałam małą, ładnie zapakowaną paczuszkę, którą przechowywałam od miesięcy. Idąc po schodach na dół, schowałam ją do kieszeni. Przy drzwiach czekał ojciec ubrany w jeden z garniturów, które na co dzień nosił do pracy. Spojrzał na zegarek, robiło się późno.

Droga do domu pogrzebowego była zbyt krótka, a jednocześnie zbyt długa. W samochodzie panowała chłodna, nieprzyjemna atmosfera, więc wysiadłam z ulgą. Z drugiej strony wcale nie spieszyło mi się tam, dokąd jechaliśmy. Do mojego nieżyjącego przyjaciela. Do przygnębiającego miejsca pełnego ludzi, którzy albo znali go słabo, albo nie znali wcale. Nieprzyjemna chwila.

Zapytałam ojca o Alexa i odpowiedział mi tylko, że będą się starać, aby w okresie szkolenia przebywał cały czas w Denazen. Zapytałam też, czy Alex może wziąć udział w pogrzebie. Ale ojciec kategorycznie odmówił.

Byłam więc sama i stałam w kaplicy w pierwszym rzędzie obok cioci Cairn. Wyglądała przerażająco. Sprawiała wrażenie dziesięć lat starszej niż w rzeczywistości. Usta zaciśnięte w cienką kreskę, oczy wpatrzone prosto przed siebie, skupione na mahoniowej trumnie ustawionej przed ołtarzem. Ojciec Kapshaw poruszał ustami, wychwytywałam pojedyncze słowa o całej tragedii, ale szczerze mówiąc nie zwracałam na nie większej uwagi.

Koncentrowałam się na ojcu siedzącym w rzędzie obok wujka Marka. W odróżnieniu od żony wujek płakał otwarcie, trzymał brata za rękę i wypowiadał słowa przeprosin do zmarłego syna. Czułam się z tym strasznie. Dwa razy musiałam ugryźć się w język i powstrzymać się od krzyknięcia: *to jego wina, nie twoja!*

W domu pogrzebowym panowało ożywienie. Przyjaciele i sąsiedzi składali rodzinie kondolencje. Nie wiadomo skąd pojawiali się znajomi Brandta, których nie widziałam od wielu lat. Koledzy z klasy, dziewczyny szalejące na jego punkcie i osoby, które ledwie go poznały. Wszyscy oni uważali się za jego najlepszych przyjaciół. Chciało mi się wyć. Stali upchnięci w kącie i szeptali między sobą.

Rozmawiałem z nim wieczorem, przed śmiercią! Miałem wrażenie, jakby bał się czegoś. To mówił Manny Fallow, chłopak, którego Brandt nigdy nie lubił i od czwartej klasy codziennie unikał. Gość zawsze śmierdział czymś w rodzaju trutki na mole.

W piątek byliśmy umówieni na randkę. Bardzo się kocha-
liśmy. To Gina Barnes, dziewczyna, z którą od lat nie rozmawiał. Zakochani? Ledwie miesiąc temu Brandt twierdził,
że z Giny zrobiła się straszna jędza. Nie tknąłby jej trzyme-
trowym drągiem.

W przyszłym miesiącu mieliśmy wspólnie wynająć miesz-
kanie, nawet wpłacił swoją połowę depozytu. To Victor
Jensen, który pracował z Brandtem w sklepie rowerowym.
Wiedziałam z całą pewnością, że pokłócili się dwa tygodnie
wcześniej, bo Brandt przyłapał go na podbieraniu pieniędzy
z kasy.

To było dla mnie za wiele.

Na szczęście w kaplicy, w samej uroczystości pogrzebo-
wej, brała udział wyłącznie rodzina. A ponieważ obecnie
cała rodzina składała się ze mnie, ojca, wujka Marka i cioci Cairn, w środku było prawie pusto. Do rodziny należała
właściwie jeszcze moja mama, ale czy można liczyć kogoś,
o kim w ogóle nie powinno się wiedzieć?

Ojciec Kapshaw skończył kazanie, pobłogosławił trumnę
i sześciu mężczyzn przyszło pod ołtarz, żeby ją podnieść.
Musiałam mocno na nad sobą panować, żeby nie zrobić
awantury. Cała szóstka ubrana była w te same granatowe
garnitury. Ojciec to łajdak.

Minęli nas i pojedynczo ruszyliśmy za nimi w stronę karawanu. Po drodze na parking zauważyłam stojącego na
uboczu chłopaka w prostych, czarnych dżinsach i brązowej
koszuli na guziki. Widziałam go już w domu pogrzebowym, ale trzymał się z boku, poza grupą kolegów z klasy.
Stał tylko przy ścianie, nie składał nam kondolencji. Smut-
nymi oczami obserwował, jak sześciu mężczyzn z Denazen

ładuje Brandta do czarnego, przystrojonego karawanu, aby zabrać go w ostatnią drogę.

Po odjeździe odwróciłam się, ale tamtego chłopaka już nie było.

§

Gdy ojciec Kapshaw wygłaszał mowę na temat tragedii z powodu straty kogoś tak młodego i pełnego życia, zza chmur w końcu wyjrzało słońce . Wspomniał o dobroci i uprzejmości Brandta, o jego działalności charytatywnej w lokalnej społeczności.

Siedziałam na metalowym krześle, które powoli zapadało się w ziemię.

Wokół głowy nieustannie krążyła mi wielka, bzycząca mucha.

Obok mnie zaczęła coś sobie nucić ciocia Cairn.

– Dusza Brandta Crossa będzie z nami na wieki. Zapamiętamy go jako człowieka o wielkim sercu, który zawsze dla każdego miał dobre słowo...

Miałam ochotę zerwać się z krzesła i wykrzyczeć jakieś bzdury. Albo zdjąć but i rzucić nim ojcu Kapshawowi w głowę. Oddałabym światowe zasoby miętowej czekolady, żeby zobaczyć, jak mu rzednie pompatyczna mina. Przerwałabym te idiotyzmy. Ale powtarzałam sobie, że to dzień Brandta. Nie mogłam pozwolić, aby miał mowę, w której tak naprawdę nie ma o nim ani słowa. Zamiast robić scenę, wstałam i przerwałam kwiecistą perorę księdza, żeby dodać coś od siebie. Coś, co Brandtowi naprawdę by się spodobało.

– Wiele można powiedzieć o Brandcie, ale nie że dla każdego miał dobre słowo albo że prowadził działalność charytatywną w lokalnej społeczności. – Zacisnęłam pięści, wbijając sobie paznokcie w dłonie. Ból pozwolił mi utrzymać koncentrację. – On był ordynusem z niewyparzonym językiem i deskorolką Tony Hawk, którą uwielbiał ponad wszystko. Nienawidził tłumu, kochał sushi. Popierał prawa zwierząt, muchy nawet nie skrzywdził. Nienawidził wojny. Był lojalny i uparty. Tak naprawdę nikt z was go nie znał.

Dłużej nad sobą nie mogłam zapanować, głos mi się załamał. Odwróciłam się i zostawiłam ich z pełną pustych słów mową księdza. Nawet się za siebie nie odwróciłam.

Nie zaszłam daleko. Gdy tylko zeszłam reszcie żałobników z oczu, znalazłam się obok grobowca z białego marmuru. Potrzebowałam trochę odetchnąć, więc przysiadłam tam, żeby nieco odzyskać siły.

– To było świetne – usłyszałam obok siebie głos.

Podskoczyłam, przylgnęłam do marmurowej ściany.

– Przepraszam – powiedział tamten chłopak. – Nie chciałem cię przestraszyć.

– Widziałam cię w domu pogrzebowym. I przed kaplicą.

– Tak.

Gdy zobaczyłam, że nie chce powiedzieć nic więcej, postanowiłam przycisnąć.

– Okej, kim jesteś?

– Kolegą Brandta. Nazywam się Sheltie. Wiele razy rozmawiałem z nim o tobie, ale nie mieliśmy okazji się poznać.

Sheltie. Nic mi to imię nie mówiło, ale chłopak wyglądał jakoś znajomo. Jakbym minęła go kiedyś w szkolnym korytarzu lub widziała na jakiejś imprezie. W lewej dłoni trzymał mały, okrągły przedmiot z czerwoną wstążką na środku. Z przerażeniem uświadomiłam sobie, co to jest.

– Czy to...

Skinął głową i wyciągnął rękę. Gładząc nieco pościeraną powierzchnię, powiedział:

– Jedno z kółek deskorolki Brandta.

Zbliżyłam się do niego, ale zrobił unik.

– Co masz zamiar z tym zrobić? – zapytałam.

Przez chwilę milczał, a potem westchnął.

– Kilka dni temu rozwaliła mu się deska. Ja ją naprawiałem.

– Po co to tu przyniosłeś?

Prychnął.

– Chyba Brandta nie znałaś. Sypiał z tą swoją cholerną deskorolką. I pomyślałem sobie, że tutaj jest miejsce na ten przedmiot.

Dlaczego ja na to nie wpadłam? To bardzo szczery i trafny gest. Czułam się jak kompletna idiotka, że nie przyszło mi coś takiego do głowy. Obejrzałam się na tłum przy grobie.

– Nie widziałam cię. Skąd wiedziałeś, co mówiłam?

Wzruszył ramionami i klepnął się w bok głowy.

– Mam dobry słuch. – Wyjął z kieszeni i podał mi niewielką kopertę. – Brandt prosił, żeby ci to przekazać.

– A co to jest?

Znów wzruszenie ramion.

– Nie otwierałem.

Wzięłam od niego, ale nie rozpieczętowałam. Wcisnęłam do kieszeni żakietu. Znalazła się obok małego pudełka opakowanego w zielony papier ozdobny.

– Dlaczego dał ci coś, co miałeś mi przekazać?

Rozsiadł się na trawie i oparł o ścianę.

– Nie podobało mu się to, co robisz z tym Kalem – powiedział, jeżdżąc kółkiem od deskorolki po krawędzi grobowca.
– Martwił się. Mówił, że to ci nigdy nie przejdzie.

Dlaczego miałby mówić coś takiego, skoro dwa dni temu w mieszkaniu Alexa ze wszystkiego zrezygnował?

– Opowiadał ci o tym?

– Byliśmy bardzo bliskimi przyjaciółmi. Czasami nawet stanowiliśmy jedność. – Zerwał źdźbło trawy i zwijał je między kciukiem a palcem wskazującym. – Wiem, że cię kochał.

– Ja też go kochałam. – Poczułam nagłe wyrzuty sumienia.
– To moja wina. Poprosiłam go o przysługę.

– Być może – powiedział rzeczowym totem pozbawionym cienia oskarżenia. Bardzo przypominał Brandta. Umiał mówić prawdę prosto w oczy, lecz bez okrucieństwa.

– Z jego śmiercią miał coś wspólnego mój ojciec. – Nie wiem, dlaczego to powiedziałam. Sheltie był kimś zupełnie obcym, ale czułam się przy nim bardzo swobodnie. Ufałam mu, co przy liczbie zdrad, z jaką spotykałam się w życiu, było niemądre.

– Też tak uważam. – Wstał. – Brandt prosił, żeby przekazać ci jeszcze jedno. Mówił, że będziesz błądzić, a nienawidzisz pytań bez odpowiedzi.

– No tak.

– Brandt był Szóstką. Mówił, że kilka dni temu chciał ci o tym powiedzieć... – Wzruszył ramionami. – Ale chyba już za późno.

Nie potrafiłam się wściec, że to przede mną ukrywał. Przecież sama robiłam dokładnie to samo. Teraz nie miałam już możliwości naprawić tego. – Ty też jesteś Szóstką?

Uśmiechnął się przebiegle.

– Nadal mówię, że powinnaś spływać z Dodge najszybciej, jak się da.

Zamarłam.

– Słucham?

Cisza.

– Co powiedziałeś?

Próbował zbyć to żartem, ale bez powodzenia. W jego oczach malowało się przerażenie.

– Powiedziałeś wtedy: *nadal mówię, że powinnaś spływać z Dodge najszybciej, jak się da.*

– No to co?

– To samo powiedział Brandt podczas naszego ostatniego spotkania.

– Mówiłem ci, że myśleliśmy tak samo. – Otrzepał kurz z czarnych dżinsów. Schował do kieszeni kółko deskorolki i odszedł kilka kroków.

– Nie możesz mówić *nadal* do kogoś, kogo pierwszy raz widzisz na oczy.

Wzruszył ramionami.

– Ale powiedziałem.

Bez dalszych słów odwrócił się na pięcie i odszedł, nawet się za siebie nie oglądając. Wstałam, żeby pójść za nim, ale powstrzymał mnie głos ojca.

– Denzee?

Wyszłam zza grobowca.

– Tutaj.

– Już koniec. Wszyscy odchodzą. – Zrobił kilka kroków i zajrzał za grobowiec, jakby spodziewał się tam kogoś zobaczyć. – Czekam w samochodzie.

Kiwnęłam głową i popatrzyłam, jak odchodzi. Gdy wszyscy zniknęli, wróciłam na grób.

Silny wiatr zrzucił na ziemię kilka wiązanek. Jedna z szarf furkotała jak oszalała. Pochyliłam się i zabrałam białą różę z wieńca.

– Co ty sobie myślałeś? – skierowałam pytanie do milczącej, brązowej skrzyni. – Dlaczego zrobiłeś coś głupiego? Przecież mówiłam ci, żebyś odpuścił...

Oczywiście nie dostałam odpowiedzi.

Gdyby życzenia były końmi... To pewnie zostałabym stratowana.

Stałam tam jeszcze chwilę i obserwowałam wiatr poruszający sztuczną trawą ułożoną wokół grobu. Wyjęłam pudełko zawinięte w zielony papier i przyłożyłam do ust. Bilety na XtreamScream, lokalną wersję X games. Już nie pójdzie.

Wrzuciłam je do niezasypanego grobu razem z białą różą.

– To na urodziny, Brandt. Wszystkiego najlepszego.

23

W drodze powrotnej do samochodu podsłuchałam rozmowę ojca z jednym z mężczyzn, którzy wynosili trumnę z kaplicy. Ojciec mówił głośniej niż zwykle, więc domyśliłam się, że chce, abym go słyszała. Podjęli decyzję o eliminacji Kale'a. Tata mówił, że jest skażony, zniszczony i trzeba upuścić z niego całą krew, a potem z nim skończyć. Najwyraźniej udało im się stworzyć syntetyczny zamiennik jego krwi. I już go nie potrzebowali.

Musiałam działać szybko, ale nie wiedziałam, co robić. Nie mogłam sforsować ochrony i dostać się na dziewiąty poziom, gdzie go przetrzymują.

– Mam w pracy parę rzeczy do zrobienia – powiedział ojciec, gdy wracaliśmy samochodem. – Podrzucę cię do domu, żebyś się przebrała. Za czterdzieści minut przyjedzie po ciebie samochód i zabierze cię do Denazen. Mercy czeka z kolejną turą pytań. Jak skończycie, samochód zawiezie cię do domu.

– Kolejną turą pytań?

Ojciec skinął głową.

– Tak. Jutro wyruszasz w teren.

§

– Co słychać, Dez?

Naprzeciwko mnie siedziała Mercy i popijała herbatę z małej filiżanki. Tym razem ubrana była w niepogniecione spodnie w kolorze równie ohydnym jak grochówka.

– Trudno ci przystosować się do zasad panujących tu w Denazen?

Wzruszyłam ramionami.

– Nigdy nie przywiązywałam do nich specjalnej wagi.

– Słyszałam. – Skinęła głową i uśmiechnęła się porozumiewawczo. – Dowiedziałaś się już wszystkiego?

– Na pewno jeszcze wiele mi pozostało do nauki.

– Mam tu listę pytań zasugerowanych prze twojego ojca.

Starałam się nie okazać niepokoju, ale chyba mi nie wyszło.

– To cię martwi?

– A powinno?

– Być może.

Odchyliłam się do tyłu, spróbowałam rozluźnić i posłałam jej zachęcający uśmiech.

– Zobaczmy.

– Dziś rano byłaś na pogrzebie swojego kuzyna – powiedziała bez emocji. – Kiedy widziałaś go ostatnio?

Wiedzieli.

– Kilka dni temu.

– A gdzie?

Kurza twarz.

– Na Cmentarzysku.

– Na Cmentarzysku? Co robiliście na cmentarzu?

– Nie na cmentarzu tylko na Cmentarzysku. Tam urządzamy imprezy.

Mercy pokiwała głową i zanotowała coś na kartce.

– A o czym rozmawialiście?

Przełknęłam ślinę.

– W sumie niewiele gadaliśmy.

Mercy odłożyła długopis i westchnęła. Wstała z krzesła i wyszła zza biurka.

– Zróbmy sobie minutę przerwy od pytań, dobrze? Wyjaśnię ci, w jaki sposób działa mój dar. – Pochyliła się i wręczyła mi notatnik. Położyła na nim kartkę, na której pisała i minimalnie poruszyła.

Spojrzałam na notes i mnie zatkało.

Niech to będzie tak przesunięte. Wtedy kamera tego nie obejmuje. Skończymy tę sesję przed czasem. Spotkamy się na parkingu przed sekcją B. Pracuję dla Ginger. Gdy każę ci czytać, powiedz: Mam na imię Dez, siedemnaście lat i jestem wyróżniającą się uczennicą.

Boże, przebacz Ginger, że nie powiedziała mi, że ma w środku swoich ludzi. Wiadomo, nigdy nie potrzebuję niczyjej pomocy.

– Potrafię rozpoznać, kiedy kłamiesz w jakiejś sprawie. Napisałam ci tu zdanie. Proszę, przeczytaj je.

Po chwili niepewności powiedziałam:

– Mam na imię Dez, siedemnaście lat i jestem wyróżniającą się uczennicą.

Uśmiechnęła się.

– Kłamstwo. Twoja aura pociemniała. Tak się dzieje przy każdym kłamstwie. – Przez chwilę przyglądała się uważniej. – Potrafię także rozpoznać, jak coś ukrywasz.

§

Stałam na parkingu przy sekcji B i czekałam na spotkanie z Mercy. Strażnikowi na czwartym poziomie powiedziała, że skończyła ze mną wcześniej i załatwiła mi już transport. Cały czas nie wiedziałam, co myśleć, ani czy mogę jej zaufać. To mogła być jakaś sztuczka lub próba. Ponieważ jednak czas mi się kończył, postanowiłam zaryzykować.

Nie musiałam na nią czekać długo.

– Mam przepustkę na poziom dziewiąty, tam gdzie przetrzymują twojego przyjaciela. Na dzisiejsze popołudnie ma wyznaczone ostatnie przesłuchanie. To dla ciebie ostatnia szansa, żeby go wydostać przed eliminacją.

– Zaraz, zaraz, nie tak szybko. – Przyjrzałam jej się wnikliwie, czułam niepewność. Jej słowa o tym, że pracuje dla Ginger, wcale nie musiały być prawdziwe. – Skąd mam wiedzieć, że to nie żaden przekręt? Wy tu z Denazen słyniecie z nieczystych zagrań. Wplączę się w to, a potem trzeba mnie będzie szukać na dziewiątym poziomie. W jednej z tych szklanych klatek.

– Musisz mi zaufać. Nie ma czasu. Twój ojciec wie, po co tu naprawdę jesteś. Wie też o tobie i o 98.

– O Kale'u – warknęłam. – On nazywa się Kale, a nie 98. – To głupie, żeby w takiej sytuacji kłócić się o imię, ale irytowało mnie określanie go numerem. – I skąd mój ojciec, do diabła, ma o wszystkim wiedzieć?

Roześmiała się. Z głębi jej płuc wydobył się ciemny, skrzeczący dźwięk.

– Wszędzie ma swoich szpiegów.

– Ktoś mu doniósł? Kto? – Tylko ja, Kale i ludzie Ginger wiedzieliśmy o mojej misji. Czyżby Ginger miała u siebie podwójnych agentów?

Mercy pokręciła głową.

– Nie wiem. Ale to nie ma znaczenia. Wie o tobie i musimy działać szybko.

Założyłam ręce na piersi i zmrużyłam oczy.

– Skoro pracujesz dla Ginger, to dlaczego sama nie zdobędziesz dla niej listy?

– Nie prosiła mnie o to.

Poważnie? Chciało mi się krzyczeć. Ci ludzie zdolni są do wywołania implozji w mojej głowie.

Wyciągnęła rękę.

– Szybko! Nie ma więcej czasu.

– Co szybko? Mam cię wziąć za rękę? Chyba już ostatnio wyjaśniłyśmy sobie, że nie jesteś w moim typie.

– Chodzi o kopiowanie, idiotko!

– Aha. – Czasami ciężko jarzę. – Chwileczkę. Tak być nie może. Nie masz samochodu, który zawiezie mnie do domu? Jeśli ojciec wie, co jest grane, ma mnie na oku. Śledzi, gdzie jestem i co robię.

– Ja pojadę za ciebie.

Popatrzyłam na nią uważniej.

– Bez obrazy, ale pomijając już fakt, że za skarby świata bym się tak nie ubrała, to jesteś trochę za wysoka i za stara.

– Słuchaj, zamienimy się rolami – przewróciła oczami i obejrzała się za siebie. – Ty będziesz mną, wejdziesz do 98... znaczy do Kale'a. Ja będę tobą i pojadę do twojego domu.

– Myślisz, żebym skopiowała i ciebie, i siebie? – Mój mózg protestował. Pokręciłam głową. Pomyślałam o Ricku. O krwi, o zmianie wnętrzności. Nie, nigdy więcej. – Nie ma mowy. To by mnie zabiło.

Chwyciła mnie za ramiona i potrząsnęła.

– To twoja jedyna szansa. Jeśli nie pójdziesz tam i nie wydostaniesz go, on umrze.

Miała rację. Nie było wyjścia. Ale kopiowanie dwojga ludzi? Już kopiowanie jednego wydawało się niemożliwe. Jakie więc są szanse, że uda się z dwojgiem? Tak czy inaczej musiałam spróbować. Dla Kale'a. Jeśli to zadziała i jeśli przeżyję, to może Żniwiarz będzie niepotrzebny do uwolnienia mojej mamy. Może sama dam sobie radę.

Wzięłam ją za obie ręce, zamknęłam oczy i skoncentrowałam się. Pojawiła się fala bólu, chciałam krzyczeć. Tym razem nie mogłam się powstrzymać. Łzy popłynęły mi po policzkach, oślizgła dłoń zasłoniła mi usta.

I wtedy poczułam. Jakby spadł z nieba odrzutowiec... i przeleciał przeze mnie. Miałam wrażenie, że przecina mnie na połowę. Powoli, komórkę za komórką.

– Deznee? Dez, wstawaj.

Otworzyłam oczy i ujrzałam... siebie. To Mercy. Mercy w mojej postaci. No, no. Chyba przydałoby mi się trochę słońca. Pomogła mi wstać, przytrzymywała mnie za ręce. Czułam w głowie świdrujący ból. Z trudem docierały do mnie słowa Mercy. Podłoga sprawiała wrażenie, jakby zapadała się pode mną i chciała mnie pochłonąć.

– W tym się nie da chodzić. – Tania tkanina nieprzyjemnie ocierała się o moje nogi, marynarka była niedopasowana i za ciasna.

Mercy wzruszyła ramionami i zrobiła krok do tyłu, podciągając moje szorty.

– A co ja mam powiedzieć? Te szorty są nieprzyzwoicie krótkie. Wyglądam w nich jak ladacznica.

Stanie o własnych siłach stanowiło nie lada wyczyn, ale jakoś mi się udawało.

– Powaliło cię? Mam zabójcze nogi i cudny tyłek. Byłabym idiotką, gdybym ich nie eksponowała.

Na parking zajechał czarny sedan.

– Czas na przedstawienie. – Podała mi swoją przepustkę.

– Wystarczy, że pójdziesz na dziewiąty poziom i powiesz, że zabierasz 98 na przesłuchanie. Przyprowadź go do mojego gabinetu. A potem znajdź jakąś wymówkę i wyprowadź go na zewnątrz.

Znajdź wymówkę? Łatwo powiedzieć.

– A co dalej?

– Proponuję wam uciekać. Szybko się połapią, że nie ma mnie tam, gdzie powinnam być. – Ruszyła do samochodu, który stanął przy krawężniku. – Powinnam coś wiedzieć?

– Po prostu zaszyj się w moim pokoju. Nie wiem, o której to będzie, ale jak ojciec wróci, zamknij się na klucz i ignoruj go. Jak będzie natarczywy, spław go jakoś.

Wyglądała na zażenowaną. Dziwnie było widzieć jej minę na własnej twarzy. Ja nie okazuję zażenowania.

– Spławić?

– Z boku pod werandą jest przyklejony klucz. Miłej zabawy. – Pomachałam jej na do widzenia i popchnęłam w stronę samochodu. Gdy samochód zniknął z parkingu, powoli ruszyłam z powrotem do budynku. Jakimś cudem udawało mi się nie upaść. Nie wiedziałam, ile mam czasu, więc nie mogłam zwlekać, ale szybsze tempo pozostawało poza zasięgiem moich możliwości. Kopiowanie pozbawiło mnie całej energii. Przed przewróceniem chroniła mnie tylko myśl o Kale'u. Jeśli tego nie załatwię, on straci życie.

Gdy mijałam urzędnika na pierwszym piętrze i zmierzałam do białej windy, czułam pulsowanie w uszach. W środku przeciągnęłam przez czytnik przepustkę Mercy i powiedziałam, żeby winda jechała na dziewiąty poziom. Trochę spodziewałam się syren alarmowych i blokady, która mnie uwięzi w środku. Może nawet takich jak w filmach wiązek laserowych broniących dostępu do drogocennych klejnotów. Ale gdy winda ruszyła do góry, głęboko odetchnęłam z ulgą. Na razie jest nieźle.

Po otwarciu drzwi ujrzałam czerwone ściany i betonową podłogę dziewiątego poziomu. Wyprostowałam się tak, jak Mercy, żeby wyglądać, jakbym połknęła kij.

– Dzień dobry, Mercy – odezwała się zza kontuaru niska, tęga kobieta. Skinęłam głową i poszłam za róg w stronę korytarza. Dobrze, że byłam tu z ojcem, bo w przeciwnym razie byłoby po mnie. Ktoś na pewno zwróciłby uwagę, gdyby Mercy pytała o drogę.

– Kogo dzisiaj przesłuchujesz? – zapytał strażnik pilnujący wejścia na korytarz. Przekręcił klucz, otworzył drzwi i uśmiechnął się zalotnie. Może Mercy nie była taka zimna, jak mi się wydawało. Puściłam do niego oko i odpowiedziałam uśmiechem. Wydawał się zaskoczony, ale zadowolony.

– Ostatnia runda z 98, a potem czapa – powiedziałam.

Uniósł brwi, ale zrobił gest zapraszający do środka. Cholera, powinnam myśleć jak Mercy. I mówić jak ona. Rozwlekle i nudno.

– Wyślę Jima z ubraniem, żeby sprowadził go na dół. Możesz poczekać na niego w swoim gabinecie.

– Nie trzeba. Poczekam tutaj i zejdziemy razem. Chcę jeszcze... przeprowadzić pewne obserwacje.

Chyba moje słowa okazały się trafione. Patrzyłam na korytarz pełen szklanych klatek, a strażnik dzwonił do kogoś przez komórkę. Wszyscy siedzieli tak samo jak podczas mojej poprzedniej wizyty. Zupełnie, jakby od tamtej pory się nie ruszali. Wszystko na tym samym miejscu. Wszyscy mieli taki sam wyraz twarzy. Nawet koce na pryczach leżały tak samo.

Wyjątek stanowił Kale.

Wciśnięty w kąt celi, patrzył przed siebie. Gdy stanęłam przed szybą, nawet nie mrugnął. Obawiałam się, że jest naszprycowany lekami. Już miałam powiedzieć coś, żeby mnie rozpoznał, ale on odezwał się pierwszy:

– Powiedziałem już wszystko, co mam do powiedzenia. Dalsze przesłuchania niczego nie zmienią.

Na końcu korytarza pojawił się mężczyzna w stroju kosmonauty. Nie miałam szans ujawnić się przed Kalem.

– Zawsze można zadać parę dodatkowych pytań, 98 – powiedziałam, gdy mężczyzna był już blisko.

– Poziom piąty?

– Tak, proszę do mojego gabinetu.

Otworzył drzwi i podniósł Kale'a, który wyglądał nieco lepiej niż poprzednio, ale i tak chwiał się na nogach. Jeszcze chwila i przy odrobinie szczęścia będziemy wolni.

W gabinecie Mercy mężczyzna posadził Kale'a na krześle i wręczył mi paralizator.

– Na wypadek, gdyby się na ciebie rzucił.

Podziękowałam skinieniem głowy i czekałam, aż zamknie za sobą drzwi. Wiedziałam, że gabinet nadzorują kamery, więc nie mogłam tak po prostu powiedzieć Kale'owi, co się dzieje. Mogłabym, podobnie jak wcześniej Mercy, napisać to na kartce, ale ktoś, kto nas obserwował, mógłby nabrać podejrzeń.

– Zdajesz sobie sprawę, że czeka cię eliminacja, prawda? – zapytałam. Jeśli ktoś nas obserwował – a stawiam swoje ulubione kozaczki, że tak – to musiał widzieć Mercy przy zwykłej pracy.

Kale nie odpowiedział.

– Dlaczego uciekałeś?

Milczenie.

Co Mercy zrobiłaby w takiej sytuacji? Spróbowałaby spowodować jakąkolwiek reakcję.

– Mówili ci o tej dziewczynie? O tej Deznee?

Zareagował. Uniósł głowę i zmrużył oczy.

– Co z nią?

– Nie radziła sobie tu w Denazen, prawda?

Kale pobladł.

– Co?

– No, 98, nie wyglądasz za dobrze. Myślę, że świeże powietrze dobrze ci zrobi. – Czy naprawdę pozwoliliby Mercy wyjść z Kalem? Bez nadzoru?

– Co z Dez?

– Chodźmy na spacer.

Wstał, drgały mu mięśnie szczękowe. Napinając palce, ruszył do przodu.

– Co się stało z Dez?

Spojrzałam nerwowo do kamery w kącie pomieszczenia. Kale był gotów rzucić się na mnie. Jeśli zaatakuje, oboje przegraliśmy. Chwyciłam telefon i rzuciłam mu spojrzenie *nawet o tym nie myśl*. Nacisnęłam przycisk numer pięć kierujący do recepcji.

– Tak – odezwał się zniekształcony głos.

– Tu Mercy. Zabieram 98 na zewnątrz.

W głosie po drugiej stronie linii wyczuwało się wahanie.

– Czy to rozsądne?

– Czuję, że w ten sposób więcej z niego wyciągnę. Już był na zewnątrz. Poznał smak wolności. Mała przechadzka nie zaszkodzi.

– Mamy przynieść mu kombinezon?

– To niepotrzebne – mrugnęłam do Kale'a. – Chcę, żebym udzielił mi informacji o dziewczynie, więc będzie zachowywał się spokojnie.

– Twoja sprawa. Wychodź, kiedy chcesz.

Odłożyłam słuchawkę.

– A teraz ustalimy pewne zasady. Zrobię ci przysługę i wyprowadzę cię na świeże, przyjemne powietrze. Niech to będzie ostatni prezent skazańca. Ty odwdzięczysz się spokojnym zachowaniem. Nie będziesz mnie dotykał i nie będziesz robił gwałtownych ruchów. Wtedy odpowiem na wszystkie twoje pytania i Dez nie stanie się nic złego.

Stężała mu twarz.

– Macie ją? – Przestał zaciskać palce. – Jest tutaj?

– Jest tutaj cała i zdrowa. Na razie. Ale jeśli coś stanie się mi albo komuś innemu z personelu, albo jeśli nie wrócimy, to... Sam wiesz, że mamy sposoby, żeby twojej przyjaciółce nie było tu zbyt przyjemnie. – Nie podobało mi się, że muszę go w ten sposób torturować, ale nie znajdowałam innej metody nakłonienia go do współpracy.

Wstał i klasnął dłońmi. Nienawiść bijąca z jego oczu spowodowała, że dreszcz przeszedł mi po plecach. Cały czas musiałam sobie przypominać, że wyglądam jak Mercy.

– Zrozumiałem.

Otworzyłam drzwi i pokazałam mu drogę. Z przyśpieszonym tętnem musiałam skoncentrować się na stawianych krokach. Prawa, lewa, prawa, lewa. Musiałam pamiętać, że to nie ucieczka. Krew napłynęła mi do uszu. Musiałam powstrzymać się od uśmiechu. Jeszcze nigdy nie czułam czegoś takiego. Skok na bungee z Western Bridge, jazda samochodem na autostradzie z prędkością stu kilometrów na godzinę, a nawet narozrabianie w szkole i wylądowanie u dyra na dywaniku, razem to wszystko – to był przy tym pryszcz. Oprócz przebywania z Kalem nic tak nie działało na mój organizm.

Przeprowadziłam go obok recepcji do windy.

Zjechaliśmy na pierwsze piętro.

Wyszliśmy z windy i dotarliśmy do frontowych drzwi.

Wszystko szło zbyt łatwo.

Zaczęło się, gdy wyszliśmy z budynku na słońce. Pewien głosik w jakimś zakamarku mózgu podpowiadał mi, że coś jest nie tak. Zupełnie, jakbym o czymś zapomniała. O czymś wielkim. Nie potrafiłam jednak tego określić.

Wskazałam piknikowe fotele stojące po lewej stronie.

– Możesz usiąść.

Spojrzałam ukradkiem za siebie i zauważyłam, że obserwuje nas urzędnik zza kontuaru na pierwszym poziomie.

– Słuchaj mnie uważnie – powiedziałam, siadając naprzeciw niego. – Posiedzimy tu chwilę i pogadamy, a potem obejdziemy budynek w stronę ogrodów. A później przeskoczymy płot i dajemy w długą.

Kale zamrugał oczami.

– Krew ci leci – powiedział ze zrozumieniem.

Pochyliłam się i przesunąłem dłoń pod nosem. Shit. Ciekawe, czy jeszcze ktoś zauważył?

– To ja.

– Krew ci leci – powtórzył, wyciągając rękę.

Przyłożyłam sobie nadgarstek do nosa. Oczywiście całą dłoń miałam czerwoną.

– Jestem Mercy. – Pokręciłam głową. – Jak ktoś zobaczy, że mnie dotykasz, to w trymiga nas zapuszkują.

Cofnął rękę, przestał się uśmiechać.

– Nic ci nie jest?

– Siedzisz uwięziony w tym piekle i pytasz, czy nic mi nie jest?

– Ty krwawisz...

Nagle poczułam, jakby brygada robotników z młotami pneumatycznymi zaczęła rozkuwać mi czaszkę, a na odespanie nie wystarczyłby mi miesiąc, jednak obecność Kale'a sprawiała, że poczułam się dobrze.

– Tak, krew mi leci. Ale nic mi nie jest.

Zmarszczył brwi, zadrżał mu kącik ust.

– Oni wszystko wiedzą. Ona przesłuchiwała mnie zaraz po pojmaniu. Nic nie powiedziałem, ale uznali to za potwierdzenie. Pytali mnie, czy wiesz o swojej matce. Przykro mi.

Pokręciłam głową.

– Wszystko w porządku. Nic nie mogłeś zrobić. Mercy jest po naszej stronie. To ona wszystko to zaaranżowała. Jest w moim domu i czeka na nas.

– Po naszej stronie?

Kiwnęłam głową. Nie był przekonany, ale mogłam go zrozumieć. Po wszystkim tym, co przeszedł, myśl, że pomaga nam ktoś z Denazen, wydawała mu się nierealna.

– Okej, powoli wstajemy. Staraj się wyglądać na smutnego. Idziemy do ogrodu.

Wstaliśmy i zaczęliśmy obchodzić budynek. Każdy krok przybliżał nas do wolności. Wszystko szło jak z płatka... Aż do chwili, gdy przeszliśmy za winkiel i ujrzeliśmy dwóch strażników.

– Dzień dobry, Mercy – odezwał się wyższy z nich. Drugi wyjął paralizator. W drugiej ręce trzymał duży, biały koc.

– Dzień dobry – powiedziałam wesoło. Mam nadzieję, że nie oczekiwali ode mnie znajomości ich imion. W Denazen nie stosowano plakietek z personaliami. Były niewygodne.

– Dostaliśmy polecenie, aby sprowadzić 98 z powrotem do budynku.

– Skończymy za kilka minut. – Starałam się, aby mój głos brzmiał swobodnie. Nie udało się.

– To nie może czekać – stwierdził niższy. – Odsuń się, żebyśmy mogli go spacyfikować.

Odwróciłam się do Kale'a, który zaczął się wycofywać. Zaledwie trzy metry za strażnikami znajdował się płot, a za nim las. Trzy metry. Tylko tyle dzieliło nas od wolności. Kale posmakował swobody i nie zamierzał pogodzić się z tym, żeby trzy metry stanęły mu na przeszkodzie.

Choćby nie wiadomo co.

Mrugnęłam okiem. Kale ruszył do ataku.

24

Wyższy ze strażników, ten nieco bardziej wygadany, okazał się kompletnym tchórzem, i schodząc nam z drogi, umknął w boczną ścieżkę. Rozważał inne wyjścia, ale strach zwyciężył. Inaczej zachował się niski. Szeroko rozstawił nogi i wymierzył z paralizatora. Na szczęście miał kłopoty z celnością. Gdy mu się nie udało, cisnął bronią o ziemię i rzucił się na Kale'a.

Trudno było mi uwierzyć, że powierzono im takie zadanie bez poinformowania o konsekwencjach kontaktu ze skórą Kale'a. A jednak niski idiota natarł na niego jak byk na torreadora. Wyciągnął ręce i sięgnął mu do gardła. Spotkali się w pół drogi.

Sapiąc gwałtownie, rozluźnił uścisk na szyi Kale'a i upadł na kolana. Skóra mu poszarzała i zaczęła pękać. Włosy powypadały i spadając na ziemię, zamieniały się w pył. Krzyk zamarł mu na ustach i po chwili został z niego tylko stosik kurzu, który rozwiał wiatr.

Kale nie tracił czasu. Chwycił mnie za rękę i przerzucił przez płot.

Wolność.

§

Pozbyłam się kamuflażu natychmiast, gdy upewniliśmy się, że nikt nas nie śledzi. Chociaż byłam słaba jak mały kociak, dobrze się czułam znów w swojej skórze. A jeszcze lepiej w swoim stroju. Strój Mercy uciskał mnie, ograniczał i drapał.

– Nie wierzę, że zdecydowałaś się na takie ryzyko – powiedział Kale, gdy przedzieraliśmy się przez las. – Mogło ci się coś stać.

– Raczej nie. – Przypomniałam sobie, co powiedziała Mercy tuż przed wejściem do samochodu. Starałam się o tym nie myśleć.

Twój ojciec wie, po co tu tak naprawdę jesteś. Wie o tobie i 98.

– Przypuszczam, że tata chciał mnie wykorzystać tak samo jak Kat Hans. Wysłali ją, aby zdobywała informacje o Szóstkach. Raczej nie chciał zrobić mi krzywdy. Przynajmniej nie na tak wczesnym etapie.

Momentalnie Kale się zatrzymał i przyciągnął mnie do siebie. Zabolało mnie i o mało nie krzyknęłam.

– Nigdy tak nie myśl. Nigdy ich nie lekceważ. Nie lekceważ tego, co robią... co są w stanie zrobić... – Gdy przełykał ślinę, poruszyło się jego jabłko Adama. – Jeśli jeszcze raz dojdzie do czegoś takiego, zostaw mnie tam. Nie próbuj tego więcej.

– Ale wszystko jest okej. Jesteśmy wolni i wszyscy... – Nagle poczułam ścisk w gardle i krew mi stężała. – Alex. Alex tam został.

– Alex? A co on tam robi?

– Udało mi się go namówić, żeby pomógł mi wydostać ciebie i mamę. – Jęknęłam. – Ciebie wyprowadziłam, a o nim

256

zapomniałam. Jak ja mogłam?! Bóg jeden wie, co z nim teraz będzie.

– Uwolnimy go. Tak samo jak Sue.

Sue. Mama.

– Widziałeś ją? Widziałeś ją teraz, gdy tam byłeś?

Pokręcił głową i poszliśmy dalej.

– Cały czas siedziałem zamknięty. Oprócz Crossa i ciebie oraz tych, którzy mi pobierali krew, nie widziałem nikogo.

– Musiałam wyglądać na rozczarowaną, bo zaraz dodał: – Ale wszystko z nią w porządku, nie martw się. Ona sobie poradzi. Wie, jak ta machina działa.

Staliśmy w krzakach tuż za domem. Ojciec powiedział, że do piątej nie ma z nim kontaktu. Wkrótce Denazen wyśle kogoś do przeszukania domu. Musieliśmy wejść do środka i zaraz uciekać. Miałam nadzieję, że Mercy jest w dobrej formie.

Otworzyła sobie drzwi kluczami z werandy, więc musieliśmy z Kalem wchodzić przez okno. Niełatwe zadanie, zważywszy, że czułam, jakbym miała kończyny z porozciąganej gumy. Wemknęliśmy się do środka, ale pokój był pusty.

– Mercy? – ruszyłam przez pomieszczenie. Na wszelki wypadek wzięłam ze sobą spinacz. Kiepska to broń, ale niczego innego nie miałam pod ręką. Powoli nacisnęłam klamkę i wychyliłam głowę. Pusto. Przeszłam na schody i spojrzałam przez poręcz. Nic.

– Z jakiegoś powodu musiała wyjść – powiedziałam, wracając do pokoju. – Może pokazał się ktoś z Denazen.

– Bierz, co trzeba, i uciekamy. Nie możemy tu długo zabawić.

Oczywiście miał rację. Czekanie tu było bez sensu. Chwyciłam stary plecak. Biegałam po pokoju i ładowałam wszystko, co mi się nawinęło. W pewnym momencie zauważyłam na brzegu biurka swój notes z adresami. Nie przypominałam sobie, żebym wyciągała go z szuflady nocnego stolika.

Kiedy znalazłam się przy łóżku, zamarłam w bezruchu. Na poduszce pod pendrivem leżała złożona kartka.

Dez, kopiowanie przestało działać i nie chcę ryzykować, więc wychodzę. Nie wracam do Denazen. W końcu domyślą się, że ci pomogłam. Mam nadzieję, że wszystko poszło dobrze i 98 Kale jest wolny. Na tym pendrivie znajdziesz dwie rzeczy. Po pierwsze listę imion i nazwisk, której poszukiwałaś. Pracując w Denazen nie mogłam wyrwać tych plików bez wzbudzenia podejrzeń. A ponieważ nie wracam, to już nie ma znaczenia. Ponadto na dyskietce są informacje, które mogą ci pomóc zbliżyć się do matki. Niewiele ich, ale mogą okazać się pomocne. Powodzenia, Mercy.

– Bingo! – pisnęłam, potrząsając pendrivem.

Kale popatrzył na kawałek plastiku w moich palcach i skrzywił się.

– W czym to to może pomóc?

– To pendrive. – Na widok pełnej niezrozumienia miny zaczęłam wyjaśniać: – Są na nim informacje z komputera.

Wziął ode mnie pendrive i gwałtownie nim potrząsnął. Ponieważ nic ze środka nie wypadło, zaczął nim uderzać o parapet.

– Jak wydostać te informacje?

Zabrałam mu pendrive, żeby nie rozbił go w drobny mak.

– Musimy włożyć go do komputera. – W kącie stał mój pecet, ale użycie go nie byłoby najlepszym pomysłem. Ten szrot buntował się w nieskończoność, a czasu brakowało nam bardziej niż czegokolwiek innego. Komputery mieli wszyscy znajomi. Wystarczyło zastać kogoś w domu.

– Dobra, spadamy stąd.

Późna wieczorowa pora działała na naszą niekorzyść. Większość znajomych wyruszyła już na imprezy. Nie chciałam jednak dać za wygraną. Mogliśmy pójść prosto do Ginger i wręczyć jej pendrive, ale chciałam wiedzieć, co na nim jest. Nigdy nie zaczynaj grać w karty, póki nie sprawdzisz, co masz w ręku.

Po godzinie poszukiwań wylądowaliśmy u Rinaldich. Od czterech lat wyjeżdżali na wakacje nad morze. W zeszłym roku zapłacili Brandtowi, żeby pilnował ich psa i opiekował się domem. Z tego, co wiedziałam, w tym roku nikogo do tego nie wynajęli, bo pies zdechł.

Poszliśmy z Kalem na tyły domu. Na werandzie, pod ostatnim schodkiem, przyklejony był klucz do piwnicznych drzwi.

Po wejściu do domu zwiedzaliśmy pokój po pokoju w poszukiwaniu komputera. W końcu znaleźliśmy w ostatnim. Poczułam się jak przeniesiona w inny wymiar. Jak w świątyni. Na półkach stały różne przedmioty kolekcjonerskie, ściany pokrywały plakaty.

– Co to za miejsce? – szepnął Kale z wytrzeszczonymi oczami.

– Syn Rinaldich ma dwanaście lat. Jest fanem Pokemonów. – Szłam prosto do komputera. Gdy ożył monitor, pojawił się żółty, denerwujący stworek, który mechanicznym głosem bełkotał coś bez ładu i składu. Powstrzymałam się od komentarza i wsunęłam pendrive do wejścia USB.

Po chwili otworzył się plik i na ekranie wyświetliła się lista imion i nazwisk. Przejrzałam je pobieżnie. Była co najmniej setka. Dokument był zatytułowany *Rezydenci*. Lista wszystkich Szóstek przetrzymywanych przez Denazen.

Punkt dla nas!

Byłam zszokowana, jak wiele nazwisk wydało mi się znajomych. Ludzie naszej lokalnej społeczności, którzy w ostatnich latach ginęli bez śladu. Reszta to sąsiedzi i znajomi ze szkoły.

Rozejrzałam się i znalazłam pod biurkiem drukarkę. Włączyłam zasilanie, nacisnęłam „print" i czekaliśmy na wydruki. Kale stał obok mnie w milczeniu.

– Wszystko okej? – zapytałam.

– Okej?

– Czy nic ci nie zrobili?

Kale przesunął palce po bliźnie z boku twarzy. Pokręcił głową.

– Nic mi nie mogą zrobić. Ale gdy Mercy powiedziała, że tobie...

– To nie była Mercy, tylko ja.

– Wtedy jeszcze nie wiedziałem. Myślałem tylko o tym, co ci mogli zrobić.

Odwróciłam się z krzesłem i położyłam mu dłonie na rękach.

– Nic mi nie jest.

– Żadnemu z nas nic nie jest – powiedział i pocałował mnie w policzek.

Kiwnęłam głową.

– Tak. A jak jeszcze wydostaniemy moją mamę, będziemy mieć to całe piekło za sobą. Kiedy się wszystko trochę uspokoi, może zabiorę cię do prawdziwego kina. Nie na film z tańczeniem, ale na 3D do imaksa. I żeby było dużo fajerwerków. Faceci lubią wybuchy, nie?

Drukarka przestała pracować. Pochyliłam się, jedną ręką nadal trzymałam Kale'a, i sięgnęłam po kartki. Przejrzałam je z uśmiechem. Idealnie. Zostało do zrobienia już tylko jedno.

Otworzyłam przeglądarkę i wpisałam Craigslist. Przeszukałam ogłoszenia i z ulgą stwierdziłam, że pojawiło się niewiele nowych dziwacznych. Właściwie były tylko dwa. Jedno o lekcjach hodowli bydła, a drugie o tresowaniu lamy.

– Czy oni mają szybko wrócić do domu?

Złożyłam listę i schowałam do kieszeni. Wzięłam z biurka długopis i zapisałam na ręce obydwa numery.

– Nie, a co?

– Bo ktoś tu jest.

Podeszłam do okna i rzuciłam mięsem. Rinaldi znaleźli kogoś innego zamiast Brandta. Chwyciłam Kale'a za rękę.

– Szybko, musimy spadać.

§

Przed Blueberry Bean zależliśmy automat telefoniczny w pobliżu trotuaru, po którym chodziło wielu ludzi. Pierwsze ogłoszenie – o hodowaniu bydła – okazało się jak najbardziej poważne. Dzwoniąc pod drugi numer, modliłam się bezgłośnie.

– Dzwonię z ogłoszenia na Craigslist. Chodzi o tresowanie lamy.

– Ile ma pani lam?

– Eee... dwie – odparłam. Nie miałam pojęcia, jaki był ten magiczny numer.

Po drugiej stronie zapanowała cisz. Zły omen.

– Przykro mi. To za wiele.

– Mówi Dez Cross – powiedziałam spokojnie do słuchawki. Oby to było właściwe ogłoszenie. A potem dodałam: – Mam informacje, na których zależy Ginger.

Przez moment mężczyzna po drugiej stronie linii się wahał. Trwało to wieki, ale w końcu podał mi adres i się rozłączył.

– Mamy szczęście – odezwałam się do Kale'a. – Zobaczymy, co my tu mamy, a potem idziemy na spotkanie z Ginger.

Wałęsanie się przed kawiarnią było złym pomysłem. Za dużo ludzi. Pociągnęłam Kale'a za koszulę i skinęłam głową na boczną część budynku. Gdy znaleźliśmy się w ciemnym miejscu, wyciągnęłam z kieszeni wydruki. Lista zajmowała tylko trzy strony, na pozostałych było coś innego. E-mail. Od mojego ojca do kogoś o imieniu Vincent.

Przyjęcie przygotowane idealnie. Tłum, hałas, nie powinno być problemów. Moje wtyczki potwierdzają, że oba cele będą obecne. Liczę także, że uporam się z problemem, który ostatnio wyniknął. Odkryłem podżegacza, który wywołał ostatnią falę nieposłuszeństwa. Poradzę sobie z tym.

Przyjęcie?

Niżej znajdowała się odpowiedź Vincenta z datą sprzed dwóch dni.

To naprawdę bardzo dobra wiadomość. I przede wszystkim zaskakująca. Muszę ci pogratulować. Powiedziano mi, że Supremacja rozkręcona na całego, masz moje pozwolenie aby wkroczyć na przyjęcie. Myślę, że to wypali. Kogo chcesz wysłać?

Kolejna strona. Nowy e-mail.

*Dziękuję. Jestem bardzo zadowolony z wyników Suprema-
cji.. Zaczynałem tracić nadzieję. Jeśli chodzi o przyjęcie,
to właśnie powołałem grupę. Chcę wysłać Alexa Mojourna
i Sueshannę Odell. Dla Alexa to pierwsze zadanie, ale zna
tych ludzi i przypuszczam, że korzystnym posunięciem będzie
wysłanie kogoś znajomego. Mam też osobę mogącą obsadzić
miejsce, o którym rozmawiamy.*

– O mój Boże! – jęknęłam.

– Co się stało? – Kale zerwał się na równe nogi, rozglądając się na wszystkie strony.

– W tym pliku – pomachałam wydrukami – jest informacja
o tym, gdzie będzie moja mama. I Alex!

– Gdzie? – Słyszałam w jego głosie nadzieję.

Spojrzałam na ostatnią stronę.

*Już jest ustalone. Dzień po tym Sumrum powinniśmy mieć
w swojej stajni dwie nowe Szóstki i rozwiązany problem
z niesubordynacją.*

25

Gdy wchodziliśmy na imprezę, bramkarz puścił do mnie oko. To był ten sam, któremu poprzednim razem kazałam na siebie zaczekać. Dobrze, że nie chowa żadnej urazy.

Bez Alexa nie umiałam znaleźć Ginger. Po dwudziestu minutach poszukiwań zauważyłam Daxa rozmawiającego z wysoką, szczupłą blondynką. Zbliżając się do Daxa, obeszliśmy salę tam, gdzie było mniej ludzi i Kale czuł się swobodniej.

Gdy Dax nas zauważył, pożegnał się z blondynką i powitał nas serdecznie.

– Miło was widzieć. I to w jednym kawałku.

– Nawzajem – odpowiedziałam z uśmiechem. – Co słychać u Mony?

Westchnął.

– Przestała w nocy krzyczeć. Czasami mamy wrażenie, że dostrzegamy w jej oczach, że nas rozpoznaje. – Pokręcił głową. – Ale niewiele jej się poprawiło w porównaniu ze stanem, w jakim ją odebraliśmy. Nic nie mówi, tylko woła swoją siostrę.

– Przykro mi.

– Niemniej jednak nie tracimy nadziei. Z czasem wyjdzie z tego.

Pokiwałam głową, ale nic nie powiedziałam. Po co moim pesymizmem odbierać mu złudzenia.

– Nie wiecie, co z Alexem? Od paru dni go nie widziałem.

– Alex jest w Denazen.

Dax upuścił drinka na podłogę. Z plastikowego kubka rozlał się dokoła niebieski napój.

– Co takiego?

Sięgnęłam do kieszeni i wyjęłam pendrive.

– Wiesz, gdzie znaleźć Ginger? Tu jest informacja, na której jej zależy. Jeśli to, co tu jest, zawiera prawdę, może uda nam się uratować moją mamę i Alexa.

Dax nie tracił czasu. Ruszył w kierunku schodów i machnął, żebyśmy szli za nim. Tym razem impreza odbywała się w byłym domu towarowym. Zastaliśmy Ginger po drugiej stronie budynku w pomieszczeniu, które dawniej było recepcją. Otaczali ją nadzy do pasa mężczyźni z tacami pełnymi koktajli owocowych.

– Fajnie być królową – szepnęłam.

Kale pochylił się do mnie.

– Dlaczego oni nie noszą koszul?

Ginger musiała mieć doskonały słuch, bo nas dosłyszała. Puściła do Kale'a oko i napiła się koktajlu.

– To przywilej królowej. – Odprawiła mężczyzn i poprosiła nas bliżej. – Słyszałam, że zdobyliście dla mnie informacje.

Mówiliśmy o tym tylko Daxowi, a on nie opuszczał nas nawet na moment.

– I parę dodatkowych. – Podałam jej pendrive.

Chciwie zacisnęła na nim palce i wyrwała mi czerwony plastik z dłoni. Obejrzała go dokładnie i przekazała jednemu z mężczyzn czekającemu obok szezlongu. Szepnęła mu coś do ucha i ten odszedł.

– I? – zapytałam, gdy Ginger nic nie mówiła. – A co z naszą informacją? Gdzie Żniwiarz?

– Potrzebujecie go jeszcze? Macie już informację potrzebną do uratowania matki i Alexa.

Chciałam ją zapytać, skąd o tym wie, skoro jeszcze nie widziała zawartości pendrive'a, ale byłam za bardzo wkurzona. Otworzyłam usta, ale zaraz zamknęłam. Miała rację. W pewnym sensie. Z e-maili wiedziałam, że mama i Alex będą na Sumrum. Ale dużo rzeczy mogło się nie powieść. Na wszelki wypadek chciałem mieć jakieś zabezpieczenie. Poza tym narażałam tyłek, żeby zdobyć to, co chciała. Podjęłam się ogromnego ryzyka i zdradziłam sekret, który od lat trzymałam w tajemnicy. Nawet jeśli nie potrzebowałam już Żniwiarza, to było nie fair. Poza tym byłam po prostu ciekawa.

Stanęłam prosto i założyłam ręce na piersi. Uniosłam brodę i zrobiłam butną minę.

– Umowa to umowa – powiedziałam.

Ginger zastanawiała się chwilę, a później wskazała palcem Kale'a.

Popatrzyłam na niego, a potem na nią.

– O co chodzi?

– Chciałaś wiedzieć, kim jest Żniwiarz. Oto on.

Kale obejrzał się za siebie. Nikogo za nim nie było.

– O czym ona mówi?

Czerwień. Widziałam tylko czerwień.

– Ty podstępna, stara wiedźmo! Oszukałaś mnie. Nie ma żadnego Żniwiarza, tak?

Ginger chwyciła laskę z taką ogromną siłą, że zbielały jej kłykcie. Wstała. Otaczający ją mężczyźni szybko cofnęli się o krok.

– Nic z tych rzeczy, moje dziecko. Radzę ci trzymać język na wodzy. Trochę szacunku do starszej osoby. – Pokuśtykała przez pokój. W ręce nadal trzymała plastikowy kubek. – Wiesz, jaki mam dar?

– Nie – odparłam ze złością. – I nie powiem, żeby mnie to szczególnie obchodziło.

– Jestem jasnowidzem. Po oczach widzę, co czeka człowieka.

– Widziałaś mnie zaledwie dwa dni temu, a twierdzisz, że jestem Żniwiarzem? Sue opowiadała mi o nim, gdy miałem dwanaście lat. Jak to możliwe? – zapytał Kale.

– Poznałam cię dużo wcześniej, zanim pojawiłeś się u mnie na przyjęciu.

– Bzdura – wypaliłam.

Kale odwrócił się do mnie i zmarszczył czoło. Był zdezorientowany.

– Strasznie to pogmatwane.

Wzięłam go za rękę i ścisnęłam.

– Niektórzy ludzie – zwróciłam się do Ginger – wypływają na manipulowaniu innymi.

Zmrużyła oczy.

– Byłam przy urodzeniu Kale'a.

– Nie słuchaj jej, to same bzdury.

– Spojrzałam w jego błękitne oczy i ujrzałam w nich człowieka, który pewnego dnia uwolni nas od Crossa. Rozpuściłam plotkę o Żniwiarzu, żeby dać nam nadzieję.

Kale był zaintrygowany. Skupił wzrok na Ginger.

– Znasz mnie? Jeśli byłaś obecna przy moim przyjściu na świat, opowiedz o tym. Powiedz, kim jestem. Kim jest moja matka?

Twarz Ginger złagodniała.

– Felecia. Twoja matka nazywała się Felecia.

Kale miał zawiedzioną minę.

– Nazywała?

Ginger pokiwała głową i bez słowa odwróciła wzrok.

– Mówiłaś, że nikt nigdy wcześniej nie uciekł z Denazen. Skąd znałaś matkę Kale'a, jeśli to on miał pierwszy uciec?

– Głupia – powiedziała ostro Ginger. – On nie urodził się w Denazen. Przyszedł na świat w szpitalu, w tym mieście.

– Jak trafiłem do Denazen? Co się stało z moją mamą?

– Chwila – przerwałam mu. – Jeśli Kale urodził się w szpitalu, a ty byłaś przy tym i widziałaś go, to nie przewidziałaś, co się stanie? – Ogarnęła mnie złość. Wypełniła całą głowę i przyśpieszyła krążenie krwi. – Wiedziałaś, że trafi do Denazen i nic nie zrobiłaś?

Ginger gniewnie zmarszczyła brwi, a potem na jej twarzy pojawił się chyba żal.

– Nic nie mogłam zrobić. Tego nie dało się zmienić. Wszystko dzieje się tak, jak miało się dziać, więc pewnego dnia zostanie Żniwiarzem. Każde wydarzenie z życia człowieka kształtuje jego przyszłość. Ale tego nie da się zmienić.

Kale nie przejmował się, że mu nie pomogła. Myślał o swojej matce.

– Dlaczego byłaś przy mojej mamie podczas moich narodzin?

– Byłam tam, gdy ona przychodziła na świat, a potem byłam, gdy rodziła własne dziecko.

Ostro zarysowany podbródek. Oczy w kolorze błękitnego lodu. Wcześniej tego nie zauważyłam. Wszystko układało się w spójną całość.

– Felecia była twoja córką.

Ginger potwierdziła.

– Od pierwszego spojrzenia w jej oczy wiedziałam, co się z nią stanie. – Uderzyła laską o podłogę. – Myślisz, że łatwo wychowywać dziecko, codziennie patrzeć mu w oczy i widzieć jego czarną przyszłość? Myślisz, że łatwo mi było stać z boku, obserwować wydarzenia, które z każdym dniem nieuchronnie prowadziły do jej końca, i nie móc nic z tym zrobić?

– A dlaczego nie próbowałaś? Na pewno coś dało się zrobić. Ostrzec ją. Wysłać gdzieś.

– To nie zabawa – odburknęła. – Przyszłość każdej osoby wiąże się z przyszłością tysiąca innych. Wystarczy zmienić jedno, a tworzy się chaos. Dochodzi do zaburzenia równowagi i dzieją się rzeczy straszne.

– Pozwoliłaś jej umrzeć? – zapytał Kale. Twarz miał spokojną, ale w jego głosie słyszałam mękę. Poruszał w mojej dłoni palcami, jakby chciał je wykręcać, ale mocno go trzymałam.

– Boleśnie przekonała się o tym nasza przodkini Miranda, pierwsza znana jasnowidzka. Zaraz po ślubie z Winstonem, z małym dzieckiem tworzyli rodzinę szczęśliwą jak z obrazka. Mieli własny dom, potomka w drodze i świetną przyszłość przed sobą. Miranda umiała jednak odczytać informacje, z których wynikało co innego. Widziała, że w młodym wieku straci ukochanego męża podczas strasznego pożaru stajni.

– I postanowiła interweniować.

– Tamtej nocy powstrzymała go przed pójściem do stajni. Dziękowała wtedy Bogu za swój dar, bo dzięki temu mogła uratować męża. Ale jej wdzięczność nie trwała długo. Wkrótce urodziło się im dziecko i pożałowała swojego czynu.

– Dlaczego pożałowała uratowania ukochanej osoby? – zapytał Kale.

Ginger zrobiła łagodną minę.

– Bo Winstonowi było przeznaczone umrzeć w tamtym pożarze. Gdyby Miranda nie interweniowała w jego los, nigdy nie powstałaby Denazen.

– Co? – zapytaliśmy chórem ja i Kale.

– Czasami, choć bardzo rzadko, zdarza się, że potomstwo Szóstek rodzi się bez genetycznego defektu chromosomu. Jak się domyślacie, dziecko Mirandy wyrosło na Szóstkę. Winston myślał w sposób bardzo ograniczony i niemądry. Nie potrafił pogodzić się z prawdą, uznał swoje dziecko i jego matkę za wcielenie zła i porzucił. Założył organizację, która dzisiaj jest znana jako Denazen. Z powodu egoizmu Mirandy Kale, dzisiaj żyjemy w strachu i ponosimy konsekwencje jej błędu.

– Mirandy Kale?

– Dałam ci imię po niej. Uznałam, że pasuje do ciebie. Niech ten, który uwolni nas z więzów, nosi imię tej, która nam je narzuciła.

– A co z twoją córką? Była taka jak ja?

Pokręciła głową.

– Stanowiła twoje przeciwieństwo. Ty wziąłeś życie, ona dała.

Palce Kale'a zacisnęły się na moich.

– Uda nam się uwolnić Sue?

– Nie wiem. Nigdy jej nie poznałam.

Ruszyłam do przodu i stanęłam tak, że nasze twarze dzieliły centymetry.

– Ale poznałaś mnie. Uratujemy moją mamę czy nie?

Milczenie.

– Masz mnie – nalegałam. – Wysłałaś mnie do Denazen po tę cholerną listę, a w zamian dajesz mi coś, co już miałam.

– Nie groziło ci żadne niebezpieczeństwo. Wiedziałam, że wrócisz z tą listą. Właśnie dlatego o nią prosiłam. Było ci pisane zdobyć ją dla mnie.

– To nie ma nic do rzeczy – krzyczałam i nawet nie próbowałam panować nad głosem. Nie chodziło też o to, żebym musiała przekrzykiwać muzykę dobiegającą z imprezy.

– Nie jestem wróżką – powiedziała Ginger. Jej twarz znów zrobiła się nieruchoma i twarda jak kamień. – Widzisz tu kryształową kulę? Czy ja może noszę turban? Informacje, do których mam dostęp, nie są przeznaczone dla innych.

– A więc to tak? Ty dostałaś, co chciałaś, a ja nie dostanę w zamian nic?

– Zawsze znajdziesz wśród nas spokojny azyl. Zawsze będziesz mogła przyjść i się pożywić. Taka propozycja dla kogoś takiego jak ty, Deznee Cross, to naprawdę wiele. Rozpuściłam już wici. Misha Vaugn anulowała już zakaz wpuszczania cię do hotelu. W razie potrzeby możesz tam się zatrzymać.

– O rety, dziękuję! – powiedziałam z przekąsem i odwróciłam się. Czułam, że się z nią nie dogadam. Musiałam pogodzić się ze stratą i zająć się poważniejszymi sprawami.

Mamą. Ginger miała rację. Nie potrzebowałam Żniwiarza. Zdobyłam już informację potrzebną do uratowania matki.

– Jeszcze jedno – odezwała się Ginger, gdy już dotarliśmy do krańca sali.

Coś mi podpowiadało, żeby się nie zatrzymywać, ale nie posłuchałam podpowiedzi.

– Przykro mi z powodu tego wszystkiego.

Nie odpowiedziałam. Szłam dalej przed siebie. Nie zapytałam, ale wydawało mi się, że nie przeprasza za okłamanie mnie.

26

Wyszliśmy z imprezy tuż przed północą. I ja, i Kale byliśmy zmęczeni i głodni. Wcale mi się to nie podobało, ale jedyne miejsce, do którego mogliśmy się udać, to hotel Mishy.

Pieniądze od Brandta praktycznie się skończyły. Nie mieliśmy na autobus. Nie miałam żadnej gotówki, nie mogłam też myśleć o kopiowaniu, bo ostatnie dni mnie wykończyły. Pozostało nam więc iść przez miasto piechotą. Ledwie cztery przecznice przed hotelem usłyszałam, że ktoś mnie woła:

– Dez, halo! Głucha jesteś? – Zajechał samochód i ze środka wysiadł Curd. W skórzanych obcisłych spodniach i czarnej koszuli wyglądał wystrzałowo.

– Curd! – rozłożyłam ramiona na powitanie. – Wszystko dobrze?

Odsunął się i zmierzył mnie wzrokiem.

– Nie. Dzięki tobie. Niefajnie zostawiać wstawionego kolegę.

– Wstawionego?

– Poszedłem na górę przynieść wam coś do picia, nie? Pamiętam, że wyjmowałem z lodówki puszki. Pewnie trochę wtedy przeholowałem. Ale żeby zostawić kolegę z twarzą w podłodze? Niefajnie.

Nie wiedział, co się działo. Do pewnego stopnia cieszyłam się.

– Przepraszam. Miałam telefon i musieliśmy się szybko zmywać.

– Nieważne – machnął ręką i zrobił zaciekawioną minę. – Co tu porabiacie? Niedaleko Fellow Farm jest impreza rave. Przypadkiem tam idziecie?

W brudnych dżinsach i pomiętej bluzie z kapturem musiałam wyglądać jak ostatnie nieszczęście. Curd raczej nie widywał mnie w takim stanie.

– Nie, dzisiaj nie nadaję się na imprezę. Miałam ciężkie dni. Idę do znajomej przespać się trochę.

– Ech. Mówiłem Finowi Meyersowi, że będziesz. Pytałaś o niego, więc pomyślałem...

– Kto to jest Fin Meyers? – zapytał Kale. Po sposobie, w jaki ściskał mi dłoń poznałam, że jest zazdrosny. Z całą pewnością był bardziej normalny niż przypuszczał. Uścisnęłam mu rękę.

– Kiedy cię pytałam o tego palanta?

Popatrzył na mnie, jakbym pokazała się w zeszłorocznych dżinsach.

– Eee, dzisiaj? Dzwoniłaś do mnie. Nie dawałaś mi dojść do słowa. Rozmawialiśmy o zaproszeniu na Sumrum. Tego też nie pamiętasz? – Pokręcił głową. – Muszę przyznać, że z twoimi możliwościami zawracanie sobie głowy takim zerem jak Fin zaskoczyło mnie, ale co kto lubi. Słyszałem, że wdepnęłaś w jakieś gówno.

Kale zmarszczył brwi.

– Kiedy ty znalazłaś czas, żeby...?

Pokręciłam głową.

– To nie ja. – I zwróciłam się do Curda. – Nie rozmawialiśmy od czasu naszej wizyty u ciebie.

Zrobiło mi się niedobrze.

Mercy.

To dlatego mój notes z adresami leżał na biurku. To nie ja wyrolowałam Denazen. To oni wyrolowali mnie. List, e-mail, ucieczka Kale'a, wszystko to było zaaranżowane.

Jak z oddali usłyszałam głos Curda.

– Dez, pobladłaś trochę. Wszystko dobrze?

Zwlekałam z odpowiedzią. Otworzyłam usta, chciałam się wykrzyczeć.

– Dez? – Coś prześlizgnęło mi się po ramieniu. To dłoń Kale'a.

– Co się stało?

Przypomniałam sobie e-maile na pendrivie. Oczywiście. Potrzebowali kogoś, żeby poznać miejsce imprezy. Czy mógł być ktoś lepszy ode mnie. Sumrun to jedna z największych tajemnic w naszym mieście. Mogli zapytać Alexa, ale on po prostu odpowiedział, że nie wie. A Mercy miała mój głos i mój notes z adresami. Praktycznie podałam jej lokalizację imprezy na tacy.

– Jak rozmawialiśmy przez telefon, powiedziałeś mi, gdzie w tym roku odbywa się impreza, tak?

Skinął głową i pochylił się.

– Myślałem, że rzuciłaś ten... – Przyłożył palce do ust i głęboko się zaciągnął. – ...stuff.

– Naprawdę miałam ciężki dzień. Możesz mi przypomnieć?

Curd westchnął.

– Stare magazyny Shop Rite niedaleko doków.

– A, no tak. – Myśl. Myśl szybko. Zastanawiałam się, czy nie powiedzieć mu, co się szykuje, ale zdecydowałam się tego nie robić. Co by to dało? Przecież nie namówiłabym go na zmianę lokalizacji, bo było za późno. Poza tym z tego, co wiedziałam, Curd nie słyszał o Szóstkach. Uznałby, że jestem idiotką albo jestem na haju. I poszedłby sobie.

Ta impreza musiała się odbyć. Ale na moich warunkach, a nie na ich.

– Kurcze, wiem, że impra jest już za parę dni, ale przyszedł mi do głowy zabójczy pomysł i zapomniałam ci o nim wcześniej wspomnieć.

– Zamieniam się w słuch.

– W tym roku impreza mogłaby być przebierana.

– Ano, znaczy tak, super myśl. Tylko czy nie za późno, żeby poinformować o tym ludzi?

– A skąd! Wystarczy zbiorowy e-mail do wszystkich. Ludzie przekażą sobie wieści.

– Dobry pomysł. – Sięgnął do kieszeni i wyjął paczkę marlboro. – A wy dokąd idziecie? Podrzucę was.

– Rewelacja.

§

Chociaż sama Ginger mówiła, że w razie potrzeby możemy korzystać z hotelu, bałam się trochę, że będziemy odprawieni z kwitkiem. Ku memu zaskoczeniu zostaliśmy odprowadzeni na trzecie piętro i ulokowani w jednym pokoju z dwoma łóżkami. Dziesięć minut później, gdy Kale skończył już sprawdzać łóżka i szafę, rozległo się pukanie do drzwi. Otworzyliśmy, ale nikogo nie było. Stało tylko pudło z jedzeniem.

– Co to jest to białe, miękkie? – zapytał siedzący naprzeciwko mnie Kale. Dorwaliśmy się do pudła z jedzeniem i opychaliśmy. Nie pamiętam, kiedy ostatnio tak się obżarłam. Omal nie pękłam.

– To paluszki serowe. Pychota sama w sobie. Należą do bardzo cenionej grupy produktów spożywczych. Z grupą tą równać może się jedynie grupa produktów czekoladowych. – Pochyliłam się nad stolikiem i przysunęłam Kale'owi miseczkę z jeszcze ciepłym sosem marinara. – Zjedz z tym sosem, a poczujesz się jak w raju.

Poszedł za moją radą. Obserwowałam, jak na jego ustach pojawia się uśmiech rozkoszy. Gdy gryzł smażony ser, z jego ust wydobył się jęk. Ten dźwięk i ten uśmiech przyprawiały mnie o gęsią skórkę.

Sięgnęłam po szklankę z wodą, Kale wykonał ten sam ruch. Musnęliśmy się palcami. To wystarczyło, żeby zapomniał o serowych paluszkach.

Nie zdążyłam mrugnąć okiem, a on wstał, obszedł stół i usiadł koło mnie na łóżku. Wskazał na pudło z jedzeniem.

– Nakarmili nas i zamknęli. Mogę cię pocałować?

– Kale, nie zamknęli nas. Nie jesteśmy więźniami.

– Jak byliśmy tu ostatnio, to nas zamknęli. Nie byliśmy gośćmi.

– Poprzednio sprawy wyglądały nieco inaczej. Zresztą wcale nas nie zamknęli, tylko poprosili o nieopuszczanie pokoju. Nie wiedzieli, czy można nam zaufać. – Wstałam z łóżka i podeszłam do drzwi. – Widzisz? – Otworzyłam i wyszłam na korytarz. Kale za mną.

Spojrzał najpierw w jedną stronę, a potem w drugą.

– A teraz nam ufają?

Wzruszyłam ramionami.

– Dostarczyliśmy im informacji, na których im zależało, więc chyba tak.

– Jak daleko pozwolą nam odejść?

– Jak daleko? Możemy iść, gdzie nam się podoba. Oczywiście nie do cudzych pokoi, ale jeśli nam się zachce, możemy stąd wyjść.

Kale minął mnie i ruszył w stronę schodów. Upewniwszy się, że mam klucz do pokoju, zamknęłam drzwi i poszłam za nim. Zatrzymał się dopiero w lobby. Recepcjonistka za kontuarem uśmiechnęła się przyjaźnie i wróciła do lektury gazety.

Kale podejrzliwie na nią popatrzył i małymi krokami zaczął się wycofywać. Recepcjonistka go ignorowała.

– Co robisz? – zapytałam, powstrzymując się od śmiechu.

Jednak Kale miał poważną minę. Położył dłoń na klamce. Gdy recepcjonistka zerknęła na niego zza gazety, wyglądał na zmieszanego. Nie spuszczając z niej oczu, otworzył drzwi i wyszedł na zewnątrz.

Nie stało się nic.

Kilka minut stał po drugiej stronie drzwi, aż w końcu wrócił. Rozległ się dźwięk dzwonka i recepcjonistka znów się zainteresowała.

– Potrzebujecie czegoś? – zapytała uprzejmie.

Kale nie odpowiedział. Ponownie minął drzwi wejściowe, lecz tym razem zapuścił się kilka kroków od budynku.

Przewróciłam oczami.

– Przepraszam, to dla niego nowość. – Otworzyłam drzwi i wciągnęłam zdumionego Kale'a do środka. – Możemy już iść spać?

Droga do pokoju zabrała nam kilka minut, bo nie chciał jechać windą. W milczeniu dotarliśmy do naszych drzwi i włożyłam klucz do zamka. Po wejściu do środka zabrałam klucz. Kale pochylił się i objął mnie w pasie. Przesuwał policzek po mojej szyi i twarzy.

– Wszystko dobrze? – zapytał nagle nieco zniżonym głosem.

– Uhm. – Przełknęłam ślinę, próbowałam panować nad głosem. – Jasne.

Odsunął się i zdjął koszulę, a potem w mgnieniu oka zdjął także moją. Objął mnie wielkimi dłońmi i przyłożył wargi do moich ust. Poczułam ogień.

– Widzę w twoich oczach – powiedział między pocałunkami – że nadal w to nie wierzysz.

– W co? – z trudem wymamrotałam. Wolałam się całować, zamiast rozmawiać.

Splótł palce z moimi palcami i trzymał ręce przed sobą.

– W to.

Westchnęłam. Grzechem było przerywać tak obiecujący pocałunek, ale Kale był zdeterminowany.

– Nie chodzi o to, że ci nie wierzę. Po prostu jestem... – Szukałam odpowiedniego słowa. – ...ostrożna.

– Ostrożna? – Zmarszczył brwi.

Rzeczywiście, może niezbyt trafne określenie.

– Wiem, że trudno ci to wszystko zrozumieć, ale...

– Ty myślisz, że ja to nic nie wiem, bo nie widziałem DBD i nie jadłem paluszków serowych. I że gdy spotkam kogoś, kto mnie uszczęśliwia, to nie wiem, co czuję.

– DVD.

– Co?

– Nie DBD, tylko DVD. Digital Video Disc. Cyfrowy dysk wideo.

Patrzył na mnie.

– Nie jestem prostakiem. Wiem, że Alex cię skrzywdził. Wiem, że w twoim życiu wiele się zmieniło. Wiem, że musisz być ostrożna.

– Pytałeś mnie, czy boję się ciebie.

Odsunął się jeszcze dalej i zobaczyłam w jego oczach cień przerażenia.

– Tak.

– Powiedziałam, że coś w tym rodzaju.

– Powiedziałaś.

– Stąd ta ostrożność. Boję się ciebie, bo muszę być ostrożna.

Zrobił taką minę, jakbym go uderzyła.

– Nigdy cię nie skrzywdzę. Nie potrafiłbym...

– Nie o to chodzi. Boję się o to, co czuję. Jestem pierwszą osobą, której kiedykolwiek dotykałeś. Twoje uczucie może nie potrwać długo. W końcu zapragniesz czegoś innego. Kogoś innego...

– Dez, jesteś jedyną osobą, która może mnie dotykać.

– Do czasu. Ginger powiedziała, że nauczy cię nad tym panować, pamiętasz? Będziesz mógł normalnie żyć. Będziesz jak wszyscy. Będziesz mógł umawiać się, z kim ci przyjdzie ochota.

– Nie słuchasz mnie. – Przyciągnął mnie do siebie. – Tylko ty możesz mnie dotykać. Może i kiedyś bęę potrafił dotknąć kogoś innego i nie zamienić go w stos pyłu. Ale to nie zmieni faktu, że tylko ty możesz mnie dotykać.

Ujął moją dłoń i położył sobie na piersi. – Nie wiem, co ty czujesz, nie wiem dokładnie, o co chodzi z tym umawianiem się z innymi, ale jeśli o to... – Przycisnął mi dłoń do piersi.

– ... to się mylisz.

Pocałował mnie. Ale nie było to delikatny pocałunek ani nieśmiałe muśnięcie warg. Zadziałał jak rozgrzany młot, który rytmicznie wali i rozprowadza gorąco po całym ciele. Który je ożywia. Każdy jego pocałunek odczuwałam znacznie bardziej niż kiedyś. Ogarniał mnie dreszcz, którego nie chciałam się pozbywać do końca życia.

Cofnęłam się i przywarłam do ściany.

– Co ja czuję? Chcesz wiedzieć? – Przesunęłam dłonie po jego twarzy i wsunęłam palce we włosy. – Inaczej niż kiedykolwiek. Skakałam na bungee. Zjeżdżałam z dachu na deskorolce, a nawet jeździłam w otwartych drzwiach pociągu. Ale nigdy nie miałam takiego kopa jak z tobą. Przeszedłeś straszne rzeczy, a mimo to jesteś jednym z najmilszych i najszczerszych ludzi, jakich znam. Początkowo myślałam, że to dlatego, że czułam się bezpiecznie. Wiedziałam, że mnie nie skrzywdzisz tak jak Alex. Ale tu chodzi o coś więcej. Chodzi o ciebie. O to, jaki jesteś. Od tego, jak się uśmiechasz, po to, że zawsze mówisz, co myślisz. O twoją duszę, Kale.

– Wzięłam głęboki oddech, byłam rozedrgana. – Przeraża mnie to, co chcę powiedzieć, ale wydaje mi się, że mogłam się w tobie...

– Kocham cię – powiedział. Obejmował mnie rękami, czułam jego dłonie na plecach. Zsuwał je powoli pod moje dżinsy. – Tylko ciebie. – Jego słowa płynęły z gorącym oddechem pieszczącym moją twarz i szyję. – Tylko ciebie. – Pocałował mnie. – Zawsze ciebie.

Odciągnęłam go od ściany z powrotem do łóżka. Ruszył za mną, nie wypuszczając mnie z ramion. Gdyby mnie puścił, zniknąłby cały pokój, cały świat, zniknęłabym ja. Dotarliśmy do łóżka i przerwaliśmy pocałunki. Kale chciał zacząć od nowa, ale postawiłam opór. Zrobiłam krok do przodu i zaczęłam pokazowo powoli odpinać dżinsy. Zamarł w bezruchu. Wbijał wzrok w moje dłonie, a ja zsunęłam dżinsy na podłogę. Strząsnęłam je nogą, a on wyciągnął ręce i ujął moje biodra. Jęknął z zadowolenia i przyciągnął mnie do siebie. Znów się dotykaliśmy.

Pozwoliłam mu położyć mnie na sobie, a później chwyciłam go za nadgarstki i przycisnęłam do łóżka. Z uśmiechem całowałam leciutko od szyi aż po pępek. Odpięłam mu dżinsy, opuściłam kilkanaście centymetrów i zatrzymałam dłonie na brzegu jego bokserek. Po chwili ściągnęłam je razem z dżinsami. Gdy pieściłam jego biodra, poruszył się i głęboko wciągnął powietrze.

– O Boże...

Z każdym nieprzytomnym oddechem unosił mnie coraz wyżej. Ogarnęło mnie bezgraniczne szczęście. Każda sekunda z nim przenosiła mnie w nowe miejsce, pozwalała odczuć coś nowego. Nie kochałam Alexa. Owszem, czułam coś do niego, ale to nie była miłość. Gdy byliśmy ze sobą, ani razu nie przeżywałam czegoś takiego. Wolności. Euforii. Spełnienia.

Niechętnie odsunęłam się na bok. W swoim poprzednim życiu raczej nie zastanawiałam się nad zabezpieczeniem, ale teraz czułam, że koniecznie musimy to między sobą ustalić. – Eee... nigdy jeszcze... To znaczy, to jest twój pierwszy raz...

Przesunął palec po moim gołym ramieniu.

– Oczywiście. – Zmarszczył brwi. – Ale twój nie.

Nie była to może najlepsza chwila na rozmowy o tych sprawach, ale nie chciałam, żeby pomiędzy nas wkradło się kłamstwo.

– Niezręcznie mi... To znaczy ja i Alex...

Próbowałam odsunąć się dalej, ale mnie powstrzymał.

– To twoja przeszłość. Ja jestem twoją przyszłością. Alexa już nie ma?

– Nie ma. Wiem, czego pragnę. Chciałam tylko, abyś wiedział, że... Biorę pigułki, bo już... Nie mogę, więc... – Boże, czułam się jak idiotka.

Kale nie zwrócił na to uwagi. Uśmiechnął się i znów przyciągnął do siebie. Gdy mnie pocałował, wszystko minęło. Jego dżinsy wylądowały na hotelowej podłodze obok moich. Położyłam się na nim i przesuwałam powoli, obserwując jego twarz. – Nie – powiedziałam, gdy zamknął oczy. – Patrz na mnie.

Błękitne oczy płonęły, gdy dotknął mojej twarzy i przysunął do siebie.

– Błagam... Muszę...

– Okej – szepnęłam cicho.

Zanim się zorientowałam, Kale był na mnie, a jego czarne włosy zwisały w dół. Odgarnęłam je ręką, bo chciałam widzieć jego twarz. Nie. Musiałam ją widzieć. Nie spuszczał ze mnie wzroku. W innych okolicznościach, z inną osobą, czułabym się przytłoczona takim spojrzeniem, chociaż nie brakuje mi pewności siebie. Z Kalem było inaczej. On nie tylko patrzył, on *widział*. Jak nikt nigdy. To działało jak narkotyk. Potrzebowałam więcej i więcej. To mnie trochę przerażało. Kale dawał mi coś, czego nigdy nie miałam dosyć. Dawał mi nirwanę.

– To wszystko chyba nieprawda – szepnął. – Nie zasługuję...

– Zasługujesz. Łzy napłynęły mi do oczu, zagłuszyłam dalsze protesty ognistym pocałunkiem. Każda komórka mojego ciała była gotowa do eksplozji. Nie było zewnętrznego świata. Nie było Denazen. Ani ojca. Tylko ja i Kale.

Zaczął się poruszać i moje zmysły zapłonęły. Z moich płuc uleciało całe powietrze. Chwyciłam go za ramiona i wygięłam plecy, żebyśmy byli jeszcze bliżej.

– Dla mnie – powiedział. Było to coś pomiędzy jękiem a tłumionym pomrukiem. Pobrzmiewał w tym szok i obsesja. Ból i czysta radość. – Zostałaś stworzona dla mnie.

Przez krótki moment czas stanął w miejscu. A potem ruszył w przyśpieszonym tempie. Świat eksplodował.

I nastąpił spokój.

27

Nie wychodziliśmy z hotelu przez cały dzień. Kale zafascynował się telewizją, zwłaszcza reklamami. W Denazen oglądał czasami, ale w niewielkich ilościach. Nie chciał wierzyć, że tak wiele produktów może służyć do tego samego. Siedem rodzajów napojów gazowanych. Trzy odświeżacze do łazienki. Setki modeli samochodów. Nie potrafił pojąć, po co ludziom więcej niż jedna rzecz służąca do jakiegoś celu.

Na śniadanie, obiad i kolację w tajemniczy sposób zjawiał się pod drzwiami wózek z jedzeniem. Każde danie było inne i stanowiło dla Kale'a nowość. Zawsze coś go zafascynowało. Na kolację ulubionym daniem okazały się żelki o smaku arbuza.

I oczywiście byłam ja. Mnie też nigdy nie miał dosyć. Co się dobrze składało, bo ja również nigdy nie miałam jego dosyć.

– Powiedz, że to coś innego – zaczął chwilę po kolacji. Leżeliśmy spleceni ciałami na łóżku. Jedną ręką bawił się moimi włosami, a drugą delikatnie kreślił kółka na moim ramieniu. – Powiedz, że to coś niezwykłego.

– Tak, to coś niezwykłego. – Przeniosłam na niego wzrok. Telewizja, dobre jedzenie, całowanie i przytulanie. I dużo dotyku. Za każdym razem podziwiał cudowną gładkość mojej skóry. Niekiedy twierdził, że to sen, bo w życiu na jawie nie może być tyle dobra. Na pewien czas zapomniałam, że czeka nas poważne zadanie. Niebezpieczeństwo, które może zmienić życie.

Nie pamiętałam wówczas o irytującym głosie w mojej głowie. Głosie ostrzegawczym. O sygnałach alarmowych i błyskających światłach. Ignorowałam je, chociaż równie dobrze mogłabym ignorować słonia w pokoju.

Ginger obiecała, że pomoże Kale'owi zapanować nad jego darem. Ale wystawiła nas do wiatru. Obietnica skontaktowania nas ze Żniwiarzem okazała się kłamstwem. Przynajmniej w pewnym sensie. Z pobudek egoistycznych nie poruszyłam sprawy drugiej części obietnicy. Gdzieś w mrocznej głębi duszy pragnęłam, żeby Kale pozostał taki, jaki jest. Dokładnie taki sam. Chciałam się z nim związać, a jeśli się nie zmieni, te więzy nigdy się nie rozpadną. Żeby znaleźć swojego księcia, wycałowałam wiele żab. Należała mi się odrobina szczęścia.

W końcu rozsądek zwyciężył. Jak już wszystko się ułoży, zamierzałam pójść do Ginger i poprosić, żeby pomogła Kale'owi. Zasługiwał, żeby mieć wybór. Jeśli nie wybierze mnie, będę musiała się z tym pogodzić. Kochałam go. Nie mogłam go oszukiwać tylko dlatego, że chciałam go mieć dla siebie. W taki sam sposób działała Denazen. Tak postępował ojciec.

Wczesnym popołudniem pożegnaliśmy się z Mishą i ruszyliśmy na poszukiwanie kostiumów na wieczorną imprezę. Tylko jeden sklep z przebraniami działał cały rok, ale nie chciałam tam robić zakupów. Mieli żałosny wybór i zawyżone ceny. Francuskie pokojówki, goryle i kowbojskie kapelusze... Nic oryginalnego. Ale byłam przedsiębiorcza i postanowiłam coś zaimprowizować. Na ostatnie Halloween wpadłam na zabójczy pomysł, ale nie mogłam go zrealizować, bo rozłożyła mnie grypa. Teraz nadarzała się idealna szansa.

Pomysł z przebieraniem się podczas imprezy rave miał dwa cele. Po pierwsze ułatwiał mi i Kale'owi pozostanie incognito. Wiedzieli, że tam będziemy, bo odebraliśmy informację od Mercy, ale jeśli trudniej będzie nas namierzyć, będziemy mogli poruszać się swobodniej. A drugi cel? Istniały szanse, że tata i Mercy nie dowiedzą się o ostatnich zmianach w charakterze imprezy i zyskamy przewagę. My się przebierzemy, a oni będą odstawać od reszty. Podwójna korzyść.

Mając nożyczki, blok papieru i dwadzieścia pożyczonych dolarów, mogliśmy zorganizować wszystko, czego potrzebowaliśmy.

Latem łatwiej się przebrać. Wystarczyła krótka wyprawa do centrum handlowego – Target, Toys R Us, CSV – i wszystko załatwione. Gorzej z Kalem. Jak zobaczył, co kupiłam, zaczął się denerwować z powodu konieczności odsłaniania skóry, ale zapewniłam go, że mam dla niego inny pomysł. W centrum handlowym znaleźliśmy wszystko, czego potrzebowaliśmy: czarne dżinsy, czarny podkoszulek, czarne okulary i czarne kozaki. Problem stanowiła skórzana kurtka.

– Mam pytanie – powiedział Kale, gdy szliśmy do sklepu ze skórami po drugiej stronie miasta. Słońce zaczynało już zachodzić, więc musieliśmy się śpieszyć, żeby zdążyć przed zamknięciem.

Wzięłam go za rękę.

– Jeśli nie chodzi o ciastko z bitą śmietaną, to zamieniam się w słuch.

Zatrzymał się i uniósł brwi.

– To żart. Słucham cię.

Ruszyliśmy dalej.

– A co będzie później?

– Po czym?

– Po imprezie. Skończy się i co potem?

– Jak to: co?

– Co stanie się ze mną?

– Nic się nie stanie. Jesteś wolny i możesz żyć, jak chcesz. Możesz jechać, dokąd zapragniesz i robić to, na co masz ochotę.

– Jechać?

– Tak, na przykład w podróż.

W jego oczach pojawił się błysk.

– Kale, wokół nas istnieje cały świat. I rzeczy, których nawet sobie nie wyobrażasz. Fascynujące miejsca, ciekawi ludzie... – Piękne dziewczyny. Cholera jasna.

Uśmiechnął się.

– Chcę obejrzeć te wszystkie miejsca, o których czytałem. Chcę płynąć jachtem i poczuć piasek na stopach. – Uśmiechnął się szerzej. – Chcę spać pod gwiazdami i kąpać się w oceanie.

– Piękne cele – powiedziałam cicho.

Pokiwał głową.

– Cele. To mi się podoba. Teraz mam cele i czuję się świetnie! A ty? Jakie ty masz cele?

Roześmiałam się.

– Ja? Chyba nigdy nie miałam. Nic motywowało mnie nic, oprócz tego, żeby zagrać ojcu na nosie.

– To musisz sobie znaleźć. Jak już będzie po wszystkim, pojedziemy do tych miejsc i zrobisz swoją listę celów.

Widok jego twarzy potrafił rozjaśnić najciemniejsze zakamarki na świecie. Moje słowa musiały zabrzmieć gorzko.

– Kale, nie wiem, czy będziesz mógł pojechać zaraz po tym, jak to się skończy. Kiedyś tak, ale nie wiem, czy od razu. Być może będziesz musiał pojechać beze mnie.

Zatrzymał się i chwycił mnie w ramiona.

– Bez ciebie nie istnieje żadne z tych miejsc, do których chcę pojechać. Wszystkie moje cele opierają się na jednym. Na tobie. Ty jesteś moim najważniejszym celem. To chyba nic złego, prawda?

– Nie. – Zawahałam się. Ruszyliśmy dalej. – Ale nie możesz z mojego powodu żyć inaczej niż zaplanowałeś. Nie wiem, co będzie ze mną, kiedy odzyskam mamę. Przez siedemnaście lat byłam okłamywana. Teraz chcę ją poznać... A żeby tak się stało, muszę ją uwolnić i uciec.

Nastąpiła dłuższa chwila milczenia. W końcu dotarliśmy do sklepu z galanterią skórzaną. Na szczęście w środku jeszcze paliły się światła.

– Ale będziemy mogli być ze sobą, nawet jeśli tutaj zostaniemy?

– Oczywiście. Będę z tobą tak długo, jak będziesz chciał. A jeśli to możliwe, pojadę z tobą na koniec świata. Tylko najpierw muszę wszystko tutaj poukładać.

– Wydaje mi się, że to ja powinienem powiedzieć... – Uniósł nasze splecione dłonie. – ...że będę na ciebie czekał choćby w nieskończoność.

Mam nadzieję.

Przeszliśmy całe miasto i zdążyliśmy dotrzeć do sklepu przed samym zamknięciem. Sprzedawczyni nie była zachwycona. Udobruchała się dopiero, jak wyłożyłam trzysta czterdzieści dwa dolary za czaderską kurtkę motocyklową i dodatkowe dwadzieścia za fatygę.

Teraz mieliśmy już wszystkie elementy kostiumów i potrzebowaliśmy miejsca do przebrania. Kale nie był zachwycony powrotem pieszo do hotelu, jednak nie mieliśmy wyboru. W recepcji siedziała ta sama kobieta, którą mijaliśmy przy wychodzeniu. Tym razem uśmiechnęła się trochę szczerzej niż poprzednio. Trochę.

– Nie chcę zawracać głowy – powiedziałam. – Ale czy znajdzie się miejsce, w którym moglibyśmy się przebrać? Wiem, że przy wychodzeniu mówiłam...

Sięgnęła po klucze.

– Pokój 309. Ktoś tam na ciebie czeka.

Nikt nie wiedział, że tu się zatrzymamy. Nikt nie wiedział, że wrócimy tego wieczoru. Ogarnęły mnie podejrzenia.

– Ktoś na mnie czeka?

Musiała wyczytać podejrzliwość z mojej miny, bo powiedziała:

– Bez obaw. To przyjaciel. – Zmarszczyła brwi. – W pewnym sensie.

To mnie zaciekawiło. Nadal miałam obawy, ale ciekawość brała górę.

– Czekaj – odezwał się Kale, chwytając klamkę. – Pójdę pierwszy. – Odsunął mnie na bok, pchnął drzwi i wszedł do środka. Ruszyłam za nim.

Na jednym z łóżek popijał piwo i oglądał telewizję przyjaciel Brandta.

Sheltie uśmiechnął się na nasz widok i machnął ręką.

– Bogu dzięki. Nie wiedziałem, czy w ogóle tu wrócicie.

Kale stał przede mną w napięciu.

– Kim jesteś?

– Chryste, nadal razem się wałęsacie? – Wychylił się za Kale'a i wskazał na mnie palcem. – Musimy porozmawiać.

– To jest Sheltie – powiedziałam do Kale'a. – On jest... – Przełknęłam ślinę i poprawiłam się: – On był przyjacielem Brandta. – I odwróciłam się do Sheltiego. – Co ty tu robisz? Myślałam, że wyjechałeś z miasta.

– Nie słyszałaś? – zapytał z wyrzutem. – Sprawy się pokomplikowały.

Spojrzałam w kierunku drzwi, a później na zegar na nocnym stoliku. Mieliśmy niecałe dwie godziny.

– Mam nadzieję, że to nie potrwa długo. Musimy gdzieś wyjść.

Pokiwał głową.

– Wiem. – Wziął głęboki oddech i przeszedł do rzeczy: – Nie mam pojęcia, czy mnie pamiętasz. Nazywam się Daniel.

W całym życiu znałam tylko jednego Daniela i z całą pewnością nie był to on.

– Nie znam żadnego Daniela.

Westchnął i opuścił nogi na podłogę.

– A właśnie, że znasz.

– Miałam kuzyna, który tak miał na imię. Był to bliźniak Brandta. Innego Daniela nie znałam. – Powstrzymywałam się, żeby go nie walnąć.

– Bingo!

Patrzyłam z przerażeniem.

– Wiesz co, koleś, chyba ci odwaliło. Daniel utopił się w wieku sześciu lat.

– Wiem. Teoretycznie jestem Danielem, a także Brandtem. A teraz Sheltie.

– No, no. Żeby coś takiego wydumać, musicie w tym swoim Denazen posiedzieć w zamkniętym pokoju z flaszką gorzały i workiem dobrego zioła. – Zrobiłam krok do przodu, świerzbiły mnie ręce. – To ty zabiłeś Brandta?

Sheltie milczał.

– Odpowiedz – krzyknął Kale.

Sheltie zignorował go i wstał z łóżka.

– Dez, posłuchaj, mówię serio. Wtedy tam w jeziorze to ja utonąłem, a Daniel umarł.

– Masz mnie za idiotkę? Widziałam, kto poszedł pod wodę. Byłam świadkiem tego, jak wyciągali ciało Daniela. A nie Brandta.

– To nie takie proste. Ja i Brandt byliśmy Szóstkami. Mam rzadki talent. Na całym świecie posiadają go chyba tylko cztery osoby. Polega na umiejętności przenoszenia duszy. Gdy przestało mi bić serce, dusza przeskoczyła do znajdującej się najbliżej osoby. Do brata.

– Nie wierzę ci.

– Miałaś na sobie piękny, różowy strój kąpielowy. Twój ulubiony. Wtedy nie zwracałem na niego uwagi. Brandt miał błyszczące, niebieskie kąpielówki. Byliśmy nad jeziorem tylko godzinę. Mówiliście mi, żebym trzymał się brzegu, ale nie posłuchałem. Zaplątałem się w jakieś wodorosty i nie mogłem wydobyć głowy na powierzchnię.

Kale napiął mięśnie.

– Takich rzeczy można się łatwo dowiedzieć.

Miał rację. Każdy, zwłaszcza powiązany z Denazen, mógł to ustalić. Był o tym długi artykuł w gazecie. Tragiczna śmierć syna jednego z najsłynniejszych dziennikarzy. Sprzedano mnóstwo egzemplarzy. Od tego zaczęła się nagonka na ciocię Cairn. Oskarżano ją o zaniedbanie dzieci, o zostawienie ich bez opieki w niebezpiecznym miejscu. Później zamieszczono sprostowanie, ale wyrządzonych szkód nie dało się cofnąć.

Potrzebowałam mocniejszego dowodu.

– U was na podwórku, w domku na drzewie, było metalowe pudełko. Co w nim trzymaliśmy?

Uśmiechnął się.

– Nasze najcenniejsze skarby. Niebieski samochodzik Hot Wheels, drewnianego konika i twój notesik Hello Kitty.

Poczułam mdłości. Wiedziały o tym tylko trzy osoby. Dwie z nich już nie żyły.

– A co się stało z Brandtem?

Uśmiech zniknął z jego ust. Spuścił głowę i wyjął z kieszeni kółko deskorolki. Rzucił w górę, złapał i powiedział:

– Właśnie wychodził z domu. Gdy pojawił się Sheltie i powiedział, że ma informacje o Denazen, wpuściłem go i mnie zabił. A raczej zabił ciało Brandta. Gdy serce przestało bić, moja dusza przeskoczyła do Sheltiego. Zatrzymałem się tu w hotelu i rozważałem, czy powiedzieć ci o tym wszystkim, czy nie.

– To wszystko jest niemożliwe...

– Ale z drugiej strony, gdy przeskakuję do ciała nowej Szóstki, przejmuję jej dar. Sheltie umiał odwiedzać ludzi w snach. Próbowałem ostrzec cię we śnie, ale nie wypaliło.

Byłem trochę zdezorientowany, to się działo zaraz po prze-skoczeniu.

– Więc to byłeś ty?

Pokiwał głową.

– I przez cały czas to ty, znaczy Daniel, byłeś moim naj-lepszym przyjacielem. Nie Brandt?

Znów pokiwał głową i poczułam skurcz w żołądku. To najbardziej skomplikowana łamigłówka, z jaką kiedykol-wiek miałam do czynienia.

– Tak czy siak, ja to ja. Ten sam gość, którego znasz przez całe życie. To dziwne, ale pozostały mi wszystkie wspo-mnienia, a oprócz tego mam też wspomnienia tamtego fa-ceta.

– Przechlapane.

– Przechlapane to pamiętać swoją śmierć. Spróbuj kiedyś.

Nawet nie potrafiłam sobie wyobrazić życia z takim wspo-mnieniem.

– To straszne.

– Nie. Straszne wydaje mi się to, że jesteś moją najlepszą przyjaciółką. Moją kuzynką. A ja nie mogą się powstrzymać przed myślami, jak seksownie wyglądasz.

– O Boże...

Stojący obok mnie Kale warknął.

Wzięłam go za rękę i powiedziałam po cichu:

– Zaraz się porzygam.

– Wstrzymaj.

– Co z tym Sheltiem?

– Pracował dla twojego ojca. Jak odszedłem z Cmenta-rzyska, zaraz zacząłem węszyć. Zdumiewające, ile można znaleźć, jeśli szuka się wytrwale. Chyba znalazłem za wiele, bo wysłali na mnie Sheltiego. Powiedział oficjalnie, że przekroczyłem granicę i mój czas się skończył. Wyciągnął nóż i nic więcej nie pamiętam do momentu, jak obudziłem się w jego ciele. Nie wiedziałem, co robić, więc odszukałem Mishę i wszystko wyjaśniłem. Od tamtej pory mieszkam tu w hotelu.

Był tu cały czas. Tuż pod nosem.

– To twoja wina – zwrócił się do Kale'a. – Gdybyś tamtej nocy nie poszedł z nią do domu, wszystko byłoby normalnie.

Trzasnęłam go w głowę.

– Normalnie? To, co wyprawiają w Denazen, nie jest normalne.

Kale pokiwał głową.

– Trzeba powstrzymać Denazen.

Daniel przeniósł wzrok na Kale'a.

– Wiesz, co mam na myśli.

– I co z tego? Co teraz chcesz zrobić?

– Wyjeżdżam. Chciałbym pomóc w odnalezieniu twojej mamy, ale po prostu nie mogę. Musisz zrozumieć... Twój ojciec mnie zabił. Jeśli odkryją, co zrobiłem...

Pokiwałam głową.

– Okej, nie musisz się tłumaczyć. – Tak było lepiej. Dobrze wiedziałam, co może z nim zrobić Denazen. Zabić go i przerzucać z ciała do ciała. Stałby się bronią groźniejszą niż Kale. Nie mogłam na to pozwolić. Z myślą, że mój najlepszy przyjaciel żyje i jest bezpieczny, będę lepiej spała. Objęłam go rękami. – Zobaczymy się jeszcze?

Wyrwał się z moich objęć i stanął krok dalej. Sięgnął po zielony worek stojący przy łóżku na podłodze.

– Masz tę listę, którą ci dałem?

– Listę?

Przewrócił oczami.

– Tę, którą dałem ci na swoim pogrzebie.

Zupełnie o tym zapomniałam.

– Jest u mnie w domu. Nawet jej nie otworzyłam.

– Nie zgub jej. Dez, na tej liście figurują wszystkie Szóstki z całego kraju. Wszyscy są na celowniku Denazen. Są obserwowani. Ty także, Dez.

– Ja? To niemożliwe. Zdobyłeś tę listę, zanim powiedziałam ojcu o swoim darze.

Pokręcił głową.

– Jak już mówiłem, wielu rzeczy jeszcze nie wiesz. Nie zgub tej listy.

Zostawiłam ją w kieszeni żakietu, w którym byłam na pogrzebie.

– Jest bezpieczna. Wrócę po nią najszybciej, jak się da. Obiecuję.

Skinął głową i schował do kieszeni kółko deskorolki.

– Jak ustalę, dokąd jadę, zostawię wiadomość u Mishy. Nie martw się, jeszcze się kiedyś zobaczymy.

Odwrócił się do Kale'a i zmrużył oczy. Jak Daniel był Brandtem, to nie przepadał za Kalem. W nowym wcieleniu nie zmienił swojej opinii.

– A ty się postaraj, żeby mojej dziewczynie włos z głowy nie spadł.

Kale ścisnął mnie za rękę. Rzucił mu niezbyt przyjazne spojrzenie.

– To moja dziewczyna.

28

Kiedyś nosiłam miniówki, ale z jakiegoś powodu w szortach czułam się swobodniej. Zresztą, może wcale nie chodziło o szorty, tylko o włosy. Poszłam na niewiarygodny kompromis i ufarbowałam swoje charakterystyczne dwukolorowe loki na prosty brąz wpadający w czerwień, bardzo podobny do mojej ulubionej bohaterki gier komputerowych, Lary Croft z Tomb Raider.

Kostium Kale'a wyglądał idealnie. Przebrany za Terminatora miał zasłoniętą prawie całą skórę. Wyglądał bosko. Postawił sobie kołnierz kurtki, więc widać było tylko niewielki kawałek twarzy. Stanowiliśmy skrajne przeciwieństwa. Ja w skąpym topie i krótkich szortach, a on osłonięty od stóp do głowy.

Gdy wyszłam z łazienki, Kale miał kabury na swoim miejscu i mimowolnie się uśmiechnęłam.

On popatrzył na mnie z podziwem i zdumieniem. Położył dłoń na moich włosach.

– Jak to zrobiłaś? Jak zmieniłaś kolor?

Przesunęłam rękę po lokach.

– Podoba ci się? Wyglądam inaczej, prawda?

To głupie. Z jakichś powodów było mi smutno, że zmieniłam kolor włosów. Nosiłam blond fryzurę z czarnymi kosmykami chyba z rok. Kolor włosów nie decyduje o człowieku. To rola duszy i charakteru. Mimo to czułam się, jakby ktoś mnie czegoś pozbawił. – Postać, w którą się wcielam, ma ciemne włosy. Musimy zniknąć w tłumie. A tata nigdy nie pomyśli, że posunęłam się aż do ufarbowania włosów.

– Farbowania?

– Tak. Nakładasz barwnik i zmienia się kolor włosów.

– A potem można przywrócić?

– Na blond? Nie. Muszą odrosnąć.

Dotknął czarnego pasemka opadającego mu na twarz.

– Ja też mógłbym zmienić?

Roześmiałam się.

– Dzisiaj mamy taką technikę, że mógłbyś zrobić się nawet na taki. – Pokazałam mu notatnik w kolorze jarzeniowego błękitu.

– Nie zmieniaj sobie koloru. Ten mi się podoba.

Podszedł bliżej, pocałował mnie lekko i się odsunął.

O, co to, to nie. Przyciągnęłam go do siebie i pocałowałam. Jak należy.

– Nigdy się nie przyzwyczaję – powiedział z uśmiechem.

– Do czego?

– Do tego, że jak się zbliżasz, mam wrażenie, że zaraz eksploduję. Wtedy mam w głowie tylko ciebie.

§

Gdy przybyliśmy na imprezę, zabawa trwała w najlepsze. W powietrzu czuło się energię. Nie miałam pojęcia, czy to atmosfera imprezy, czy świadomość, że wkrótce wydarzy się coś wielkiego. Byłam podminowana i gotowa do wejścia.

Ulżyło mi, gdy zobaczyłam, że większość ludzi odebrała wiadomość z ostatniej chwili i przebrała się w kostiumy. Były francuskie pokojówki, egzotyczne niewolnice i kilka skąpo ubranych wróżek. Dlaczego ludzie są tak mało oryginalni? Wszyscy chyba kupowali kostiumy w tym samym sklepie.

Jeśli chodzi o mężczyzn, to zauważyłam grupę facetów przebranych za kowbojów, którzy zagadywali dziewczyny w strojach absolwentek uczelni, a także jaskiniowców i sanitariuszy. Minęłam co najmniej cztery pary „Edward i Bella*".

Kale denerwował się, chociaż miał zasłonięte dziewięćdziesiąt procent skóry.

– Gotowy?

Kiwnął głową i wziął mnie za rękę. Wmieszaliśmy się w tłum roześmianych, machających rękami, podpitych tancerzy. Zauważyłam tylko dwie lub trzy osoby bez kostiumu. Wszystkie znajome. Nie widziałam ani Alexa, ani ojca.

Ze wszystkich pytań, które Mercy w moim wcieleniu zadawała Curdowi, domyślałam się, że jednym z celów Denazen jest Fin. Kim byli pozostali, nie mieliśmy pojęcia, ale przynajmniej mogliśmy pilnować Fina i próbować go ratować.

– Jeszcze wcześnie. Może jeszcze nie przyszli – powiedział Kale, rozglądając się po sali. Stwierdził, że prawdopodobnie nie rozpozna mojej mamy, która zapewne przybierze cudzą postać, ale namierzenie Alexa nie powinno nastręczać trudności.

---

* Edward i Bella to bohaterzy sagi „Zmierzch" Stephenie Meyer. (przyp. red.)

– Być może – powiedziałam, stając na palcach. *Bingo!* Przy barze dostrzegłam Fina z piwem w dłoni. – Jest Fin. Idziemy. – Pociągnęłam za sobą Kale'a.

– No, no. – Fin zagwizdał na mój widok. – Wyglądasz zabójczo, Dez. Możesz napadać na mój grobowiec, kiedy tylko zechcesz.

– Dziękuję, miło z twojej strony. – Siliłam się na uśmiech. – Fin, to jest Kale. Mój chłopak.

Finowi opadła szczęka, ale szybko wziął się w garść.

– Chłopak? Ale Curd mówił...

– On jest... eee... nowy.

Kale wydał z siebie charczący głos. Spojrzał z góry na Fina.

– Okej – powiedział Fin i odsunął się od Kale'a.

Wskazałam głową parkiet i chciałam zaproponować taniec, ale właśnie ujrzałam wystającą ponad tłum jasną czuprynę Alexa.

– Dzięki Bogu! – Odwróciłam się do Kale'a i powiedziałam: – Zostań tutaj i pilnuj Fina. Ja sprowadzę Alexa, dobra?

Odchodząc, usłyszałam, jak Kale przestrzega Fina, żeby nie gapił się na mój tyłek, bo *wymierzy mu karę.* Uśmiechnęłam się mimowolnie.

Przedarłam się przez tłum i weszłam na schody. Na górze zastałam opartego o poręcz Alexa rozmawiającego z rudą, wysoką dziewczyną.

– Alex – odezwałam się zdyszana. Miał na sobie zwyczajne niebieskie dżinsy i czarną koszulę. Był bez kostiumu. A więc nie dowiedzieli się!

Alex odwrócił się do mnie i ujrzałam ulgę na jego twarzy. Zapomniał o tamtej dziewczynie.

– Dez, musimy stąd iść. Wszystko to jest zaaranżowane.

– Wiem, Mercy mnie skołowała. Nie jestem pewna co do prawdziwości tej informacji, ale zapewne chcą zgarnąć Fina Meyera i jeszcze kogoś.

Alex jęknął, chwycił mnie za ramię i pociągnął w ciemny kąt.

– Ty niczego nie wiesz – mówił zdenerwowany. – Została-ś wrobiona. Chcieli, żebyś tak zamieniła się postaciami z Mercy, aby ona miała twój wygląd i głos. Chcieli ustalić miejsce imprezy i zwabić Fina.

– Chcesz powiedzieć, że Mercy nadal ma moją postać? – Na myśl, że może pojawić się ktoś w moim ciele, ścierpła mi skóra.

– A co? – Lekko pobladł. – Myślałaś, że jej samo przej-dzie? Ktoś inny potrafił zmienić się sam?

Idiotka ze mnie. Nawet okiem nie mrugnęłam, gdy czy-tałam wiadomość od Mercy piszącej, że wróciła do swojej postaci. Automatycznie przyjęłam, że jeśli rzecz jest więk-sza i bardziej skomplikowana, to kopiowanie jest nietrwałe. Powinnam być mądrzejsza.

– Gdzie ona jest?

– Nie mam pojęcia. – Alex pokręcił głową. – Wynosimy się stąd w diabły.

– Chwila. Skąd wiedziałeś, że to ja, skoro Mercy paraduje w mojej skórze?

– Ty jesteś tylko jedna. Podróbkę łatwo rozpoznać. – Uśmiechnął się lekko. – Poza tym macie inne kostiumy.

– Cholera – zaklęłam. – A więc słyszeliście o kostiumach? Za kogo ona jest przebrana?

Przewrócił oczami i wziął mnie za rękę.

– A co za różnica? Spadamy stąd.

Wyswobodziłam rękę.

– Ja nie ruszam się z miejsca. Na dole Kale pilnuje Fina. Będzie tu też moja mama. Nie mam zamiaru stracić szansy na jej uwolnienie.

– Rzeczywiście, będzie twoja mama. Ale nie będziesz mieć okazji nawet do niej podejść. O to właśnie chodzi. Jak myślisz, po co Mercy mówiła ci, że tu będzie? Aby mieć pewność, że przyjdziesz. Nie przyszło ci do głowy, że drugim celem możesz być właśnie ty?

Idiotka. Nawet przez myśl mi to nie przeszło.

– To głupota. Już mnie mieli, więc nie potrzebowali mnie tu zwabiać. Ojciec miał wiele okazji, żeby zamknąć mnie w Denazen.

– Podsłuchiwałem ich rozmowy. Nie mogli cię schwytać, gdy byłaś w Denazen, bo polują na Ginger. Szukają jej od dawna. Liczyli, że ty ich do niej zaprowadzisz. Poza tym twój ojciec wie o tobie i 98. Chcą go odzyskać i wiedzą, że przyjdzie tu z tobą.

– Kale. – Gotowało się we mnie. – Dobrze wiesz, że 98 to Kale. Nie nazywaj go tak.

– Mam gdzieś jego i jego imię. – Spróbował wyciągnąć mnie z kąta. – Uciekajmy stąd. Razem. Ty i ja.

Popatrzyłam na niego.

– Zależy mi na Kale'u. Nie zostawię go tu. Mojej mamy też.

– Pieprzyć Kale'a! – krzyknął. Tuż za nim rozbiła się o poręcz szklanka do połowy napełniona pomarańczowym napojem. – Kocham cię, Dez. Zawsze cię kochałem. Przepraszam za to, co zrobiłem. Możemy wszystko naprawić.

Ułoży się nam. Ale musimy stąd zmykać, zanim cię złapią i przeznaczą na badania naukowe.

Miałam tego dosyć.

– Nie, Alex. Nie teraz. Mówiłam ci, co czuję do Kale'a. Poza tym...

Nie wierzyłam, że chce się teraz o to kłócić.

– To coś zupełnie innego. Idealnie do siebie pasujemy. Dobrze o tym wiesz.

– Alex, ja go kocham. Kocham Kale'a.

Szeroko wytrzeszczył oczy.

– Ty... A co było wtedy u mnie w mieszkaniu? Jak całowałaś się ze mną, nie wyglądało na to, żebyś go kochała!

– Przepraszam! Byłam taka roztrzęsiona, ty akurat byłeś... Nie wiedziałam...

Alex pokręcił głową.

– Nieważne. Uciekaj stąd, póki czas. Miałem okazję popatrzeć, co Denazen robi z Szóstkami. To miejsce to horror. Połowa ich Szóstek uważa, że działa w imieniu Boga i realizuje supertajne misje w imieniu rządu, aby poprawiać świat. A druga połowa snuje się jak zombie i całkowicie ubezwłasnowolniona mieszka w klatkach.

Próbował wyciągnąć mnie z ciemnego kąta, ale stawiałam opór.

– Nie zbliżaj się do swojej matki. Po prostu pogódź się ze stratą i uciekaj.

– Zakładasz się? – Złapałam go za twarz i mocno ścisnęłam. Po kilku sekundach poczułam się zbyt ciężka, żeby ustać na nogach. Osunęłam się i Alex złapał mnie tuż przed samą podłogą.

– Nie – szepnął. – Nie rób tego. Tego nie ma w planie.

Cała roztrzęsiona stanęłam na nogi. Na szczęście nie miałam ochoty puścić pawia i wywalić z siebie wszystkiego, co jadłam. Może im częściej to robię, tym łatwiej mi idzie? – W planie? – Nagle nie mogłam oddychać. – Jakim planie? O czym ty mówisz?

Wziął mnie pod rękę i podprowadził do poręczy.

– Słuchaj, tam są drzwi. Zejdziemy schodami, miniemy je i za dwadzieścia minut zaczniemy zupełnie nowe życie! Postąpiłem tak, jak powinienem... Jeśli nie zmyjemy się stąd natychmiast, wszystko spartolisz!

Na czoło wystąpił mi zimny pot. Zrobiłam krok do tyłu.

– To ty! – Powietrze uszło mi z płuc, zaczęło mi się kręcić przed oczami. Nie, to niemożliwe. – Ty powiedziałeś ojcu o mnie i Kale'u.

Odwróciłam się, by popatrzeć na salę. Obok baru, przy którym zostawiłam Kale'a i Fina, kłębił się tłum, ale ich nie widziałam. Udająca mnie Mercy powiedziała Curdowi, że chcę poderwać Fina. Curd przekazał tę informację dalej. Fin, jak zwykle pies na baby, podchwycił ten pomysł. Gdy ja marnowałam czas z Alexem, ona wpadła i wyprowadziła Fina. Jak dowiedział się, że na niego lecę, dał sobą manipulować jak marionetka. Owszem, powiedziałam mu, że mam chłopaka, ale znał moją reputację i się nie przejął. Mogłam mieć tylko nadzieję, że Fin przestraszył się Kale'a i poszedł szukać łatwiejszej zdobyczy.

Odwróciłam się i złapałam Alexa za koszulę.

– Co ty, do diabła, wyprawiasz?

– Dla niego jest już za późno. Jeśli twój ojciec jeszcze go nie dorwał, to zrobi to wkrótce.

– Jak mogłeś...

– Zachęciły mnie twoje pocałunki. Były zabójcze. A potem powiedziałaś mi, że to z jego powodu... Gdy wtedy zeszłaś do samochodu, zadzwoniłem do twojego ojca i zaproponowałem układ. Ty za Kale'a. Powiedziałem mu, że ten świr zawrócił ci w głowie. W kawiarni nie był zaskoczony na mój widok. Już wiedział, że to ja będę z tobą.

Osoba stojąca przede mną była dla mnie zupełnie obca. Zimny egoista bez serca z twarzą kogoś, na kim kiedyś mi zależało.

– Jak mogłeś? Przecież wiedziałeś, co mu zrobili. I co mogą mu zrobić.

– Zrobiłem to, co musiałem. Chodziło o twoje bezpieczeństwo. – Stał wyprostowany z dumnie uniesioną szczęką. – Ten świr by cię wykończył. Wszystkich by nas pozabijał.

Nie chciało mi się wierzyć, że jeszcze usprawiedliwia to, co zrobił. Próbował się tłumaczyć. Nawet jeśli kierowały nim szczytne intencje, to wiedział, co czuję do Kale'a. Wiedział, co Denazen robi z Szóstkami. A mimo to zaproponował układ...

– Jesteś obrzydliwy. – Splunęłam mu w twarz i odeszłam.

Zostawiłam go w kącie – z twarzą swojego byłego chłopaka – i poszłam szukać Kale'a i mamy.

29

Szukałam jakichś śladów Kale'a lub mamy– choć zupełnie nie wiedziałam, jak wygląda– gdy nagle przy barze na dole zauważyłam siebie. Miałam różowe bikini i pluszowy pompon na tyłku. Blond włosy z ciemnymi pasemkami założone na szpiczaste uszy. Króliczek playboya? Serio? Przy najbliższej okazji skopię Mercy tyłek na kwaśne jabłko.

Z nagłym przypływem energii ruszyłam do baru. Nadal byłam osłabiona po kopiowaniu, ale złość dodawała mi skrzydeł. Jeśli jeszcze jedna dziewczyna zacznie przystawiać się do mnie pod postacią Alexa, to komuś może stać się krzywda.

– Hej – powiedziałam, podchodząc bliżej. Miałam nadzieję, że wystarczająco dobrze skopiowałam Alexa, żeby się nabrała. – Co ty tu tak się opieprzasz? My tu w pracy jesteśmy.

Wzruszyła ramionami i napiła się zielonego płynu.

– Fin złapany. Poszło gładko. Podeszłam do gościa, szepnęłam mu coś do ucha i poszedł za mną jak na sznurku.

– A co z 98?

Wzruszyła ramionami i dopiła drinka.

– Nie było go z Finem.

Wyciągnęła rękę i chwyciła mnie za nadgarstek. Chwile później złapała mnie za tyłek... Za tyłek Alexa. Nigdy nie posunęłabym się do czegoś takiego, choćby nie wiem co mi Denazen zrobiła.

– Znajdziemy ich. Jest tu jej matka i ona o tym wie. Już ja się o to postarałam. Wystarczy zgarnąć ją. A wtedy 98 to będzie pryszcz. – Ścisnęła mój pośladek. – Możemy skrócić sobie oczekiwanie gdzieś w ciemnym kąciku.

Minęła minuta, zanim załapałam. Zatkało mnie i zdołałam z siebie wydobyć tylko stłumione:

– Eee!

– Jak ostatnio pchałeś mi język do gardła, nie zastanawiałeś się tak długo! – powiedziała.

No, no... nieźle. Był tak na mnie napalony, że wystarczyła mu moja tania podróbka?

Wzięła mnie za rękę, a ja się nie opierałam. Jak zwykle widziałam korzyści w każdej sytuacji. Na tym mogłam zyskać. Chciałam jej odebrać moją postać, a w tym celu musiałam zostać z nią sam na sam.

– Dobra, idziemy.

Pociągnęła mnie na tyły baru. Drzwi do zaplecza były otwarte. W środku na szczęście było pusto. Nie traciłam czasu. Niestety Mercy w mojej skórze również. Gdy tylko zamknęły się drzwi, rzuciła się na mnie – Alexsa – i przyparła do ściany. – Wiem, wkurzyło cię, że ja to nie ona. Ale było słodko, nie? Jakoś ciało tej laluni mnie ośmiela. – Obmacywała mnie wszędzie, ściskała miejsca, które po pobudzeniu wywołują silną potrzebę opieki.

Odepchnęłam ją i mruknęłam. Tej chwili niczym nie wymażę z pamięci. Ani zmywak, ani ścierka, ani kwas borowy. Nic.

Gdy ponowiła próbę, sądząc, że to element gry, uderzyłam ją w twarz. Upadła na stos książek. Znów była czterdziestolatką z szarymi włosami i w zdecydowanie za ciasnym różowym bikini.

– Spałaś z Alexem? To obleśne.

Zaczęła wracać do siebie, ale nie czekałam. Zanim wstała, wyskoczyłam za drzwi i zamknęłam je na klucz. Choćby krzyczała i waliła przez resztę nocy, miała znikome szanse, że ktoś ją usłyszy.

Mając z głowy Mercy, zaczęłam się zastanawiać, jak znaleźć Kale'a i mamę. Musiałam też odszukać Fina. Nie wiedziałam, jakim dysponował darem, ale najwyraźniej było to coś ważnego. Przez moment zastanawiałam się, czy nie wrócić do swojej normalnej postaci, ale doszłam do wniosku, że jako Alex mniej się rzucam w oczy.

Na parkiecie ludzie tłoczyli się jak sardynki w puszce. Ciężko było przedrzeć się przez salę. Z trudem torowałam sobie drogę, próbowałam patrzeć nad głowami. Ani śladu Alexa. Miałam nadzieję, że gdzieś się zaszył albo jeszcze lepiej – wyszedł, ale jak go znałam, prawdopodobieństwo tego było niewielkie.

– E, koleś, nie masz kostiumu – usłyszałam za sobą głos. Odwróciłam się i ujrzałam uśmiechniętego Daxa. Wcisnął mi do ręki piwo. – Od paru dni cię szukam. Dez mówiła, że poszedłeś do Denazen.

Uśmiechnęłam się, wzruszyłam ramionami i chciałam odejść. Gdybym tylko otworzyła usta, wszystko by się wydało.

Dax nie popuszczał. Chwycił mnie za ramię i odwrócił do siebie.

– Co ci odpaliło, że poszedłeś do nich? Zrobiłeś to dla niej, tak? – Jęknął i zepchnął mnie z parkietu. Miałam ciało Alexa, ale nie mam jego koordynacji ruchów. – Moim zdaniem nie dostaniesz jej.

Szarpnęłam się.

– Nie mam teraz na to czasu.

Dax zawahał się, ale po chwili mnie puścił.

– To się nie uda.

Nie oglądałam się za siebie.

Przeszukałam cały pierwszy poziom i nie dostrzegłam ani śladu Kale'a. Na piętrze zaczęłam się martwić. Znalazłam ciemny kąt i wróciłam do swojej postaci. Skoro Alex nie wie, jak wygląda moja mama, to były małe szanse, że ona go rozpozna.

Gdy szłam w białym topie i krótkich szortach, próbując przyciągnąć uwagę, ludzie pokrzykiwali i pohukiwali. *Zatańczysz? Może drinka? Pójdziesz ze mną na zaplecze?* Ignorowałam wszystko.

Za rogiem, na drugim poziomie, zauważyłam Kale'a próbującego wyjść z tłumu. Ulżyło mi, że nie został schwytany przez siepaczy ojca. Wołanie go nie miało żadnego sensu. Nie chciałam zwracać na siebie uwagi, a poza tym i tak muzyka wszystko zagłuszała. Po prostu więc szłam w jego stronę.

Byłam już blisko, gdy uświadomiłam sobie, że idzie za nim pewna blondynka. Znajdowała się za daleko, żeby ją zauważył, ale wyraźnie podążała za nim. Kale dotarł do korytarza z toaletami. Dziewczyna za nim. Przyśpieszyłam kroku.

Kale był już przy końcu korytarza.

Kiedy uniósł rękę, żeby otworzyć drzwi, dziewczyna musiała coś krzyknąć, bo zatrzymał się i odwrócił. Ruszyłam biegiem.

Zatopieni w rozmowie nie zauważyli, że nadchodzę.

– Kale, nie ruszaj się – zawołałam. Nie słyszał. Wyciągnął do niej rękę, a ona w tym momencie podniosła głowę.

Lub raczej: ja podniosłam głowę.

Zmusiłam się do szybszego biegu, cały czas próbowałam przekrzyczeć muzykę.

– Kale, stój! – Jeszcze kilka centymetrów. Tyle dzieliło ich ręce. Odległość ta malała z każdym ułamkiem sekundy.

– To nie ja!

– Nie ruszaj się! – powiedziała moja kopia w moim kierunku. – Nie chcę cię skrzywdzić.

Roześmiałam się wbrew własnej woli.

– Nie chcesz mnie skrzywdzić? Masz pojęcie, kim ja je...

– Dez? – Kale przenosił wzrok raz na mnie, raz na nią. W jego oczach najpierw pojawiło się zrozumienie, a później przerażenie. Omal nie zabił przypadkiem mojej mamy.

– Co się stało? Gdzie Fin? – pytałam, a jednocześnie „druga ja" przestraszonym tonem zapytała:

– Kale? To naprawdę ty?

Była blada i mówiła drżącym głosem.

– Powiedziano mi, że jest jeszcze jedna osoba umiejąca zmieniać postacie. Zdrajczyni. Sprowadzili go tu w celu eliminacji. Kazali mi wyglądać tak jak ty. Dali mi zdjęcie jej... – Wskazała na mnie. – I kazali zająć cię rozmową. – Rozejrzała się. – Ktoś miał pojawić się, żeby cię pojmać. Oni...

Mówiła pośpiesznie, na jednym wydechu. Kale jej przerwał.

– W porządku, Sue, to jest...

– Cross ma tu upolować dwie nowe Szóstki. Jeśli cię znajdzie, drugi raz nie będziesz miał szansy na wolność...

Kale obszedł ją niezwykle szerokim łukiem, zbliżył się do mnie i wziął mnie za rękę. Jej – wyglądającej jak ja – ze zdziwienia opadła szczęka.

– Sue, to jest Deznee Cross. Twoja córka.

30

W pierwszej chwili nic nie mówiła. Stała tylko, mrugając oczami. W końcu odezwała się, ale liczyłam na inne słowa.

– Ty jesteś... Szóstką? – zapytała z przerażeniem.

– Tak. Potrafię kopiować. Podobnie jak ty, ale trochę inaczej.

Pobladła jeszcze bardziej, chociaż wydawało się to niemożliwe.

– Powiedział mi, że nie masz żadnego daru. – Westchnęła i odwróciła głowę. – Myślałam, że jesteś bezpieczna.

Nie takiego powitania dawno niewidzianej córki oczekiwałam.

– Nie wiedział. Trzymałam to w tajemnicy. – Puściłam rękę Kale'a i zrobiłam krok do przodu. – Powiedziałam mu dopiero, gdy dowiedziałam się, że żyjesz i jesteś więziona w Denazen. Zrobiłam to, żeby cię ratować.

– Nie wierzę w to wszystko! – płakała. – Macie natychmiast opuścić ten budynek!

– Zgadzam się – rzekł stojący przy drzwiach ojciec. – Może pójdziemy wszyscy razem.

– Cholera – zaklęła mama i niesamowitym ruchem zrzuciła z siebie moją postać. Nie była już mną, lecz piękną, wysoką blondynką z twarzą wróżki i długimi, zwiewnymi

312

włosami. Spojrzała na ojca oczami w odcieniu brązowego miodu, takim samym jak moje. – Marshall, pozwól dzieciom odejść, proszę cię.

– Uwielbiam, jak mnie błagasz, Sue – powiedział, wchodząc do środka.

– Marshall, jeśli mnie kiedykolwiek kochałeś, puść wolno naszą córkę.

Ojciec roześmiał się.

– Jeśli kiedykolwiek cię kochałem? Oczywiście, że cię nie kochałem. To był tylko eksperyment. Bardzo przyjemny, ale jeden z wielu. – Odsłonił w uśmiechu zęby. – Znaleźliśmy sposób na doskonalenie umiejętności potomstwa Szóstek. Chemicznie wspierana dewiacja chromosomu w dziewięćdziesięciu procentach przypadków powoduje dziesięciokrotne zintensyfikowanie umiejętności. Nie każdy dar u dzieci przejawia się tak samo jak u rodziców, ale pozostają wyraźne podobieństwa. Projekt nosił kryptonim Supremacja.

Supremacja. A więc o tym ojciec rozmawiał z Vincentem w e-mailach.

– Deznee jest efektem tego eksperymentu. Podobnie jak Fin.

Eksperymentu? Jak w probówce? Jednym z wielu? To oznacza, że jest nas więcej niż tylko ja i Fin? Które z nich ojciec... przeprowadzał osobiście? Boże. Może mam tu rodzeństwo. Może pozostaje w niewoli Denazen?

– Dar Sueshannah pozwalający jej wcielać się w inne postacie jest bardzo pożyteczny, ale ma swoje granice. Polega na zwyczajnym tworzeniu złudzenia. Natomiast Deznee ma znacznie szersze możliwości. Wraz z wiekiem będą się rozwijać, aż w końcu...

– W końcu co? – zapytałam wkurzona.

Ojciec westchnął.

– Należysz do drugiego pokolenia. Twoi poprzednicy byli niesamowici. Idealni pracownicy o możliwościach przekraczających nasze wyobrażenia. Nie trzeba ich było do niczego przymuszać ani w niczym okłamywać. Nie trzeba było im grozić ani dawać motywacji. Wychowywano ich na idealnych żołnierzy Denazen. Wiedzieli, że są wyjątkowi i że czekają ich wspaniałe rzeczy. Ale musieliśmy popełnić jakiś błąd w składzie substancji chemicznej. Osiągali pełnoletniość i po kolei zaczynali wariować. Nie było sposobu, by zapanować nad nimi. Wszystkie pozostałości pierwszej fazy eksperymentu poddano likwidacji.

– Zabiliście ich?

Popatrzył na mnie jak na idiotkę.

– Byli nieposkromieni. W końcu niewiele różnili się od zwierząt. Wyświadczyliśmy im przysługę.

– Chcesz powiedzieć, że odpali mi, jak osiągnę osiemnastkę? Zeświruję? – W tej chwili nie był to najpoważniejszy problem, ale jeśli nic bym z tym nie zrobiła, szybko wpadłabym w poważne tarapaty. I to bardzo szybko. Kończyłam osiemnaście lat za osiem miesięcy.

Wzruszył ramionami, lekceważąc sprawę.

– Tak, istnieje taka ewentualność. Pierwsza grupa Supremacji kończy osiemnaście lat w przyszłym miesiącu. Ciekawe, jak to będzie wyglądać.

Ciekawe? To chyba nie najlepsze słowo.

– Zaczęliśmy wszystko od nowa. Wybraliśmy najbardziej użytecznych i wstrzyknęliśmy im do płynu owodniowego udoskonaloną substancję chemiczną. Gdy urodziły się dzieci, zajęli się nimi pracownicy Denazen. Większość jeszcze przed ukończeniem pierwszego roku zdradzała symptomy świadczące o darze. Wszystko szło gładko. Rosło pokolenie wierzące od początku w to, co przedstawialiśmy im jako słuszne.

Przypomniałam sobie Flipa, tego gostka, którego pierwszego dnia poznałam w bufecie. Z pełnym przekonaniem mówił o tym, że jest z tych dobrych i że Denazen ulepsza świat. Był oddany całym sercem, a wcale nie wychowywał się w Denazen. Można sobie wyobrazić, jacy będą ci, którzy tam dorastają.

Na twarzy ojca pojawił się wyraz swoistego, wypaczonego opanowania, który był mi znany przez całe życie.

– W dwóch przypadkach dar się nie pojawił. Niestety tak się zdarzyło. Gdy ty w wieku siedmiu lat nie okazywałaś żadnych oznak, spisałem cię na straty. Tylko ty i Fin byliście niepowodzeniem. Ale ty oszukiwałaś, co? Rozwinęłaś swój dar i trzymałaś go w tajemnicy. Kiedy pierwszy raz go odkryłaś, hę?

– Jak miałam siedem lat. – Nie zależało mi na opowiadaniu mu o tym. On mnie obserwował, a ja potrafiłam zachować to w sekrecie. Punkt dla mnie.

– Wszystkie pozostałe obiekty Supremacji wcześnie wykazywały oznaki. Wydaje nam się, że dar Fina rozwinął się dopiero kilka miesięcy temu. Znaleźliśmy chłopaka przypadkiem w zeszłym tygodniu. Jest niezwykły. Większość osób potrafi panować nad żywiołami. Fin posiada umiejętność tworzenia ich w pewien sposób. Ze względu na zaawansowany wiek nie przyszedłby do nas z własnej woli. Zwłaszcza że Ginger i jej ludzie rozpuścili wici wśród

315

społeczności Szóstek. Nie wiedzieliśmy, czy jej ludzie dopadli go. Póki nie znamy ostatecznego wyniku Supremacji
– który ujawni się, gdy obiekty ukończą osiemnaście lat –
musimy pozyskiwać pracowników metodami tradycyjnymi.

– To znaczy uprowadzać – wtrąciła mama. – Odbierać ich
rodzinom i zmuszać do kradzieży oraz morderstw.

Ojciec zlekceważył ją śmiechem.

– Nigdy nie zastanawiałaś się nad tym, że Deznee i Denazen brzmią podobnie? Dałem ci imię po firmie, której
miałaś służyć.

Kale zrobił krok do przodu.

– Nie ruszaj się, 98. – Ojciec uśmiechnął się szerzej i wyciągnął zza poły marynarki pistolet. – Pokażę ci, że nie jestem takim łajdakiem, za jakiego mnie uważasz. I dam ci
wybór.

Kale struchlał. Być może wiedział, co ojciec chce powiedzieć, a może i nie. Ale gdy zobaczyłam przerażenie w jego
oczach, włosy zaczęły stawać mi dęba.

– Powiedz, gdzie znajdę Ginger, a będziesz mógł zadecydować.

Kale przeniósł na mnie wzrok, a potem znów na ojca.

– Co zadecydować?

– Każąc Sue wcielić się w Deznee, chciałem upiec dwie
pieczenie na jednym ogniu. To właśnie Sue jest sprawczynią
tego całego zamieszania. Ona zdradziła i została tu sprowa-
dzona w celu eliminacji. Miała w Denazen wszystkie wygo-
dy, ale nadużyła zaufania. Zaczęła karmić naszych rezyden-
tów niebezpiecznymi myślami i pomysłami. Mówiła im, że
ich wykorzystujemy. Że trzymamy ich w niewoli.

– Przecież trzymacie ich w niewoli – powiedziałam.

Wymierzył mi policzek. Nie za mocny, ale zaskoczył mnie. Zachwiałam się i upadłabym, gdyby Kale mnie nie przytrzymał. Nie ośmielił się zaatakować ojca, który nadal celował z pistoletu. Ale przycisnął mnie do siebie tak mocno, że niemal poczułam ból.

– Odkąd 98 uciekł, z powodu jego nieposłuszeństwa zaczęło pojawiać się coraz więcej problemów. Wieści rozchodziły się szybko i powodowały nowe kłopoty.

Poruszył pistoletem i wycelował w mamę.

– Odkryłem, że wszystko zaczyna się od Sue. A gdy dowiedziałem się o tej imprezie, zauważyłem świetną sposobność, żeby zapanować nad sytuacją. – Znów odwrócił się do mnie. – Niestety Deznee jak zwykle pokrzyżowała mi plany.

– Ja? – Niczego nie udało mi się osiągnąć. Mama i Kale nadal byli w niewoli Denazen. Ja też do nich dołączyłam.

– 98 został skreślony, gdy uciekł z nasza córką – zwrócił się do mamy, która patrzyła na niego z nienawiścią w oczach. – Nie chciałem go eliminować, ale rada już podjęła decyzję. Dali mi ostatnią szansę, żeby wszystko wyprostować. Ten plan wydawał się idealny.

– Ten plan? – zapytałam.

– 98 bardzo przywiązał się do Sue. Tak bardzo, że za jej pośrednictwem mogliśmy nad nim panować. Zaplanowałem wykorzystać to jeszcze po raz ostatni .

I wtedy mnie olśniło. Gdy zrozumiałam, przeszedł mnie dreszcz. Mama zobaczyła Kale'a i myślała, że to zdrajca wcielił się w jego postać. Szła za nim do tego korytarza. Kale myślał, że to ja i że może wziąć ją za rękę...

– Chciałeś, żeby Kale ją zabił.

Ojciec przytaknął.

– To byłoby idealnie. Ten czyn tak by go zdruzgotał, że znów moglibyśmy nad nim panować.

Mama wybuchła śmiechem.

– Jak zwykle nie doceniłeś go, Marshall. Jest na to za silny.

– Niestety nie doceniłem go. Nie doceniłem też wpływu, jaki ma na niego nasza córka.

Kale z przerażeniem otworzył usta.

– Skąd wiedziałeś, że jej dotknę?

Ojciec przewrócił oczami.

– To był pewnik. Gdyby ci nie przerwano, wszystko poszłoby dobrze. – Westchnął. – Teraz daję ci wybór. Jeśli mi powiesz, gdzie jest Ginger, pozwolę ci zatrzymać Sue albo Deznee.

– Nie – krzyknęła mama.

– Czas leci, 98. Wybieraj albo ja wybiorę za ciebie.

– Nie słuchaj go, Kale – odezwałam się. – Nie zastrzeli mnie. Jestem zbyt ważna.

– Kale – powiedziała mama ostrym głosem. – To nie jest żaden wybór. Nie pozwól, żeby ten łajdak skrzywdził moją córkę.

Wyciągnęła ręce i mocno przytuliła mnie do siebie. Kale poszedł za mną i niebezpiecznie zbliżył się do mamy. Pachniała lawendą i papierosami. Starałam się zachować ten zapach w pamięci.

– Jesteś piękna – szepnęła mi do ucha i mocniej przycisnęła. – Cieszę się, że wyrosła z ciebie tak cudowna kobieta i mogę cię zobaczyć na własne oczy.

Chciałam coś powiedzieć, ale nie byłam w stanie. Jej słowa zabrzmiały jak pożegnanie. Odwróciłam się do Kale'a:

– Nie...

Miał zaciśnięte pięści, zawył boleśnie. Pulsowały mu mięśnie szczęki, nerwowo poruszał palcami. Patrzył na nas, jakby za chwilę miał nastąpić koniec świata. Przysunął się nieznacznie do mamy.

– Dez, nie mogę cię stracić...

Ojciec odbezpieczył pistolet.

Szeroko rozłożyłam ręce i stanęłam Kale'owi na drodze.

– Nie wolno ci. To w niczym nie pomoże. Ty jesteś lepszy od nich. – Położyłam mu dłonie na twarzy. Z oczu popłynęły mu łzy. – Oni nie panują nad tobą. Już dla nich nie zabijasz.

– Nie – odezwał się cichym, łamiącym głosem. – Ale zabiłbym dla ciebie. Tylko dla ciebie.

Mijały sekundy. Milczenie.

W końcu Kale przemówił. Tym samym zimnym, martwym tonem, jak wtedy, gdy się poznaliśmy. Mówił wtedy ojcu, że mnie zabije.

– Cross, dokonałem wyboru.

– Kogo wybrałeś?

Kale cofnął się i spojrzał w jego stronę. Dostrzegłam na jego twarzy przebiegły uśmiech.

– Ciebie.

Rzucił się do przodu i chciał zacisnąć palce na gardle ojca. Tata zrobił unik, jakby się tego spodziewał. Kale poleciał do przodu, ale udało mu się utrzymać równowagę. Ostrzegłam go krzykiem, że pistolet znów jest skierowany w jego stronę.

Jakby nie zwrócił na to uwagi. Ponowił próbę, gdy rozległ się strzał. Kula trafiła w ścianę, kawałki tynku rozsypały się po korytarzu. Nadeszło około dziesięciu siepaczy Denazen w garniturach.

Ojciec robił uniki przed rękami Kale'a sięgającymi do jego twarzy. Jednak Kale nie miał szczęścia. Jego palce mijały skórę ojca o centymetry. Ojciec złapał go za nadgarstki. Po kilku sekundach siłowych zmagań, palce Kale'a zbliżyły się o centymetr. Potem następny. Już się wydawało, że Kale zwycięży, gdy ojciec kopnął go kolanem w krocze. Kale zwinął się, a ojciec uderzył go łokciem w gardło. Kale zakrztusił się i próbował wciągnąć powietrze do płuc.

Ojciec odepchnął go na bok.

– To się może skończyć tylko w jeden sposób.

Ruszyłam na pomoc, ale mama mnie powstrzymała. Potem doskoczyła do ojca i kopnięciem powaliła go na podłogę. W tej samej chwili ruszyli na nas siepacze.

– Uciekaj! – zawołałam i odciągnęłam ją od ojca. Wymierzyła jeszcze kilka trafnych ciosów i gdyby nie to, że trzeba było uciekać, pewnie nie poprzestałaby na tym. Pomogłam wstać Kale'owi i we troje ruszyliśmy do wyjścia.

– Za drzwiami są schody na pierwszy poziom – krzyknęła mama. – Zauważyłam je, kiedy tu szłam.

Wypadliśmy przez drzwi i zbiegliśmy po schodach po dwa – trzy stopnie naraz. Znaleźliśmy się w głównej sali. Ludzie tańczyli, huczała muzyka. Nikt nie zdawał sobie sprawy, co się dzieje. Wśród tłumu dojrzałam garnitury Denazen.

Już miałam pytać mamę, czy widziała jeszcze inne wyjście, gdy ktoś chwycił mnie za ramię.

Alex.

– Co ty tu jeszcze, do diabła, robisz?

Wyrwałam mu się. Pamiętałam, co zdarzyło się wcześniej.

– Wszędzie są ludzie Denazen – przekrzykiwałam muzykę. – Tata jest na górze i ma pistolet.

Z prawej strony sali zauważyliśmy siepaczy schodzących głównymi schodami i rozpychających ludzi. Obok mnie pastuch tańczył ze skąpo ubraną kobietą-kotem.

– Daj to. – Wyrwałam pastuchowi grubą, drewniana laskę. Odwróciłam się i zablokowałam laską drzwi.

Z drugiej strony sali siepacze byli już w połowie schodów. Widzieli nas. Gdy jeden z nich wyciągnął pistolet, tłum tańczących się rozpierzchł.

– Prawdziwy! – krzyknął ktoś.

Zapanował chaos.

– Musimy znaleźć Fina i wynosimy się stąd w diabły! – zawołałam i zwróciłam się do Alexa: – Masz jakieś pomysły?

Po chwili wahania powiedział:

– Fin jest z dziewczyną pracującą dla Denazen. Przy barze, obok drzwi frontowych.

– Cały czas wiedziałeś, gdzie on jest? – wrzasnęłam. Czy Alex wie o Supremacji? – Wiesz, kim jest Fin? Kim ja jestem?

Zero odpowiedzi.

Mama szła wpatrzona w bar.

– Ta dziewczyna jest Szóstką?

Alex nie odpowiedział. Widziałam, że kątem oka spogląda na Kale'a. Stuknęłam go w tył głowy.

– Uważaj. Czy ta dziewczyna jest Szóstką?

– Nie. – W tym samym momencie z góry rozległ się krzyk. Ludzie znów zaczęli się kotłować. I wtedy poczułam dym.

– Coś się pali?

Kale wskazał bar przy drzwiach, gdzie Fin walczył za pomocą ognia z trojgiem ludzi z Denazen.

– Fin umie miotać żywiołami. Jak nie będzie uważać, sfajczy cały budynek.

Mama nie traciła czasu. Przecisnęła się przez tłum, z zaskoczenia złapała jednego z siepaczy za włosy, pochyliła się i kopnęła kolanem w plecy. Gdy upadł na podłogę, uderzyła go w brzuch.

Jasna cholera. Niezły wojownik z mojej mamy.

Wzięłam z baru pustą butelkę po Bacardi i ruszyłam do przodu. Właśnie wymierzyłam cios w głowę najbliższego siepacza, gdy ten odwrócił się, uchylając się przed uderzeniem. Popchnął mnie i straciłam równowagę. Padając, zauważyłam, że trzeci siepacz pokonał Fina i powalił go na podłogę.

– Mamo – krzyknęłam, robiąc unik przed niezgrabnym kopniakiem. – Zabieraj Fina!

Odwróciła się, zapominając o przeciwniku, ale było za późno. Facet w garniturze przycisnął Fina do baru i wbił mu w szyję igłę.

– Nie – krzyknęła mama. Potrząsnęła głową i odgarnęła włosy. Patrząc na Fina, cofnęła się za bardzo i potknęła o faceta, którego wcześniej powaliła. Zaatakował ją, ale ona nie walczyła.

Fin stopniowo przestawał stawiać opór. Oczy pełne ognia zaczynały przygasać. Jak u Szóstek na dziewiątym poziomie. Wstrzyknęli mu krew Kale'a.

Jeden z siepaczy dał znak drugiemu i ten, którego nie trafiłam butelką, próbował mnie kopnąć, ale zauważyłam to i zrobiłam unik. Spróbował raz jeszcze, lecz i tym razem mu umknęłam. W końcu udało mi się stanąć na nogi.

– Przestań się bawić i uśpij ją – krzyknął człowiek Denazen zza baru.

Rozpoznałam jego zielone oczy.

– Kogo tym razem wezwiesz na pomoc? Tu nie ma ochroniarzy.

To był facet z centrum handlowego. Poszczuliśmy na niego ochronę. Najwyraźniej nie ucieszył się z ponownego spotkania. Zbliżał się krok po kroku, a ja wycofywałam się, aż moje plecy dotknęły ściany. Wyciągnął łapy, chwycił mnie za ramiona i szarpnął do przodu. Uniosłam kolano i trafiłam go prosto w krocze. Ze stłumionym jękiem puścił mnie i cofnął się zwinięty w pół.

Zadowolona odwróciłam się i podeszłam do baru, gdzie byli mama i Fin. W pół drogi ktoś mnie powstrzymał. Powietrze uszło mi z płuc, gdy otrzymałam cios w plecy. Kolanem.

– Denazen nie jest zła dla takich jak ty, jeśli grzecznie współpracujesz. – Napastnik chwycił mnie za ręce i wykręcił je do tyłu.

Takich jak ja? Zaraz mi powie, że dostanę własny kombinezon i lodów miętowo-czekoladowych do woli.

Nie, dziękuję.

Gdy poczułam, że się pochyla – pewnie chciał mi skrępować ręce – potrząsnęłam głową do tyłu i wytrąciłam go z równowagi. Usłyszał głośny trzask i poczułam w czaszce ostry ból. Jego uchwyt osłabł na tyle, że mogłam się podnieść. Ledwie jednak stanęłam na nogi, ktoś mnie złapał z tyłu. Uścisk był mocniejszy. I stabilniejszy. Z niego nie dało się uwolnić.

Kiedy mnie wreszcie puścił, przede mną pojawił się ojciec.

– Rozczarowałaś mnie, Deznee. Zawsze mnie rozczarowywałaś, ale myślałem, że tym razem będzie inaczej. Nie jesteśmy tak źli, jak myślisz. Robimy dla świata wiele dobrego. Mogłabyś mieć normalne życie.

Kopnęłam go. Dziecinada? Wiem. Bez sensu? Jasne. Ale poczułam się lepiej i to się liczyło.

– Jeśli już skończyłaś, musimy kontynuować. – Machnął na mnie ręką i podszedł do mamy. Nigdzie nie widziałam Kale'a.

Mama patrzyła na ojca z błaganiem w oczach.

– Wrócę bez oporu, obiecuję. Nie będę sprawiać więcej kłopotów. Tylko puść ją.

Ojciec złożył ręce na piersiach i popukał się w brodę. Wyglądał, jakby rozważał jej prośbę, ale ja nie dałam się nabrać. On nie miał ani serca, ani sumienia.

– Sueshanna, chciałbym spełnić twoje życzenie, ale na dłuższą metę byłoby to nierozsądne. Nie znasz za bardzo naszej córeczki. Potrafi zajść za skórę. – Uniósł pistolet i przyłożył jej do czoła. – Tak jak mamusia.

Odbezpieczył pistolet i przesunął lufę na skroń.

– Zabierz Fina i Deznee na zewnątrz – zwrócił się do stojącego najbliżej siepacza.

– Cross, rzuć broń.

31

Wszyscy odwróciliśmy się w stronę drzwi, w których stała Ginger... i sześć innych osób. Dax, Sira, a reszty nie znałam. Nie wiedziałam, jak udało im się wejść niepostrzeżenie do budynku. Dopiero po chwili zauważyłam młodego bramkarza. Zobaczył, że na niego patrzę, i puścił do mnie oko.

Nie odwracając wzroku od ojca, Ginger wyszła przed pozostałych.

– No, dalej – zażądała. Władczość jej głosu działała pocieszająco, a jednocześnie odrobinę przerażająco.

Ojciec posłuchał i z przebiegłym uśmieszkiem opuścił broń.

– Fin, bądź tak dobry.

Fin z martwą twarzą wyszedł do przodu. Z jego rąk ział ogień.

– Barge – zawołała Ginger. Zza Daxa wyskoczył wysoki, szczupły chłopak w wieku około piętnastu lat. Uśmiechnął się do mnie figlarnie i szeroko otworzył usta.

Przez chwilę nie działo się nic. A potem poczułam, że wyraźnie spada temperatura na sali. Ze zdumieniem obserwowałam, jak płomienie, które jeszcze przed chwilą zajmowały wszystko, zamieniają się w dym lecący w naszą stronę. A raczej w stronę Barge'a, który nadal stał z otwartymi ustami, a słabnący ogień zawirował nad jego głową. Później chłopak wciągnął powietrze do płuc i wessał wszystkie płomienie. Gdy już zniknęły, zamknął usta i szeroko się uśmiechnął. Zrobił krok wstecz, beknął i z kącika zaciśniętych ust wydobyła się smużka dymu.

Przez kilka sekund wszyscy trwali w bezruchu.

A później zapanował chaos.

Ojciec krzyknął coś do Fina i wciągnął go za bar. Kilka pozostałych butelek spadło i rozbiło się na podłodze. Po sali rozniósł się dźwięk tłuczonego szkła kończący kilkusekundową ciszę.

Kiedy opadły dymy, siepacze ojca ruszyli do ataku na grupę Ginger. Denazen kontra Szóstki.

Można by pomyśleć, że kilku facetów z bronią atakujących Szóstki porywa się z motyką na słońce. I byłoby to prawdą, gdyby ojciec nie pomyślał o sprowadzeniu posiłków.

Na widok postaci, która pojawiła się w drzwiach, Sira krzyknęła:

– Zmykamy!

Musiała rozpoznać tę kobietę, bo gdy tylko ludzie Ginger się rozpierzchli, nowo przybyła zakręciła lekko biodrami i przeszła w stan płynny. Pod postacią masy wody ruszyła przez salę prosto do Siry.

Już miałam rzucić się jej na pomoc, gdy ktoś powstrzymał mnie od tyłu. Uwolniłam prawą rękę i uderzyłam napastnika prosto w brzuch. Musiałam go zaskoczyć, bo mnie wypuścił. Odwróciłam się w momencie, w którym pochylił się, aby złapać mnie z powrotem. Chwyciłam go za włosy. Banał? Oczywiście. Ale kompletnie się tego nie spodziewał.

Pociągnęłam i jednocześnie uniosłam kolano. Gdy zderzyło się z jego głową, usłyszałam satysfakcjonujący trzask.

Poprzez wrzawę przebił się głos ojca.

– Uważaj, żeby cię nie pokrwawił.

W tym momencie usłyszałam odgłosy innej szamotaniny. Odwróciłam głowę i ujrzałam zakrwawiony nóż w dłoni Alexa.Stał nad Kalem, który próbował się podnieść.

Pobiegłam bez zastanawiania. Rozpychając się na oślep, dotknęłam czegoś miękkiego. Rozległ się gniewny wrzask. Nie odwróciłam się za siebie.

Przede mną przemknęło coś gorącego. To była kula ognia. Pchnęłam Kale'a, powalając go z powrotem na podłogę. Za mną, przy barze, stał Fin z nieobecną miną, a za nim ojciec. Dłonie Fina były rozgrzane do czerwoności, a nad nimi unosił się dym. Wypuścił kolejną kulę ogniową. Tym razem minęła Kale'a zaledwie o kilka milimetrów. Przeleciała nad jego głową i trafiła w bar po drugiej stronie sali. Butelki pospadały, wybuchł pożar.

Nie znałam daru Siry, ale miałam nadzieję, że da sobie radę sama. Musiałam zająć się Kalem. Zauważyłam mamę, która właśnie zamieniła się w człowieka Denazen odzianego w garnitur. Teoretycznie mogłam zrobić to samo, ale taka zmiana pozbawiłaby mnie resztek sił. To byłoby bez sensu.

Zbliżając się do Kale'a, poczułam uderzenie. Krzesło. Ktoś rzucił we mnie krzesłem. Co to, u diabła, wrestling?* Jęknęłam, gdy nagle zderzyłam się ze ścianą. Chociaż nie czułam, żebym coś sobie złamała, wyraźnie słyszałam trzask łamanych kończyn.

_____

* *Wrestling* – amerykański *show*, znany ze swojej widowiskowości i pozorowanej brutalności.(przyp. red.)

Kilkadziesiąt centymetrów w lewo upadł Barge. W tym momencie najgroźniejszą broń ojca stanowił Fin. Aby go wykorzystać, musieli spacyfikować Barge'a. W jego szyi zauważyłam usypiającą lotkę. Ten sam strzelec, który go trafił, celował teraz we mnie. Udało mi się zrobić szybki unik. Lotka utknęła w ścianie kilka centymetrów od mojej głowy.

Zbliżał się do mnie przeklinający facet. Znów ten z centrum handlowego. Z dłońmi przy cegłach rozglądałam się za czymś, co mogło posłużyć za broń. Widziałam tylko kawałki drewna i szkła. Nic się nie nadawało. Równie dobrze mogłabym walczyć butem.

But!

Nie mogłam się powstrzymać od uśmiechu. Schyliłam się i zdjęłam but. Przynajmniej stracę moje vany w dobrej sprawie. Ktoś musi nauczyć rozumu tego durnia. Jedną rękę przycisnęłam do ceglanej ściany, a w drugiej trzymałam but. Podeszwa stwardniała, na powierzchni pojawiły się drobne popękania. Odczułam tylko minimalny ból. Ukłucie w skroni i łupniecie w karku. I już po chwili zamiast buta trzymałam w dłoni solidną cegłę.

Idealna do rzucania.

Nie wycelowałam zbyt dokładnie, ale i tak go trafiłam. Zwalił się na podłogę jak – nomen omen – wóz cegieł.

Spojrzałam na Kale'a. Wstał i strząsał z siebie resztki kurtki. Ulżyło mi, gdy zobaczyłam niegroźną ranę nad nadgarstkiem, z której zapewne pochodziła krew na nożu. Alex udał, że rzuca się na Kale'a, który odskoczył do tyłu, roześmiał się i spojrzał w sufit. Nad nim poruszała się duża konstrukcja oświetlenia. Kale zdążył uciec, po czym cała świetlna budowla runęła na podłogę, roztrzaskując się na drobinki szkła i metalu.

Kawałek dalej dziewczyna-woda osaczyła w kącie Sirę. Ruszyłam jej na pomoc, bo wyglądało na to, że Kale sam da sobie radę z Alexem.

Gdy znalazłam się przy Sirze, dziewczyna znów przeszła w stan płynny. Dopadła Sirę i pochłonęła ją w wirującą wodę.

Zatrzymałam się przed nimi, zdjęłam drugi but, podniosłam część potłuczonej butelki po Bacardi i spróbowałam się skoncentrować. Pojawił się nieznaczny ból i po kilku sekundach trzymałam dwa jednakowe kawałki butelek. Rzuciłam nimi w głowę Fina.

– Ej, panie zapalniczka, tutaj!

Fin bez chwili wahania posłał w moją stronę idealnie wycelowaną serię kul ogniowych. Uchyliłam się w odpowiednim momencie i kule trafiły w cel: dziewczynę-wodę.

Rozległ się konwulsyjny krzyk i dziewczyna wróciła do stanu stałego. Sira odskoczyła na bok. Wzięła głęboki oddech i wypuściła powietrze. Wydawało się, że przez budynek przetacza się tornado. Wszystko ustępowało mu z drogi: dziewczyna-woda i dwaj siepacze Denazen odskoczyli do tyłu i walnęli plecami w ścianę. Każde z nich bezwiednie osunęło się na podłogę.

Jakieś uderzenie pchnęło mnie na bok.

– Padnij! – zawołał chłopak, Szóstka, który przyszedł z Ginger. Przywarliśmy do podłogi, a nad naszymi głowami przesunęła się fala gorąca.

– Dzięki. – Ponad nami snuła się tylko chmurka dymu.

Z uśmiechem pomógł mi wstać na nogi.

– Spoko! Niezły fun, co? – Miał australijski akcent, uroczy uśmiech i głęboko osadzone brązowe oczy, z których aż biło, że ich właściciel lubi ładować się w kłopoty. – Nazywam się Panda.

– A ja Dez – powiedziałam i zrobiła unik, bo leciały kolejne lotki.

Panda zmarszczył czoło.

– Nieładnie strzelać do damy z takich dupereli, koleś! – Odwrócił się i ruszył na drugą stronę sali. Z każdym krokiem wydawało się, że jego skóra nabiera połysku. Ciało stawało się coraz szersze i krótsze. Jasne włosy i skóra ciemniały, aż w końcu poczerniały. Jeszcze krok i Panda stał się... pandą. Z pomrukiem natarł na siepacza Denazen, który właśnie oddał kolejny strzał. Gdy doszło do starcia, musiałam odwrócić wzrok. Człowiek Denazen wył, a wyrwany kawał jego ciała wyglądał ohydnie. Nie chciałam na to patrzeć.

Wróciłam do Alexa i Kale'a. Byli teraz trochę dalej.

Ruszyłam do nich. Minęłam powalonego człowieka Denazen, Barge'a i całe pobojowisko na sali.

– Alex, przestań! – powiedziałam, potykając się o przewrócone krzesło.

Na dźwięk mojego głosu Kale się odwrócił, a Alex, który zawsze walczył nie fair, wykorzystał jego dekoncentrację.

Wstałam na nogi i pobiegłam. Dzieliła nas niewiarygodnie wielka odległość. Umilkły wszystkie hałasy i pozostało tylko milcząca próżnia. Słyszałam wyłącznie odgłosy swoich frustrująco powolnych kroków. Poczułam uchwyt na ramieniu. Ktoś z Denazen. Otrząsnęłam się i pobiegłam dalej. Byłam prawie na miejscu.

Alex zrobił wypad do przodu i zatopił nóż w brzuchu Kale'a.

Coś eksplodowało z tyłu za moim kolanem. W powietrzu uniósł się zapach palonego drelichu i ciała, ale prawie wcale nie poczułam bólu. Nie widziałam nic oprócz Kale'a. Czułam wyłącznie zimno.

Kale, nie odwracając ode mnie wzroku, upadł na podłogę. Alex zrobił krok do tyłu. Był blady i źle wyglądał. Nóż wylądował obok jego stóp. Coś skrzypnęło. Minęłam Alexa, upadłam i ostatnie metry przeszłam na kolanach.

– Wstawaj – krzyknęłam, szarpiąc Kale'a za ramiona. Tworząca się na czarnej koszuli plama krwi była niewiele ciemniejsza od samej tkaniny. Ale była i nie dało się temu zaprzeczyć. Chociaż umysł znajdował mnóstwo sposobów, aby powiedzieć mi co innego.

Miał otwarte oczy, ale na nic nie patrzył. Zamglone spojrzenie. Wydawało mi się, że mnie nie widzi.

– Krew...

Spojrzał na moje czerwone ręce. Jego krew podobnie jak dotyk nie działała na mnie. Wymacał na oślep moją rękę i przyłożył sobie do piersi. Na sercu, tuż ponad raną. Wyczuwałam pod dłonią znacznie przyśpieszone bicie. Nieregularne i nierytmiczne.

– Widzisz? – wyszeptał. – Co robisz? To nie tak powinno być. – Jego uścisk zelżał. Zamknął oczy.

32

Powtarzałam bezgłośnie imię Kale'a. Silne ręce uniosły mnie i odciągnęły do tyłu. Ojciec. Więc ten tchórz w końcu wyściubił nos z kryjówki?

Ogień całkowicie zajął bar po drugiej stronie sali i zaczął przenosić się w inne miejsca. Pękały stoliki stojące po bokach, podobnie jak przewrócone na podłogę krzesła. Obserwowałam, jak zaczyna się tlić marynarka jednego z powalonych ludzi Denazen. Żaden z kolegów nie ruszył mu na pomoc.

Alex stał na uboczu i spoglądał to na mnie, to na Kale'a. Wyglądał na chorego. Po chwili odchrząknął. Nadal był blady, ale wróciła jego zwyczajowa maska z wyrazem „srać na wszystko".

– Fajnie było – powiedział spokojnym głosem – ale lepiej już stąd chodźmy. Dez nie powinna tego oglądać, a ja nie mam zamiaru upiec się żywcem.

Alex podszedł do mnie, ale ojciec powstrzymał go wyciągnięciem ręki.

– Idź sam.

Alex najpierw wytrzeszczył oczy, a później je zmrużył.

– Umawialiśmy się.

Ojciec pokręcił głową.

– O ile dobrze pamiętam, nigdy na nic się nie godziłem. Zaproponowałeś pomoc przy ujęciu Kale'a. Nie został ujęty. Przecież nie żyje.

Alex zacisnął pięści. Po jego obu stronach zajęły się ogniem krzesła. Dwaj siepacze spojrzeli nerwowo po sobie.

– To już koniec, Cross. – Zza Alexa wyłoniła się Ginger. Mierząc się wzrokiem z ojcem, wskazała za siebie i dodała:

– Jak widzisz, mam za sobą armię.

Po jednej stronie stał Dax, ranny, ale całkiem sprawny. Po drugiej Paul, bramkarz z imprezy. Z tyłu Sira, cała mokra, ale z uśmiechem zadowolenia na twarzy. Nigdzie nie widziałam dziewczyny-wody. Obok Siry cicho pomrukiwał Panda, gdy Ginger głaskała go po głowie i drapała za uchem. Pewien człowiek, którego nie znałam, podtrzymywał Barge'a. Jego palce skrzyły się, po całym ciele przebiegały wyładowania elektryczne.

– A tobie pozostało kilka pistoletów – powiedział Dax z uśmiechem. – I jedna człekokształtna zapałka. Chyba można powiedzieć, że zwycięstwo jest po naszej stronie.

Ojciec roześmiał się i potrząsnął mnie za ramię.

– Nie tkniecie mnie, póki mam ją.

– Nie muszą. – Alex mówił zimnym, groźnym głosem. Pistolet wypadł ojcu z ręki i przez chwilę wirował w powietrzu przed nami. – Puść ją i wynoś się, bo zabiję cię twoją własną bronią. Pistolet odwrócił się i wycelował w czoło ojca.

Czułam, że ojciec jest spięty. Wiedział, że przegrał. Puścił mnie i odszedł do tyłu. Pistolet za nim.

– To jeszcze nie koniec.

– Co za banał – powiedziałam, gdy stanęła obok mnie mama. Była we własnej skórze i wyglądała na zmęczoną, ale żyła. I to się liczyło. – Autor scenariusza zasługuje, żeby go wyrzucić na bruk.

Myślałam, że ojciec ruszy do ostatniej walki, ale on tylko się uśmiechnął. Nie takiego wyrazu twarzy spodziewamy się po człowieku, który właśnie został pokonany i stracił jedną ze swoich ulubionych zabawek.

– Deznee, ciesz się wolnością. Ale nie rób żadnych błędów. To sytuacja przejściowa.

Ojciec, idąc z Finem i dwoma siepaczami w garniturach w kierunku drzwi, nie obejrzał się za siebie.

Ginger podeszła do leżącego bez ruchu Kale'a.

– Daun – zawołała i spośród jej świty wyszła niska kobieta. Była boso i ubrana jedynie w prostą, białą szatę. Widziałam ją wcześniej, ale nie zauważyłam, żeby walczyła. Nie miała żadnych ran. Podeszła do Kale'a i, ku memu zdumieniu, podniosła go, jakby ważył nie więcej niż worek ziemniaków.

Położyła go na jednym ze stolików i potem zwróciła się do mnie:

– Być może będę mogła mu pomóc. – Przechyliła głowę na prawą stronę. – Ale musisz o czymś wiedzieć. Jestem uzdrowicielką. Za tydzień kończę czterdzieści dwa lata. Jednak nie dzielę się swoim darem na prawo i lewo, i przez całe życie uzdrowiłam dokładnie trzy osoby.

Czułam w żołądku lodowaty ścisk.

– Dlaczego?

– Aby przywrócić komuś zdrowie, muszę oddać część siebie.

– Część siebie?

Pokiwała głową.

– Taki efekt uboczny. Coś za coś. Nigdy nie wiadomo, co to będzie. Czasami może to być tylko wspomnienie, a czasami... – Wskazała lewe ucho. – ... słuch.

Przeniosła wzrok na Kale'a.

– W tym przypadku jednak sprawy wyglądają nieco inaczej.

– Inaczej?

– Aby kogoś uzdrowić, muszę go dotknąć. Kontakt fizyczny jest niezbędny.

Lodowa kula w brzuchu wybuchła.

– Więc nie możesz mu pomóc...

– Wydaje mi się, że mogłabym za pośrednictwem twojego dotyku.

– No to w czym problem? Do dzieła, póki nie jest za późno.

Uniosła brwi, a potem je zmarszczyła.

– Więc zgadzasz się?

– Na co?

– Ty go dotkniesz, więc efekt uboczny dotknie ciebie, a nie mnie.

Uklękłam. Nie wiedziałam, co utracę, ale czy to miało jakieś znaczenie, jeśli pragnęłam uratować Kale'a? Skoro byłam w stanie coś dla niego zrobić, to nie mogłam pozwolić mu umrzeć.

– Wszystko bym mu oddała.

Daun pokiwała głową.

– Połóż mu ręce na ciele. Cokolwiek będzie się działo, nie podnoś ich.

Ułożyłam mu dłonie na twarzy. Daun stanęła obok i chwyciła moją rękę. Natychmiast poczułam ciepło. Początkowo przyjemne, jakby na plaży słońce pieściło moją skórę.

A potem zaszła zmiana. Ciepło stało się duszne, dławiące, tropikalne. Daun mocniej zacisnęła palce na mojej ręce, gdy zaczęły targać mną konwulsje.

– Jeszcze trochę – powiedziała.

Sala zaczęła wirować mi przed oczami. Pochyliłam się do Kale'a, usiłując utrzymać równowagę. Gdy ciepło zaczęło odpływać, dziękowałam Bogu, że to już koniec.

Ale to nie był koniec.

Sala znów wirowała przed oczami, tylko teraz tak szybko, że wszystko mi się zamazywało. Daun, Kale, pozostałości po przerwanej imprezie, wszystko zamieniło się w chaotyczną mozaikę kolorów.

Gdy w uszach pojawił się przenikliwy dźwięk, dostałam mdłości. Kilka razy niemal puściłam Kale'a, żeby zasłonić sobie uszy.

Wtem wszystko skończyło się równie szybko, jak się zaczęło. Upadłam na podłogę i nie mogłam otworzyć oczu. Gdzieś w oddali słyszałam stłumione dźwięki.

Łup łup. Łup łup.

Regularne, coraz głośniejsze. To serce.

Łup łup. Łup łup. Łup łup.

Słuchałam, nadal nie mogąc otworzyć oczu. A może mogłam, ale nie chciałam. Rytm wydawał mi się dziwnie nienaturalny. Coś w głębi duszy podpowiadało mi, że powinnam być ostrożna, a nie byłam. Bolała mnie każda kość, wszystkie moje nerwy wibrowały jak gitarowe struny. Udało się? Zdołałam uratować Kale'a? Ogarnęło mnie złe przeczucie. Na pewno się nie udało. Na sali było za cicho.

I wtedy usłyszałam. Nie jeden puls, lecz dwa.

Łup łup. Łup łup. Łup łup.

Poczułam na dłoni coś ciepłego i miękkiego. To Kale. Gdy zacisnął palce, otworzyłam oczy.

– Uratowałaś mnie. Już drugi raz.

33

– Wygląda na to, że nikogo nie ma – powiedział Kale. – Cała droga na marne.

Pomasował sobie tors tuż pod sercem. Rana zagoiła się już kilka miesięcy temu, ale on nadal narzekał, że czasem go *łaskocze*.

– Nie na marne – ścisnęłam mu rękę. – Mieliśmy dwa dni ciszy i spokoju. Poza tym w końcu przyjdą. – Spojrzałam na zegarek. – Pewnie są jeszcze w pracy.

Usiedliśmy na schodach wiktoriańskiego budynku. Kale na najwyższym, ja na najniższym. Lato dawało się we znaki. Dwa tygodnie po rozbiciu imprezy Sumrum doszczętnie spłonął budynek „firmy prawniczej" Denazen. Ojciec zniknął, a wraz z nim Mercy, Fin i pozostałe Szóstki, ale nie traciłam nadziei. Jeszcze je uratujemy. Choćby każdą po kolei.

Ginger powiedziała nam, że Denazen ma siedem oddziałów głównych na całym świecie i czterdzieści dwie mniejsze filie w samych Stanach Zjednoczonych. Wkrótce znów zaczną porywać Szóstki z ulicy. Ojciec na pewno mi nie daruje. I w końcu dowie się – jeśli jeszcze nie wie – że Kale nadal żyje. Nie będzie ukrywał się do końca swoich dni.

Kiedy poszłam do domu po swoje rzeczy, zabrałam także listę, którą dostałam od Brandta. Tę z personaliami wszystkich Szóstek, na które Denazen zagięła parol. Prawie całe lato jeździliśmy z Kale'em od stanu do stanu i je wyszukiwaliśmy. Na pięćdziesiąt jeden wymienionych, odnaleźliśmy i ostrzegliśmy dwadzieścia jeden. Ulica Fallow 8710 miała być ostatnim przystankiem naszej letniej wycieczki. Jak znajdziemy właściciela, Vincenta Winsteada, uchodzącego za telepatę, ruszymy z powrotem do domu.

Dom. To znaczyło teraz dla mnie coś innego. Nie miałam pojęcia, jak będzie mi się mieszkać z mamą. Wprawdzie marzyłam o tym od dzieciństwa, ale teraz trochę się bałam. Mamy wiele do nadrobienia i wypracowania.

W jej oczach widziałam to samo, co u Kale'a. Czas spędzony w Denazen wyrządził identyczne szkody. Zaraz po powrocie zamierzałam udać się do hotelu Mishy, bo tam zatrzymała się mama. Podobnie jak Kale, tylko w innym pokoju. I na innym piętrze, jak została skrupulatnie poinformowana.

Kale. Powoli zaczynał aklimatyzować się w zewnętrznym świecie. Patrzenie jego oczami stanowiło dla mnie pouczające doświadczenie. Pierwszy zachód słońca, pierwsze lody czekoladowo-miętowe, pierwsze wyjście do kina. Za każdym razem czułam nowy przypływ życia. Proste rzeczy, które traktujemy jako oczywiste, dla niego są nowe i ekscytujące. I dzięki temu również mnie się takie wydają.

Nadal wielu rzeczy nie rozumiał. W pierwszym dniu naszej podróży chciał zaatakować faceta, uderzającego po plecach kobietę, która zakrztusiła się ciastkiem, bo myślał, że chce jej zrobić krzywdę. Kilka dni później potraktował literalnie moje słowa, gdy w chwili frustracji powiedziałam, że czasami chce mi się skoczyć z mostu.

Nadal nie korzystał z windy i już chyba zawsze wieczorem będzie zaglądał pod łóżko. Ale uczy się szybko. Od czasu do czasu miewał koszmary, budził się z krzykiem i zlany zimnym potem. Nie chciał wyjawić, co mu się śniło, ale obiecał, że kiedyś to zdradzi. Uwierzyłam mu. Dochodził do siebie po swojemu.

Nie pojawił się żaden efekt uboczny uzdrowienia Kale'a. Przez kilka tygodni panicznie bał się, że któregoś dnia znajdzie gdzieś moja rękę albo nogę lub, co gorsza, stracę pamięć. Utraty pamięci bał się najbardziej. Ale nic takiego się nie stało. Daun ostrzegała, że czasami efekty pojawiają się ze znacznym opóźnieniem, więc nie mieliśmy jeszcze żadnej pewności. Ale nie przejmowałam się tym. Odzyskałam Kale'a i niczego nie żałowałam.

– Patrz. – Wskazałam na ulicę, z której skręcał na podjazd czarny ford explorer.

Zza kierownicy wysiadł mężczyzna o brązowych włosach, jasnozielonych oczach i przyjaznym uśmiechu.

– Dzień dobry.

Wstaliśmy i wyszliśmy mu na spotkanie.

– Pan Vincent Winstead? – zawołałam, zasłaniając dłonią oczy przed południowym słońcem.

– Po prostu Vince. – Uśmiechnął się serdecznie i wyciągnął rękę. – Czym mogę służyć?

Uścisnęłam mu dłoń.

– Nazywam się Dez, a to jest Kale. Miałby pan dla nas kilka minut?

Vince sięgnął do kieszeni i wyjął klucze.

– Za chwilkę spodziewam się towarzystwa. Moglibyśmy zobaczyć się jutro? Wspieram już naszą lokalną szkołę...

– Nie jesteśmy ze szkoły – powiedział Kale. – Grozi panu niebezpieczeństwo i przyszliśmy pana ostrzec.

Nie mogłam się skupić na rozmowie Kale'a i Vince'a. Bardziej niż efekt uboczny, o którym mówiła Daun, niepokoił mnie projekt Supremacja. Nie zauważyłam u siebie żadnych nowych, dziwnych umiejętności, ale to nie znaczy, że się nie pojawią. Za osiem miesięcy kończyłam osiemnastkę. To oznaczało, że osiem miesięcy dzieli mnie od ewentualnego popadnięcia w szaleństwo. Ginger i jej ludzie prowadzili już badania, ale nie znając składu chemicznego substancji, którą Denazen nas podkręcało, błądzili jak dziecko we mgle.

Chciałam odszukać innych uczestników projektu, takich jak ja – zasługiwali na prawdę – ale nie miałam pojęcia, jak to zrobić. Wiedzieliśmy o nich tylko tyle, że byli mniej więcej w moim wieku i dysponowali silnym darem. Większość z nich dorastała w przekonaniu, że Denazen stoi po dobrej stronie, więc zapewne już tam pracują. Musiałam do nich dotrzeć i przekonać, że zostali okłamani. Taaa. Prościzna.

Westchnęłam i wyjrzałam na ulicę. Zwróciłam uwagę na rosnące przy podjeździe fioletowe kwiatki z fajnymi, białymi wzorkami. Taki kolor nadawałby się na lakier do paznokci. Uniosłam rękę, żeby popatrzeć na żałosne resztki manicure sprzed dwóch tygodni, i ze zdumienia otworzyłam usta.

Na miejscu starego czerwonego lakieru pojawił się świeży – fioletowy z fajnymi, białymi wzorkami.

Shit.

PODZIĘKOWANIA

Jest takie afrykańskie przysłowie, nad którym nigdy wcześniej się nie zastanawiałam. *Aby wychować dziecko, potrzebna jest wioska.* Moim dzieckiem jest ta książka, która bez wioski byłaby niewyrośniętym zlepkiem luźnych pomysłów ukrytych gdzieś w najodleglejszym zakamarku twardego dysku.

Po pierwsze dziękuję moim rodzicom, którzy nigdy nie wygłaszali mi kazań, próbując mnie przekonać, żebym *zabrała się za normalną pracę.* Od pierwszego dnia stanowiliście dla mnie wsparcie i rozbudzaliście we mnie zapał. Nie wiem, gdzie ani kim bym bez was była. Bywają dni, że nie chcecie się do mnie przyznawać. Ale wychowując mnie, wykonaliście kawał dobrej roboty.

Podziękowania należą się również:

Mojemu mężowi, który nalegał, abym napisała tę książkę do końca. Za wszystkie wieczory bez kolacji i godziny samotnego ślęczenia przed telewizorem, gdy ja zajmowałam się ludźmi, którzy istnieli tylko w mojej wyobraźni. Nie wiem, czym sobie zasłużyłam na twoją bezbrzeżną miłość i twoje zaufanie, ale dziękuję za nie Bogu każdego dnia.

Mojemu bratu, Jamesowi, który wiele godzin przesiedział przed komputerem, ucząc się flasha, abym miała fajną stronę www. Dzięki!

Heather Howland, mojej przyjaciółce i pierwszej czytelniczce. Mojej doradczyni, wspólniczce i ratowniczce mojego zdrowia psychicznego (jakkolwiek wątłego). Twoja wiara i otucha odegrały najważniejszą rolę w ruszeniu z *Dotykiem*. Gdyby ta książka była dzieckiem, ty byłabyś matką chrzestną.

Liz Pelletier, redaktorce i przyjaciółce. Twój entuzjazm i serce włożone w tę książkę pozwoliły mi przetrwać chwile zwątpienia. Za to, że kochasz Dez i Kale tak samo, jak ja i pomogłaś mi pokazać ich światu. Dziękuję. Dla ciebie wstawiłam do tekstu całą armię przecinków.

Katy Upperman i Christa Desir. Uważam się za niesłychaną szczęściarę, ponieważ istnieją w moim życiu osoby tak utalentowane, jak wy. Za to, że zawsze miałyście dla mnie czas, za waszą wiarę i przyjaźń. Dziękuję. To ważniejsze, niż przypuszczacie.

Nieskończenie dziękuję mojej agentce, Kevan Lyon. Za to, że potrafi dostrzegać potencjał i możliwości. Przed nami jeszcze wiele książek!

Wielkie podziękowania dla wydawcy Cathy Yardley. Za to, że nalegałaś, abym była sobą, i że wykonałaś za mnie całą czarną robotę, a mi pozostało tylko pisanie.

Lori Wilde za to, że mnie uświadomiła. Dzięki niej jestem lepszą pisarką. Dziękuję ci za słowa otuchy i wsparcie moralne.

O AUTORCE

Jus Accardo pisze paranormalne romanse dla młodzieży, a także powieści z gatunku urban fantasy. Urodzona w Nowym Jorku mieszka z dala od miasta z mężem, trzema psami, a czasami także zaprzyjaźnionym niedźwiedziem Oswaldem. Kiedy nie pisze, pracuje jako wolontariuszka w pobliskim schronisku dla zwierząt albo oddaje się pasji kulinarnej. Po przyjęciu do Amerykańskiego Instytutu Kulinarnego odsunęła pisanie na bok i nie żałuje swej decyzji. Uważa, że ma najfajniejszą pracę na świecie: objada się za kasę.